D0653344

Frygtens indeks

Af samme forfatter

Fædrelandet

Enigma

Arkhangelsk

Pompeji

Imperium

Skyggen

Lustrum

Robert Harris

Frygtens indeks

På dansk ved
Henrik Enemark Sørensen

LINDHARDT OG RINGHOF

Frygtens indeks
er oversat fra engelsk efter
The Fear Index

Omslag: Mark Airs
Bogen er sat med Minion hos Rosendahls – BookPartnerMedia
og trykt hos Scandbook, 2012

ISBN 978-87-11-40957-2
1. udgave, 1. oplag 2012

www.lindhardtogringhof.dk

Lindhardt og Ringhof Forlag A/S, et selskab i Egmont

Til min familie:

Gill,

Holly, Charlie, Matilda, Sam

Tak

Jeg vil gerne takke alle de mennesker, hvis ekspertise – som de gavmildt har ladet mig nyde godt af – har gjort denne bog mulig. Først og fremmest Neville Quie fra Citi, som kom med mange nyttige forslag og præsenterede mig for mange mennesker, og som sammen med Cameron Small tålmodigt hjalp mig gennem labyrinten af shorts og out-of-the-money puts. Charles Scott, tidligere ansat i Morgan Stanley, som diskuterede bogens idé med mig, læste manuskriptet og præsenterede mig for Andre Stern fra Oxford Asset Management. Eli Lederman, forhenværende direktør i Turquoise, og David Keetly og John Mansell fra Polar Capital Alva Fund, som alle har bidraget med nyttig viden og indsigt. Leda Braga, Mike Platt, Pawel Lewicki og det algoritmiske team i BlueCrest for deres gæstfrihed og for at lade mig følge dem i aktion en hel dag. Christian Holzer for hans gode råd om VIX. Lucie Chaumeton for at tjekke faktuelle oplysninger. Philippe Jabre fra Jabre Capital Partners SA for at dele sin viden om de finansielle markeder med mig. Dr. Ian Bird, projektleder af CERN's Large Hadron Collider Computing Grid Project, for at arrangere to guidede rundvisninger og give mig indsigt i CERN, Det Europæiske Center for Atomforskning, i 1990'erne. Ariane Koek, James Gillies, Christine Sutton og Barbara Warmbein fra CERN's pressekontor. Dr. Bryan Lynn, som er forskningsfysiker og har arbejdet i både Merrill Lynch og CERN, og som venligst har beskrevet sine oplevelser med at bevæge sig frem og tilbage mellem disse to forskellige verdener. Jean-Philippe Brandt fra Genève Politi for at give mig en rundvisning i byen og besvare alle mine spørgsmål om politiets procedurer. Dr. Stephen Golding, reservelæge i radiologi på John Radcliffe Hospital i Oxford, for at rådgive mig om hjerneskanninger og sætte mig i forbindelse med professor Christoph Becker og dr. Minerva Becker, som efterfølgende gav mig en rundvisning på Radiologisk Afdeling på Universitetshospitalet i Genève. Naturligvis er ingen af disse personer ansvarlige for de faktuelle fejl, de fejlagtige udlægninger og den gotiske fantasirejse, der optræder i det følgende.

Til sidst vil jeg gerne rette en speciel tak til Angela Palmer, som uselvisk lod mig låne ideen bag de fantastiske kunstværker, hun skaber, så de i bogen er skabt af Gabrielle Hoffmann (de originale værker kan ses på www.angelaspalmer.com), samt til Paul Greengrass for hans kloge råd og gode venskab og for at dele adskillige *Liquidity Replenishment Points* med mig undervejs.

Robert Harris
11. 7. 11

1

Lær af mig, om ikke af mine formaninger så i det mindste
af mit eksempel, hvor farlig tilegnelsen af viden er,
og hvor meget lykkeligere det menneske er der tror
at hans fødeby er hele verden, end han der tragter efter at
blive større end hans natur tillader.

MARY SHELLEY, *Frankenstein* (1818)

Dr. Alexander Hoffmann sad ved pejsen i sit arbejdsværelse i Genève med en kold, halvrøget cigar i askebægeret ved sin side og en arkitektlampe trukket lavt ned over skulderen, mens han bladrede i en førsteudgave af Charles Darwins *The Expressions of the Emotions in Man and Animals*. Det victorianske standur i hallen slog midnat, men Hoffmann hørte det ikke. På samme måde havde han heller ikke bemærket, at ilden i pejsen næsten var gået ud. Al hans imponerende koncentrationsevne var rettet mod bogen.

Han vidste, at den var udgivet i London i 1872 af John Murray & Co. og trykt i syv tusind eksemplarer fordelt på to oplag. Han vidste desuden, at der i andet oplag var en trykfejl – »htah« i stedet for »that« – på side 208. Eftersom fejlen ikke var at finde i dette eksemplar af bogen, gik han ud fra, at den stammede fra første oplag, hvilket kun fik bogens værdi til at stige yderligere. Han vendte den i hænderne og inspicerede bogryggen. Indbindingen bestod af det oprindelige grønne lærred med forgyldte bogstaver, og ryggen var kun en anelse slidt i toppen og bunden. Bogen var, hvad man i branchen betegnede som et »velholdt« eksemplar, og dens værdi lå et sted omkring 15.000 dollars. Den havde ligget og ventet på ham, da han samme aften vendte hjem fra kontoret lidt over klokken ti, efter at børsen i New York var lukket. Det underlige var bare, at selvom han samlede på førsteudgaver af videnskabelige værker og havde kigget på netop denne bog på nettet – og rent faktisk havde bestemt sig for at købe den – var det *ikke* ham, der havde bestilt den.

Hans umiddelbare tanke havde været, at det måtte være hans kone, der havde købt den til ham, men hun havde hårdnakket benægtet ethvert kendskab til bogen. I begyndelsen havde han ikke troet på hende og var fulgt i hælene på hende rundt i køkkenet og havde holdt bogen frem mod hende, så hun kunne tage den nærmere i øjesyn, mens hun dækkede bord.

»Prøver du helt ærligt at fortælle, at du ikke har købt den til mig?«

»Ja, Alex. Jeg beklager. Den er ikke fra mig. Hvad skal jeg sige? Måske har du en hemmelig beundrer?«

»Er du helt sikker? Det er ikke vores bryllupsdag eller noget i den retning? Har jeg glemt at købe noget til dig?«

»For guds skyld, Alex, det er *ikke* mig, der har købt den. Okay?«

Bogen var blevet leveret uden følgebrev, blot med et visitkort fra et hollandsk antikvariat: »Rosengaarden & Nijenhuise, Antikvariske videnskabelige og medicinske bøger. Grundlagt 1911. Prinsengracht 227, 1016 HN Amsterdam, Holland.« Hoffmann havde trykket på pedalen på affaldsspanden og fisket bobleplasten og den kraftige brune kuvert op igen. Oplysningerne på den fortrykte etiket på pakken havde været korrekte: »Dr. Alexander Hoffmann, Villa Clairmont, 79 Chemin de Ruth, 1223 Cologny, Genève, Schweiz.« Bogen var afsendt fra Amsterdam dagen før via et kurerfirma.

Da de havde spist – en fisketærte med grøn salat, som husholdersken havde tilberedt, før hun tog hjem – var Gabrielle blevet siddende i køkkenet for at gennemføre et par nervøse telefonopkald i sidste øjeblik i forbindelse med sin første udstilling, som skulle åbne dagen efter, mens Hoffmann havde trukket sig tilbage til sit arbejdsværelse med den mystiske bog i hænderne. Da Gabrielle en time senere stak hovedet ind ad døren for at sige, at hun gik op i seng, sad han stadig og læste i bogen.

»Prøv at lade være med at blive oppe til alt for sent, skat,« sagde hun. »Jeg venter med at lægge mig til at sove.«

Han svarede ikke. Hun blev stående i døråbningen et øjeblik og betragtede ham. Af en mand på 42 at være så han stadig ung ud, og han havde altid været flottere, end han selv var klar over. Det var en egenskab ved mænd, der i hendes øjne var lige så tiltrækkende, som den var sjælden. Det var gået op for hende, at det ikke skyldtes, at han var beskeden. Tværtimod, rent faktisk. Han var bare totalt ligeglad med alt, der ikke formåede at fange ham rent intellektuelt, og blandt hendes venner havde det givet ham ry for at være decideret uforskammet ... hvilket hun egentlig havde det helt fint med. Han sad med sit nærmest overnaturligt drengede amerikanske ansigt bøjet over bogen, og hans briller, som han havde skubbet op på hovedet, så de hvilede på hans kraftige, lysebrune hår, reflekterede skæret fra ilden i pejsen, så det nærmest virkede, som om de blinkede advarende til hende. Hun vidste, at hun gjorde klogest i ikke at forstyrre ham, så hun sukkede blot stille og gik ovenpå.

Hoffmann havde vidst i mange år, at *The Expression of the Emotions in Man and Animals* var en af de første bøger med fotografier, der var blevet udgivet, men han havde aldrig før set de monokrome tryk af de victorianske kunstnermodeller og patienter fra Surrey Lunatic Asylum, der var blevet fotograferet i en række forskellige følelsesmæssige tilstande – sorg, fortvivlelse, glæde, trods, frygt – for bogen var tænkt som et studie af *Homo sapiens* som et dyr og med dyrets instinktive reaktioner, blottet for de sociale instinkters maske. Personerne på billederne var kommet til verden langt nok oppe i videnskabens tidsalder til at blive foreviget på film, men ikke desto mindre fik deres skelende øjne og skæve tænder dem til at ligne udspekulerede, overtroiske bønder fra middelalderen. De mindede Hoffmann om noget, der var hentet direkte ud af et barns mareridt … eller forestillingen om ondskabsfulde voksne fra en gammel eventyrbog. Voksne af den slags, der kom og bortførte børn i deres senge om natten og bar dem ud i skoven.

Og der var endnu en ting ved bogen, der foruroligede ham. Visitkortet fra antikvariatet var stukket ind mellem de sider, der handlede om følelsen frygt – som om afsenderen specifikt ønskede at henlede hans opmærksomhed på dem:

I begyndelsen står det skræmte menneske som en statue, ubevægelig eller åndeløs, eller sætter sig instinktivt på hug for ikke at blive set. Hjertet banker hurtigt og voldsomt, så det dunker eller slår mod ribbenene …

Når Hoffmann tænkte, havde han for vane at lægge hovedet en anelse på skrå og stirre tomt frem for sig, og det var præcis, hvad han også gjorde nu. Var det bare et tilfældigt sammentræf? Ja, konkluderede han, det måtte det være. På den anden side var den fysiologiske effekt af frygt så direkte relevant for det projekt, han lige nu var involveret i, VIXAL-4, at det slog ham som underligt påfaldende. VIXAL-4 var et tophemmeligt projekt, som kun medlemmerne af hans forskningsgruppe havde kendskab til, og selvom han var meget omhyggelig med at betale sine medarbejdere godt – begyndelseslønnen var på 250.000 dollars med muligheder for at øge indtægten markant i form af forskellige bonusordninger – virkede det usandsynligt, at nogen af dem skulle have brugt 15.000 dollars på en anonym gave. Der var dog én, som ikke ville have problemer med at få råd til en gave i den størrelsesorden, og som vidste alt om projektet og kunne have set det morsomme ved at gøre det – hvis det reelt var, hvad der var tale om: en ekstravagant spøg – hans forretningspartner Hugo Quarry, og uden at skænke det sene tidspunkt en tanke ringede Hoffmann til ham.

»Hej, Alex. Hvordan går det?« Hvis Quarry fandt det underligt at blive forstyrret lige efter midnat, ville hans perfekte manerer aldrig have tilladt, at han gav udtryk for det. Desuden var han vant til Hoffmann. »Den gale professor«, som han kaldte ham – både op i hans åbne ansigt og bag hans ryg, eftersom det var en del af hans charme, at han altid henvendte sig til alle mennesker på samme måde, uanset om omstændighederne var officielle eller private.

Hoffmann, der stadig havde blikket rettet mod bogens beskrivelse af frygt, svarede fraværende: »Åh, hej. Har du lige købt en bog til mig?«

»Det tror jeg ikke, gamle ven. Hvorfor? Burde jeg da have gjort det?«

»En eller anden har lige sendt mig en førsteudgave af en bog af Darwin, og jeg aner ikke, hvem det er.«

»Det lyder som en temmelig kostbar gave.«

»Det er det også. Jeg tænkte bare, at eftersom du ved, hvor vigtig Darwin er for VIXAL, kunne det sagtens tænkes at være dig.«

»Beklager, men det er det ikke. Kan det være en investor? En lille takkegave, men vedkommende har bare glemt at lægge sit kort ved? Guderne skal vide, Alex, at vi så rigeligt har tjent penge nok til dem.«

»Tja, hvem ved? Måske. Okay, du må undskylde, at jeg forstyrrede.«

»Ingen årsag. Vi ses i morgen. Det bliver en stor dag. Ja, rent faktisk er det jo allerede i morgen. Du burde ligge i din seng og sove nu.«

»Ja, jeg ved det. Jeg er på vej. Godnat.«

Når frygten stiger til et ekstremt stade, høres et grusomt rædselsskrig. Store svedperler bryder frem på huden. Alle kroppens muskler slappes. Snart følger total udmattelse, og de mentale evner svigter. Tarmene påvirkes. Lukkemusklen ophører med at fungere og holder ikke længere kroppens indhold tilbage ...

Hoffmann holdt bogen op under næsen, snuste til den og mærkede en blandet lugt af læder, biblioteksstøv og cigarrøg. Lugten var så skarp, at han nærmest kunne smage den. På samme tid var der også en svag antydning af noget kemisk – formaldehyd, måske, eller kulgas. Lugten fik ham til at tænke på et laboratorium eller en foredragssal fra 1800-tallet, og et øjeblik så han for sit indre blik gamle træborde med bunsenbrændere, kolber med syre og et abeskelet. Han stak visitkortet fra antikvariatet tilbage for at markere siden og lukkede forsigtigt bogen. Han gik hen til reolen, hvorefter han med to fingre omhyggeligt gjorde plads til bogen mellem en førsteudgave af *Arternes oprindelse*, som han havde købt på en auktion hos Sotheby's i New York for 125.000 dollars, og en læderindbundet udgave af *Menneskets afstamning*, der engang havde tilhørt T.H. Huxley.

Senere skulle han forsøge at tænke tilbage og prøve at huske den præcise rækkefølge af de ting, han efterfølgende foretog sig. Han tjekkede sin side på Bloomberg for at se de seneste tal fra USA. Både Dow Jones, S&P 500 og NASDAQ var endt i minus. Han udvekslede et par mails med Susumu Takahashi, den vagthavende dealer, der havde ansvaret for eksekutionen af VIXAL-4 i nattens løb, som meddelte, at alt forløb glat, og mindede ham om, at børsen i Tokyo om mindre end to timer åbnede igen efter den årlige lukning på tre dage i forbindelse med japanernes Golden Week. Børsen ville uden tvivl åbne i minus for at tilpasse sig den seneste uges faldende tendens i Europa og USA. Og der var yderligere en detalje, han skulle forholde sig til: VIXAL foreslog at shorte yderligere tre millioner aktier i Procter & Gamble til en pris på 62 dollars pr. aktie, hvilket ville bringe deres totale position op på seks millioner. Der var tale om en stor handel. Kunne Hoffmann godkende den? »O.k.,« skrev Hoffmann tilbage, hvorefter han smed cigarstumpen ind i pejsen, satte det tætmaskede metalgitter på plads og slukkede lyset. I hallen tjekkede han, om hoveddøren var låst, hvorefter han aktiverede tyverialarmen ved at indtaste den fircifrede kode 1729. (Tallet stammede fra en ordveksling, der i 1920 havde fundet sted mellem matematikerne G.H. Hardy og S.I. Ramanujan, efter at Hardy havde kørt i en taxa med dette nummer, da han skulle besøge sin døende kollega på hospitalet, og han havde beklaget sig over, at det var et »uinteressant tal«, hvortil Ramanujan havde repliceret: »Nej, Hardy! Nej, Hardy! Det er et særdeles interessant tal. Det er det mindste tal, der på to forskellige måder kan udtrykkes som summen af to kubiktal.«) Han lod blot en enkelt lampe være tændt nedenunder – det var han fuldstændig overbevist om – og fortsatte op ad den buede, hvide marmortrappe og gik ud på badeværelset. Han tog brillerne af, klædte sig af, vaskede sig i ansigtet, børstede tænder og tog en blå silkepyjamas på. Han stillede vækkeuret på sin mobiltelefon til 6:30 og bemærkede i samme forbindelse, at klokken allerede var tyve minutter over tolv.

Da han kom ind i soveværelset, konstaterede han til sin overraskelse, at Gabrielle stadig var vågen og lå på ryggen oven på sengetæppet i en sort silkekimono. Et duftlys blafrede på kommoden, men ellers henlå værelset i mørke. Hun lå med hænderne foldet bag hovedet, og hendes albuer strittede stift ud til siden, mens hendes ene ben hvilede oven på det andet. Den øverste af hendes slanke fødder med de mørkerøde tånegle bevægede sig rundt i små, utålmodige cirkler i den velduftende luft.

»Åh gud,« sagde han. »Jeg havde glemt alt om vores lille hyrdetime.«

»Bare rolig.« Hun løsnede bæltet, lod fligene på kimonoen falde ud til siden og holdt armene op mod ham. »Den slags glemmer jeg aldrig.«

Klokken må have været omkring 3:50, da et eller andet fik Hoffmann til at vågne. Han kæmpede sig op fra søvnens dyb og åbnede øjnene til en nærmest himmelsk vision af blændende hvidt lys. Lyset fremstod som en geometrisk form, en graf, skabt af en række smalle og tætsiddende vandrette stråler kombineret med en serie lodrette søjler med noget større afstand imellem, men der var ingen data tilknyttet grafen. Det var som en matematikers drøm, men selvom der alligevel ikke var tale om en drøm, indså han, efter at han i et par sekunder havde betragtet formen med sammenknebne øjne. I realiteten var der tale om et skyggespil skabt af otte halogenprojektører på hver 500 watt, som sendte deres skarpe lys ind gennem sprækkerne i vinduesskodderne. Lyset var så skarpt, at det kunne oplyse en mindre fodboldbane, og han havde længe haft planer om at få pærerne skiftet.

Projektørerne var koblet på en timer og ville være tændt i tredive sekunder. Mens han ventede på, at lyset blev slukket igen, overvejede han, hvad det kunne være, der havde forstyrret det tætte mønster af infrarøde lysstråler i haven og fået projektørerne til at blive tændt. Det var sikkert bare en kat, tænkte han, eller en ræv eller et blad på en forvokset gren, som havde vibreret i vinden. Efter et par sekunder gik lyset i projektørerne ganske rigtigt ud igen og fik mørket til atter at sænke sig i soveværelset.

Men nu var Hoffmann lysvågen. Han rakte ud efter sin mobiltelefon, der stammede fra et parti, som var blevet fremstillet specielt til hedgefonden og kunne kryptere følsomme telefonopkald og mails. For ikke at forstyrre Gabrielle – hun hadede denne vane endnu mere, end hun hadede, at han røg – tændte han telefonen under dynen og kastede et hurtigt blik på skærmbilledet, der viste fondens aktuelle gevinst og tab på de fjernøstlige markeder. I Tokyo, Singapore og Sydney var markederne som ventet faldende, men VIXAL-4 var allerede steget med 0,3 procent, hvilket betød, at ifølge hans egne udregninger havde han allerede næsten tjent tre millioner dollars, siden han var gået i seng. Tilfreds med resultatet slukkede han mobiltelefonen og lagde den tilbage på natbordet, og det var i præcis det øjeblik, han hørte en lyd. En svag og uidentificerbar, men alligevel underligt foruroligende lyd. Som om nogen gik rundt på etagen nedenunder.

Han stirrede på den lille, lysende røde prik på røgalarmen i loftet, mens han forsigtigt lod den ene hånd glide over mod Gabrielle under sengetæppet. På det seneste havde hun haft en vane med at gå ned i sit atelier og arbejde, hvis hun ikke kunne falde i søvn, når de havde elsket. Hans håndflade gled hen over den varme og bølgede overflade på madrassen, indtil hans fingerspidser strejfede huden på hendes hofte. Hun mumlede et eller andet uforståeligt, vendte ryggen til ham og trak sengetæppet op om skuldrene.

Han hørte den samme lyd igen. Han løftede sig op på albuerne og spidsede ører. Det var ikke nogen genkendelig lyd, blot et svagt og lejlighedsvist bump. Det kunne lige så godt være varmeanlægget, som de endnu ikke havde vænnet sig til, eller en dør, som klaprede i vinden. Huset var udstyret med et topmoderne sikkerhedsanlæg, hvilket var en af grundene til, at han havde købt det et par uger tidligere. Foruden projektørerne udenfor var huset omgivet af en tre meter høj mur, fuldautomatisk portanlæg, pansret hoveddør med sikkerhedskode, skudsikkert glas i alle vinduer i stueetagen samt bevægelsesfølsomme sensorer, som han var sikker på, at han havde slået til, før han gik op i seng. Sandsynligheden for, at en indbrudstyv havde haft held til at snige sig forbi alle de sikkerhedsmæssige foranstaltninger og trænge ind i huset, var svimlende lille.

Hoffmann var i god fysisk form. Det var længe siden, han havde fundet ud af, at et højt niveau af endorfiner fik ham til at tænke bedre. Han styrketrænede. Han løb. En atavistisk trang til at beskytte sit territorium blev vakt i ham.

Han lod sig glide ud af sengen uden at vække Gabrielle og iførte sig briller, morgenkåbe og slippers. Han tøvede og kiggede sig lidt om i mørket, men han kunne ikke få øje på noget, der kunne bruges som våben. Han stak sin mobiltelefon i lommen og åbnede soveværelsesdøren – først på klem og derefter helt. Lyset fra lampen nedenunder sendte et svagt skær hen over reposen. Han stod helt stille på dørtrinnet og lyttede. Men lydene – hvis der nogensinde havde været nogen inde i huset, hvilket han nu var begyndt at betvivle – var ophørt. Efter et minuts tid gik han hen til trappen og fortsatte langsomt ned ad den.

Måske skyldtes det, at han havde læst Darwin lige før, han faldt i søvn, men da han bevægede sig ned ad trappen, tog han sig selv i med videnskabelig objektivitet at registrere sine egne fysiske symptomer. Hans vejrtrækning var blevet hurtig, og hans hjerte bankede så hårdt, at det var ubehageligt. Hans hår føltes stift som pels.

Han nåede ned i hallen.

Huset var et lille palæ fra belle époque-perioden, der var blevet opført i 1902 til en fransk forretningsmand, som havde tjent en formue ved at udvinde olie af kulaffald. Hele huset havde netop været igennem en omfattende istandsættelse og renovering, som var blevet iværksat af den tidligere ejer, og det havde stået helt færdigt og indflytningsklart, hvilket måske var grunden til, at Hoffmann aldrig havde følt sig helt hjemme i det. På hans venstre side lå hoveddøren, og umiddelbart foran ham lå døren til stuen. På hans højre side førte en gang ind til den bageste ende af huset: spisestuen, køkkenet, biblioteket og den victorianske havestue, som Gabrielle havde indrettet til atelier. Han stod helt stille og holdt hænderne op foran kroppen, så han var parat til at forsvare sig. Han kunne ikke høre den mindste lyd. I et hjørne af hallen blinkede det lille, røde øje på bevægelsessensoren til ham. Hvis han ikke passede på, ville han selv komme til at udløse tyverialarmen. Det var allerede sket i to andre huse i Cologny, siden de var flyttet ind – i store villaer, der uden grund var begyndt at hyle skingert og nervøst. Som hysteriske gamle damer bag deres høje og beskyttende vedbenddækkede mure.

Han slappede af i hænderne, krydsede gulvet og gik hen til et antikt barometer, der hang på væggen. Han trykkede på en lille knap, og barometeret svingede ud fra væggen. Betjeningspanelet til tyverialarmen var skjult i et hulrum i væggen bag barometeret. Han strakte højre pegefinger for at indtaste koden og slå alarmen fra, men så bremsede han sig selv.

Alarmen var allerede deaktiveret.

Hans finger fortsatte med at svæve i luften foran tastaturet, mens den rationelle del af hans hjerne ledte efter en beroligende forklaring. Måske var Gabrielle alligevel gået nedenunder og havde slået alarmen fra og havde glemt at slå den til igen, da hun gik op i seng. Eller måske havde han selv glemt at slå den til. Eller måske var den slået fra på grund af en fejl?

Han vendte sig langsomt mod hoveddøren for at tage den nærmere i øjesyn. Skæret fra lampen blev kastet tilbage fra den skinnende blanke sorte maling på døren. Det så ud til, at døren var forsvarligt låst, og intet tydede på, at nogen havde øvet vold mod den. Ligesom alarmen var døren af topmoderne design og blev betjent ved hjælp af den samme fircifrede talkode. Han kastede et blik over skulderen og tjekkede trappen og gangen til den bageste ende af huset. Alt var stille. Han fortsatte hen mod døren, indtastede talkoden og hørte boltene trække sig tilbage med et klik. Han tog fat om det kraftige messinghåndtag og drejede det, hvorefter han trådte ud på den mørke trappe udenfor.

Over den store, blæksorte græsplæne hang månen som en sølvblå diskos, der med stor kraft var blevet slynget op mellem de drivende klynger af mørke skyer. Skyggerne fra de store fyrretræer, der skjulte udsigten til huset fra vejen, svajede og bølgede i vinden.

Han tog endnu et par skridt ud på gruset i indkørslen og fjernede sig dermed lige akkurat langt nok væk fra huset til at forstyrre en af de infrarøde lysstråler, og med ét lå hele husets facade igen badet i det kraftige lys fra projektørerne. Det skarpe lys fik ham til at fare sammen, og som en fange på flugt stod han som stivnet i indkørslen. Han løftede den ene arm for at skærme øjnene, mens han vendte sig mod huset og kiggede ind i det gule lysskær i hallen, og i det samme fik han øje på et par store, sorte støvler, der var blevet efterladt på den ene side af døren, som om deres ejer ikke havde villet slæbe jord med indenfor eller forstyrre husets beboere. Støvlerne var ikke Hoffmanns, og de var under ingen omstændigheder Gabrielles. Og han var temmelig sikker på, at de ikke havde stået der, da han næsten seks timer tidligere kom hjem.

Han stirrede tryllebundet på støvlerne, mens han fumlende ledte efter sin mobil. Han var lige ved at tabe den ud af hænderne, før han begyndte at ringe 911, men så kom han i tanker om, at han befandt sig i Schweiz og skulle ringe 117.

Telefonen ringede en enkelt gang i den anden ende – klokken 3:59, ifølge Genève Politi, som registrerede alle nødopkald og efterfølgende udskrev en transskription af samtalen – før en kvinde skarpt sagde: »*Oui, police?*«

Det forekom Hoffmann, at kvinden talte usædvanligt højt, og det fik ham til at tænke på, hvor synlig han måtte være i det skarpe projektørlys i indkørslen. Han skyndte sig at tage nogle skridt ud til venstre for at komme i skjul, hvis nogen holdt øje med området inde fra hallen, mens han på samme tid også søgte længere ind mod huset. Han holdt telefonen helt ind til munden og hviskede: »*J'ai un intrus sur ma propriété.*« På båndet lyder hans stemme rolig, spinkel og nærmest robotagtig. En stemme af den slags, der kendetegner en mand, hvis hjernebark – uden at han selv er bevidst om det – har rettet al koncentration og energi mod at overleve. En stemme, der er kendetegnet ved rendyrket frygt.

»*Quelle est votre adresse, monsieur?*«

Han oplyste adressen, mens han forsigtigt fortsatte hen langs husets facade. Han kunne høre hendes fingre på tastaturet.

»*Et votre nom?*«

»Alexander Hoffmann,« hviskede han.

Projektørlyset gik ud.

»*Okay, monsieur Hoffmann. Restez là. Une voiture est en route.*«

Hun afbrød forbindelsen. Hoffmann stod alene tilbage i mørket ved hjørnet af huset. Det var en usædvanligt kold nat i betragtning af, at det var den første uge i maj. Vinden var i nordøst og stod direkte ind mod huset fra Genèvesøen. Han kunne høre, hvordan bølgerne i hurtig takt slog mod molerne i nærheden og fik linerne på lystyachternes aluminiumsmaster til at smælde. Han trak morgenkåben tættere til om skuldrene. Han rystede voldsomt og var nødt til at bide tænderne hårdt sammen for at forhindre, at de klaprede. Men alligevel mærkede han underligt nok ingen panik. Panik var grundlæggende forskellig fra frygt, havde han erfaret. Panik var et moralsk og nervøst kollaps, et spild af dyrebar energi, hvorimod frygt var lutter sener og instinkt: et dyr, der rejste sig på bagbenene og overtog kontrollen med hele ens krop. Overtog hjernen og musklerne. Han snuste til luften og lod blikket glide hen langs huset i retning af søen. Et sted nær den bageste ende af huset var der lys i et af vinduerne i stueetagen, og lyset badede de nærmeste buske i et smukt og gyldent skær, som om de voksede i en eventyrhule.

Han ventede i et halvt minut, før han roligt begyndte at arbejde sig hen mod lyset og væve sig gennem det brede staudebed, der var anlagt langs siden af huset. I begyndelsen var han usikker på, hvilket værelse lyset kom fra. Han havde ikke vovet sig ud i haven, siden ejendomsmægleren viste dem rundt. Mens han nærmede sig, blev han klar over, at lyset måtte komme fra køkkenet, og da han nåede helt hen til vinduet og forsigtigt førte ansigtet forbi vinduesrammen, så han omridset af en mand. Han stod ved granitpladen på kogeøen midt i køkkenet med ryggen til vinduet. Hans bevægelser var rolige og afslappede, og han var travlt optaget af at tage knivene op af knivblokken og hvæsse dem på en elektrisk slibemaskine.

Hoffmanns hjerte hamrede så vildt, at han kunne høre suset fra sin puls i ørerne. Hans første tanke var Gabrielle. Han måtte sørge for at få hende ud af huset, mens den ubudne gæst var travlt optaget i køkkenet. Han måtte have hende ud af huset eller i det mindste få hende til at låse sig inde på badeværelset, indtil politiet kom.

Han stod stadig med sin mobiltelefon i hånden. Uden at fjerne blikket fra manden i køkkenet ringede han til hendes mobil. Efter et par sekunder hørte han hendes telefon ringe, men lyden var alt for høj og skinger til, at hun kunne have taget telefonen med ovenpå. I det samme så manden op fra knivsliberen. Gabrielles telefon lå på det store fyrretræsbord i køkkenet, hvor hun havde efterladt den, da hun gik i seng. Skærmen blinkede, og den lyserøde telefon flyttede sig vibrerende hen over træet som en eksotisk bille, der ved et uheld var landet på ryggen. Manden løftede hovedet og stirrede på telefonen, og i adskillige sekunder rørte han sig ikke ud af stedet. Men så lagde han med den samme provokerende ro kniven fra sig – Hoffmanns yndlingskniv med det lange, smalle blad, der var specielt velegnet til udbening – trådte uden om kogeøen og nærmede sig bordet. Og mens han gjorde det, vendte han kroppen halvt om mod vinduet, så Hoffmann for første gang kunne se hans ansigt ordentligt. Skaldet isse og langt tyndt hår i siderne, som var redt om bag ørerne og samlet i en fedtet hestehale. Hulkindet og ubarberet. Slidt, brun læderfrakke. Han lignede en mand, der arbejdede i et omrejsende cirkus eller på en markedsplads. Han stirrede forundret på bordet, som om han aldrig havde set en mobiltelefon, før han tog den op i hånden og tøvede et øjeblik, trykkede på svarknappen og holdt telefonen op til øret.

Hoffmann mærkede, hvordan en bølge af raseri skyllede gennem hans krop og fik samtlige celler i hans krop til at sitre. »Forsvind ud af mit hus, dit røvhul,« sagde han stille og så til sin store tilfredsstillelse, hvordan det gav et sæt i manden, som om hans krop i det samme blev løftet op i en usynlig line. I det samme drejede han overrasket hovedet – venstre, højre, venstre, højre – før han til sidst rettede blikket stift mod vinduet. Et kørt øjeblik mødte hans flakkende blik Hoffmanns, men han kunne ikke se ham, for han stirrede bare ind i den mørke rude. Det ville have været svært at afgøre, hvem af de to mænd der var mest bange. Pludselig smed manden telefonen fra sig på bordet og sprang med overraskende fart og smidighed hen mod døren.

Hoffmann bandede, snurrede rundt på hælen og skyndte sig tilbage i den retning, han var kommet fra. Han kæmpede sig gennem blomsterbedet for at komme tilbage til hoveddøren, men det var ikke let at gøre det i et par løse slippers. Han vred om på anklen, og hans vejrtrækning lød som en anstrengt stønnen. Han var nået hen til hjørnet af huset, da han hørte hoveddøren smække i. Han gik ud fra, at den ubudne gæst prøvede at flygte ned mod vejen. Men nej ... sekunderne gik, og manden kom ikke til syne. Han måtte være kommet til at lukke sig inde i huset.

Åh gud, hviskede Hoffmann. *Åh gud.*

Han sprang hen mod indgangen. Støvlerne stod der stadig – udtrådte, slidte, ildevarslende. Han rystede på hænderne, da han indtastede koden på tastaturet. Han råbte Gabrielles navn, selvom soveværelset lå i den modsatte ende af huset, og der ikke var særlig stor sandsynlighed for, at hun kunne høre ham. Der lød et klik fra låsen, da boltene gled tilbage. Han flåede døren op og stirrede ind i mørket. Nogen havde slukket lampen i hallen.

Et øjeblik stod han stønnende på dørtrinnet, mens han vurderede afstanden hen til trappen og den risiko, han løb, før han sprang ind i huset, styrtede hen mod trappen og råbte: »Gabrielle! Gabrielle!« Han var nået halvvejs hen over marmorgulvet, da det føltes, som om hele huset eksploderede omkring ham. Det var, som om trappen styrtede sammen, klinkerne rejste sig fra gulvet, og væggene blev slynget væk fra ham og forsvandt i natten.

2

Blot en lille modifikation af et bygningstræk er nok til at afgøre, hvilket individ der skal leve, og hvilket der skal dø ...

CHARLES DARWIN, *Arternes oprindelse* (1859)

Hoffmann havde ingen erindring om, hvad der derefter skete. Ingen tanker eller drømme forstyrrede hans normalt så rastløse sind, før han langt om længe – som når man så en lille stribe land dukke op efter en lang rejse på havet – i sit omtågede sind blev bevidst om, at hans sanser langsomt var begyndt at blive vakt til live igen. Iskoldt vand, der rislede ned over den ene side af hans hals og fortsatte ud over ryggen, et koldt pres mod hovedbunden, en skarp smerte i hovedet, en vedvarende prikken i ørerne og den velkendte og skarpe duft af blomster fra Gabrielles parfume. Han blev bevidst om, at han lå på siden med kinden hvilende på et eller andet blødt. Han mærkede et pres på sin ene hånd.

Han åbnede øjnene og så en hvid plasticskål ganske få centimeter fra sit ansigt, og et øjeblik efter kastede han op i den og mærkede en sur smag af aftenens fisketærte i munden. Hans mave trak sig sammen, og han kastede op igen. Skålen blev fjernet. Et skarpt lys blev rettet mod hans øjne. Han blev tørret om munden og næsen. Et glas vand blev holdt ind mod hans læber. Som et barn prøvede han først at skubbe glasset væk, men så affandt han sig med det og tømte det slubrende. Da han var færdig med at drikke, åbnede han øjnene og betragtede missende sin nye verden.

Han lå på gulvet i hallen i natostilling med ryggen hvilende op ad væggen. Et blåt lys blinkede i vinduet, som om der rasede et voldsomt uvejr udenfor. Uforståelige sætninger flød fra en radio. Gabrielle knælede ved siden af ham og holdt om hans hånd. Hun smilede og gav hans fingre et klem. »Gud være lovet,« sagde hun. Hun var klædt i cowboybukser og en striktrøje. Han skubbede sig op og kiggede sig forvirret omkring. Uden briller fremstod alt i en lettere sløret dis for ham. To ambulancereddere stod bøjet over en taske med skinnende blankt udstyr. To uniformerede gendarmer. Den ene stod ved døren med den larmende radio i bæltet, og den anden var netop på vej ned ad trappen. En tredje mand var klædt i en mørkeblå vindjakke, hvid skjorte og mørkt slips. Han så ud til at være et sted i halvtredserne og virkede træt, mens han betragtede Hoffmann med distanceret medfølelse. Alle med undtagelse af Hoffmann selv var fuldt påklædte, og pludselig virkede det frygtelig afgørende, at han også selv fik noget ordentligt tøj på. Men da han prøvede at rejse sig yderligere, fandt han ud af, at han ikke havde de nødvendige kræfter i armene. Et jag af smerte skar sig gennem hans hoved.

Manden med det mørke slips holdt en hånd frem mod ham og sagde: »Lad mig hjælpe Dem. Jean-Philippe Leclerc, kriminalinspektør ved Genève Politi.«

En af ambulanceredderne tog fat om Hoffmanns anden arm, og sammen med inspektøren hjalp han ham forsigtigt på benene. På den flødefarvede væg, hvor hans hoved havde hvilet, var der nu en smal, fjerformet blodplet. Der var endnu mere blod på gulvet i form af en række udtværede plamager, som om en eller anden havde vadet rundt i det. Hoffmanns knæ svigtede. »Bare rolig. Jeg *har* fat,« sagde Leclerc beroligende. »Træk vejret dybt et øjeblik.«

»Han skal på hospitalet,« sagde Gabrielle nervøst.

»Lægeambulancen er her om ti minutter,« sagde en af redderne. »Den er blevet en smule forsinket.«

»Skal vi så ikke bare vente herinde?« foreslog Leclerc og åbnede døren til den kolde stue.

Da Hoffmann var blevet placeret i sofaen – han nægtede at lægge sig i den – satte en af ambulanceredderne sig på hug foran ham.

»Kan De fortælle mig, hvor mange fingre der er her?«

»Må jeg ikke få mine ...« sagde Hoffmann. »Hvad er det nu, de hedder?« Han holdt hænderne op til øjnene.

»Han har brug for sine briller,« sagde Gabrielle. »Her er de, skat.« Hun placerede brillerne på hans næse og gav ham et kys på panden. »Tag det bare helt roligt, okay?«

»Kan De se mine fingre nu?« spurgte ambulanceredderen.

Hoffmann talte omhyggeligt og vædede læberne med tungen, før han svarede. »Tre.«

»Og nu?«

»Fire.«

»Vi er nødt til at måle Deres blodtryk, *monsieur*.«

Hoffmann sad helt stille, mens ærmet på hans pyjamasjakke blev skubbet op, hvorefter manchetten blev placeret om hans overarm og pustet op. Enden på stetoskopet føltes kold mod hans hud. Det var, som om hans tankevirksomhed lidt efter lidt begyndte at komme i omdrejninger igen. Han registrerede omhyggeligt sine omgivelser. De lysegule vægge, lænestolene og sofaerne betrukket med hvid silke, det lille Bechstein-flygel, det diskret tikkende Louis Quinze-ur på kaminhylden og de mørke toner i Auerbachs landskabsmaleri på væggen. På sofabordet foran ham stod et af Gabrielles tidlige selvportrætter. En kube, der målte cirka en halv meter i højden og bestod af hundrede stykker Mirogard-glas, hvorpå hun med sort blæk havde optegnet en række tværsnitsbilleder fra en MR-skanning af sin egen krop. Effekten var, at hun fremstod som en underligt sårbar skabning, der svævede frit i rummet. Hoffmann så på kuben, som om han aldrig havde set den før. Der var et eller andet, han burde huske. Hvad var det? Det var en ny oplevelse for ham ikke omgående at kunne finde en oplysning, han havde brug for. Da ambulanceredderen var færdig, så Hoffmann på Gabrielle: »Var der ikke et eller andet specielt, du skulle i dag?« spurgte han. Han rynkede panden koncentreret, mens han famlede rundt i det forvirrende kaos i sit eget hoved. »Åh, nu kan jeg huske det,« sagde han omsider lettet. »Udstillingen.«

»Ja, det er rigtigt, men vi kan bare aflyse ferniseringen.«

»Nej, det går ikke ... det er din første udstilling.«

»Godt,« sagde Leclerc, som sad i en lænestol og betragtede Hoffmann. »Det hele ser tilsyneladende fint ud.«

Hoffmann drejede hovedet langsomt for at se på ham. Bevægelsen sendte endnu et smertefuldt jag gennem hans hoved. Han så på Leclerc. »Godt?«

»Det er godt, at De ikke har mistet hukommelsen.« Inspektøren gav ham et o.k.-tegn med tommelfingeren. »Hvad er for eksempel det sidste, De kan huske fra i aften?«

Gabrielle blandede sig. »Jeg tror, Alex hellere må blive undersøgt af en læge, før han besvarer Deres spørgsmål. Han har brug for at hvile sig.«

»Hvad er det sidste, jeg kan huske?« Hoffmann overvejede omhyggeligt spørgsmålet, som om der var tale om et kompliceret matematisk problem. »Jeg vil tro, at det er, at jeg trådte ind ad hoveddøren. Han må have stået bag døren og ventet på mig.«

»Han? Var der kun én mand?« Leclerc lynede vindjakken op og fiskede med et vist besvær en notesblok op af en skjult lomme, hvorefter han skiftede stilling i stolen og fandt en kuglepen frem, mens han hele tiden så opmuntrende på Hoffmann.

»Ja, så vidt jeg ved. Kun én.« Hoffmann førte en hånd om i nakken, hvor hans fingre mærkede en stram forbinding. »Hvad slog han mig med?«

»Det lader til, at han benyttede en brandslukker.«

»For helvede. Hvor længe var jeg bevidstløs?«

»I femogtyve minutter.«

»Ikke længere?« Hoffmann havde det, som om han havde været bevidstløs i adskillige timer, men da han så på vinduerne, kunne han konstatere, at det stadig var mørkt, og Louis Quinze-uret viste, at klokken endnu ikke var fem. »Jeg råbte for at advare dig,« sagde han til Gabrielle. »Det kan jeg huske.«

»Det er rigtigt, jeg hørte dig. Jeg kom ned ad trappen og fandt dig liggende på gulvet. Døren stod åben. Før jeg vidste af det, dukkede politiet op.«

Hoffmann så tilbage på Leclerc. »Har De fanget ham?«

»Desværre var han allerede væk, da den første patruljevogn nåede frem.« Leclerc bladrede i notesbogen. »Det er underligt. Det lader til, at manden ganske enkelt bare er gået direkte ind og er flygtet herfra på samme måde, selvom jeg går ud fra, at der skal bruges to forskellige koder for at åbne henholdsvis porten og hoveddøren. Jeg spekulerer derfor på ... om De på nogen måde kan tænkes at kende denne mand? Jeg går ud fra, at De ikke frivilligt lukkede ham ind?«

»Jeg har aldrig nogensinde set ham før.«

»Javel.« Leclerc skrev et eller andet i bogen. »Men det lykkedes Dem at kaste et godt og grundigt blik på ham?«

»Han stod i køkkenet. Jeg så ham gennem vinduet.«

»Jeg er vist ikke helt med? Befandt De Dem udenfor, mens manden befandt sig inde i huset?«

»Ja.«

»Jeg beklager ... men hvordan kunne det lade sig gøre?«

Hoffmann fortalte, hvad han havde oplevet. I begyndelsen tøvende og usikkert, men efterhånden med større overbevisning i takt med, at hans kræfter og hukommelse vendte tilbage. Han havde hørt støj, var gået nedenunder og havde set, at alarmen var slået fra. Han havde åbnet døren, havde fået øje på støvlerne og set lys skinne fra et vindue i underetagen, hvorefter han havde sneget sig hen langs siden af huset og havde set den ubudne gæst gennem vinduet.

»Kan De beskrive ham?« Leclerc griflede løs i bogen og kunne knap nå at udfylde en side, før han vendte den og tog hul på en ny.

»Alex ...« sagde Gabrielle.

»Det er helt i orden, Gabby,« sagde Hoffmann. »Vi er nødt til at hjælpe dem med at fange stodderen.« Han lukkede øjnene. Han havde et klart og tydeligt billede af manden på nethinden – næsten lidt for tydeligt – da han stod og stirrede vildt ud ad vinduet i det oplyste køkken. »Han var af middel højde og så temmelig medtaget ud. I halvtredserne. Hærget ansigt. Skaldet isse. Langt og tyndt gråt hår i siderne, som var redt tilbage og samlet i en hestehale. Han var klædt i en læderfrakke eller muligvis en jakke ... jeg kan ikke huske det præcist.« En tvivl spirede frem i Hoffmanns sind. Han tav. Leclerc stirrede på ham og ventede på, at han skulle fortsætte. »Jeg sagde før, at jeg aldrig havde set ham, men nu, hvor jeg tænker nærmere efter, er det måske alligevel ikke helt rigtigt. Måske har jeg set ham et eller andet sted før ... et hurtigt glimt af ham på gaden, måske. Der var et eller andet bekendt ved ...« Hans stemme fortonede sig.

»Fortsæt,« sagde Leclerc.

Hoffmann tænkte et øjeblik, men så rystede han stille på hovedet. »Nej. Jeg kan ikke huske det. Jeg beklager. Men for at være helt ærlig – De ved, jeg vil ikke gøre et større nummer ud af det – men på det seneste har jeg haft en mistanke om, at nogen har holdt øje med mig.«

»Det har du da aldrig nævnt noget om,« sagde Gabrielle overrasket.

»Jeg ville ikke gøre dig bekymret. Desuden har der ikke været tale om noget, som jeg helt præcist har kunnet sætte fingeren på.«

»Måske kan det tænkes, at manden har holdt øje med huset i et stykke tid,« sagde Leclerc, »eller at han har skygget Dem. De har måske set ham på gaden uden at lægge mere i det. Bare rolig, det hele skal nok vende tilbage. Hvad lavede han i køkkenet?«

Hoffmann så på Gabrielle og tøvede. »Han var ... han stod og sleb vores knive.«

»Åh gud!« Gabrielle holdt sig for munden.

»Ville De kunne genkende ham, hvis De så ham igen?«

»Åh ja,« sagde Hoffmann dystert. »Uden tvivl.«

Leclerc slog sin kuglepen let mod notesbogen. »Jeg vil lige sørge for at få signalementet af ham sendt videre.« Han rejste sig. »Hav mig venligst undskyldt et øjeblik,« sagde han og gik ud i hallen.

Pludselig følte Hoffmann sig overvældet af udmattelse. Han lukkede øjnene og lænede hovedet tilbage mod ryglænet, men omgående mærkede han såret i nakken. »Undskyld. Jeg ødelægger dine møbler.«

»Til helvede med møblerne.«

Han stirrede på hende. Hun så ældre ud uden makeup. Mere skrøbelig og – et udtryk, han aldrig havde set i hendes ansigt – bange. Det pinte ham. Det lykkedes ham at smile til hende. I begyndelsen rystede hun bare på hovedet, men så – blot ganske kort og tøvende – smilede hun tilbage til ham, og et øjeblik dristede han sig til at håbe, at det hele alligevel ikke var så alvorligt. At det ville vise sig, at manden bare var en gammel vagabond, der havde fundet sikkerhedskoderne til huset på en gammel lap papir på vejen, og at de en dag ville kunne se tilbage og le ad det hele ... såret i nakken (en brandslukker!), hans mislykkede forsøg på at spille helt, Gabrielles bekymring.

Leclerc kom tilbage med et par gennemsigtige bevisposer i hænderne.

»Vi fandt disse genstande i køkkenet,« sagde han og satte sig med et suk i lænestolen igen. Han holdt poserne op. Den ene indeholdt et par håndjern, mens den anden indeholdt noget, der lignede et sort læderhalsbånd med en sort golfbold på.

»Hvad er det?« spurgte Gabrielle.

»En mundknebel,« svarede Leclerc. »Helt ny og ubrugt. Han har sikkert købt den i en pornobutik. Den slags er meget populære i S&M-miljøet. Med lidt held vil vi måske kunne finde ud af, hvor den er købt.«

»Åh gud!« Gabrielle så forfærdet på Hoffmann. »Hvad ville han gøre ved os?«

Hoffmann følte sig afkræftet og tør i munden. »Jeg ved det ikke. Kidnappe os?«

»Det er afgjort en mulighed,« svarede Leclerc og nikkede, mens han lod et blik glide rundt i stuen. »Det er indlysende, at De er en velhavende mand. Men jeg må dog også sige, at kidnapninger ikke er en hverdagsbegivenhed i Genève. Vi taler om en by, hvor indbyggerne almindeligvis retter sig efter loven.« Han tog sin kuglepen frem igen. »Må jeg spørge, hvad Deres profession er?«

»Jeg er fysiker.«

»Fysiker.« Leclerc noterede det i bogen. Han nikkede stille og løftede det ene øjenbryn. »Det var ikke lige det svar, jeg havde forventet at høre. Englænder?«

»Amerikaner.«

»Jøde?«

»Hvad helvede har det med sagen at gøre?«

»Tilgiv mig. Deres efternavn ... jeg spurgte blot for det tilfældes skyld, at der kunne være et racistisk motiv.«

»Nej, jeg er ikke jøde.«

»Og *madame* Hoffmann?«

»Jeg er englænder.«

»Hvor længe har De boet i Schweiz, dr. Hoffmann?«

»Fjorten år.« Endnu en gang var trætheden lige ved at overmande ham. »Jeg kom hertil i halvfemserne for at arbejde i CERN, hvor jeg var tilknyttet projektet med partikelacceleratoren, The Large Hadron Collider. Jeg var ansat der i omkring seks år.«

»Og nu?«

»Jeg har mit eget firma.«

»Som hedder?«

»Hoffmann Investment Technologies.«

»Og hvad er firmaet beskæftiget med?«

»Og hvad firmaet er beskæftiget med? Med at tjene penge. Det er en hedgefond.«

»Udmærket ... tjene penge ... hvor længe har De boet her?«

»I fjorten år, som jeg lige sagde.«

»Nej, jeg mente *her* ... her i huset.«

»Åh.« Han så opgivende på Gabrielle.

»Blot en måned,« svarede hun.

»En måned? Ændrede De sikkerhedskoderne, da De overtog huset?«

»Naturligvis.«

»Og hvem kender – foruden Dem selv – sikkerhedskoden til tyverialarmen og den slags?«

»Vores husholderske, husassistent og havemand,« sagde Gabrielle.

»Og ingen af dem bor i huset?«

»Nej.«

»Er der nogen i Deres firma, der kender koden, dr. Hoffmann?«

»Min sekretær.« Hoffmann rynkede panden. Hans hjerne fungerede så forbandet langsomt – som en computer, der var inficeret med virus. »Åh, og vores sikkerhedsrådgiver, som gennemgik huset, før vi købte det.«

»Kan De huske hans navn?«

»Genoud.« Han tænkte et øjeblik. »Maurice Genoud.«

Leclerc så op. »Der har engang været en Maurice Genoud, som var ansat ved Genève Politi. Det foresvæver mig, at han fik en stilling i den private sikkerhedsbranche. Javel, der kan man bare se.« Et eftertænksomt udtryk bredte sig i Leclercs slappe ansigt, og han skrev endnu et par notater i bogen. »Det er klart, at alle sikkerhedskoderne straks må ændres igen. Jeg vil foreslå, at De ikke afslører de nye koder for nogen af Deres ansatte, før jeg har fået en chance for at tale med dem.«

En høj brummen lød i hallen, og det gav et sæt i Hoffmann.

»Det er sikkert ambulancen,« sagde Gabrielle. »Jeg åbner porten.«

Mens hun var ude af stuen, sagde Hoffmann: »Jeg går ud fra, at det her ikke kan undgå at blive nævnt i pressen?«

»Er det et problem?«

»Jeg prøver at holde mit navn ude af aviserne.«

»Vi skal nok bestræbe os på at være diskrete. Har De nogen fjender, dr. Hoffmann?«

»Ikke hvad jeg ved af. Og helt sikkert ingen, som kunne finde på at gøre noget i stil med det her.«

»En velhavende investor ... en russer, måske ... som har tabt penge?«

»Vi taber ikke penge.« Alligevel prøvede Hoffmann at overveje, om der var nogen af investorerne, der kunne tænkes at være involveret. Men nej, det var utænkeligt. »Tror De, at det er sikkert for os at opholde os i huset, mens denne galning er på fri fod?«

»Vi vil have folk herude det meste af dagen i morgen, og resten af natten kan vi holde øje med huset og muligvis også placere en patruljevogn på vejen. Men jeg er nødt til at sige, at almindeligvis oplever vi, at folk i Deres position foretrækker at tage deres egne forholdsregler.«

»Tænker De på at ansætte livvagter?« Hoffmann skar en grimasse. »Den måde ønsker jeg ikke at leve på.«

»Desværre vil et hus som Deres altid tiltrække uønsket opmærksomhed. Og folk fra den finansielle sektor er ikke specielt populære for tiden, ikke engang i Schweiz.« Leclerc lod et blik glide rundt i stuen. »Må jeg være så indiskret at spørge, hvor meget De betalte for huset?«

Normalt ville Hoffmann have bedt ham om at skride ad helvede til, men han havde ikke det nødvendige overskud. »Tres millioner dollars.«

»Tak skæbne!« Leclerc spidsede munden og rynkede panden, som om han pludselig havde fået hovedpine. »Ser De, jeg har ikke selv råd til at bo i Genève længere. Min kone og jeg er flyttet ind i et hus, der ligger i Frankrig lige på den anden side af grænsen, hvor alting er billigere. Naturligvis betyder det også, at jeg er nødt til at køre frem og tilbage hver dag, men det må jeg bare leve med.«

Udenfor lød lyden af en dieselmotor. Gabrielle stak hovedet ind ad døren. »Ambulancen er kommet. Jeg går op og finder noget tøj til dig, som vi kan tage med.«

Hoffmann prøvede at rejse sig. Leclerc kom hen for at hjælpe ham, men Hoffmann vinkede ham væk. Schweizere, tænkte han muggent. De lader, som om de byder udlændinge velkommen i deres land, men i virkeligheden foragter de os. Hvad rager det mig, om han bor i Frankrig? Han var nødt til at rokke frem og tilbage et par gange, før han fik skabt tilstrækkelig fremdrift til at rejse sig fra sofaen, men i tredje forsøg lykkedes det, og han stod og svajede lidt usikkert på benene på Aubusson-tæppet. Den dunkende smerte i hovedet fik kvalmen til at vende tilbage.

»Jeg håber ikke, at denne ubehagelige oplevelse har fået Dem til at tænke dårligt om vores smukke land?« sagde Leclerc.

Hoffmann spekulerede på, om han sagde det i spøg, men inspektøren fortrak ikke en mine.

»På ingen måde.«

De fortsatte sammen ud i hallen. Hoffmann gik overdrevent forsigtigt og lignede en fuld mand, der prøvede at spille ædru. Huset myldrede med ambulancereddere og andre nødhjælpsfolk. Der var også kommet flere politibetjente, og to ambulancefolk – en mand og en kvinde – kørte en båre ind i huset. Da Hoffmann stod over for dem i deres kraftige redningsdragter, følte han sig igen både nøgen og sårbar. Som en invalid. Han var lettet, da han så Gabrielle komme ned ad trappen med hans regnfrakke. Leclerc tog imod den fra hende og slog den om skuldrene på Hoffmann.

Ved døren fik Hoffmann øje på brandslukkeren, der nu var indpakket i en plasticpose. Bare synet af den fik et jag af smerte til at skyde gennem hans hoved. »Har De planer om at få lavet en fantomtegning af manden?« spurgte han.

»Måske.«

»Så er der nemlig, nu hvor jeg tænker nærmere over det, noget, som jeg gerne vil vise Dem.« Det var pludselig slået ned i ham med en kraft som en åbenbaring. Han ignorerede ambulancefolkenes protester og ordrer på, at han skulle lægge sig på båren, vendte om på hælen og fortsatte hen ad gangen til arbejdsværelset. Bloomberg-skærmen på skrivebordet var stadig tændt. Ud af øjenkrogen fangede han et rødt skær. Næsten alle kurserne var faldet. De fjernøstlige markeder måtte være i fuld gang med at forbløde. Han tændte lyset og lod hånden glide hen langs en af hylderne, indtil han fandt eksemplaret af *The Expression of Emotions in Man and Animals.* Han rystede på hænderne af spænding, da han begyndte at bladre i bogen.

»Her er det,« sagde han og vendte sig for at vise bogen til Leclerc og Gabrielle. Han slog let med fingeren på siden. »Her er den mand, der overfaldt mig.«

Det var illustrationen for følelsen frygt – en gammel mand med vidt udspilede øjne og gabende, tandløs mund. En række elektroder var blevet placeret på mandens ansigtsmuskler af den store franske læge Duchenne, som var ekspert i galvanisme, for at stimulere det ønskede ansigtsudtryk.

Hoffmann kunne fornemme de andres skepsis … eller nej, endnu værre: deres forfærdelse.

»Jeg beklager,« sagde Leclerc forvirret. »Siger De, at det var *denne* mand, der brød ind i Deres hus?«

»Åh, Alex,« sagde Gabrielle.

»Naturligvis mener jeg det ikke *bogstaveligt*, når jeg siger, at det var ham – manden her har været død i over hundrede år – men jeg siger, at det *ligner* ham.« De stirrede begge stift på ham. De tror, jeg er gået fra forstanden, tænkte han. Han tog en dyb indånding. »Godt. Bogen her,« forklarede han roligt for Leclerc, »modtog jeg i går uden nogen nærmere forklaring. Jeg har ikke selv bestilt den. Jeg ved ikke, hvem det er, der har sendt den til mig. Måske er det bare et sammentræf. Men De må indrømme, at det er påfaldende, at et par timer efter, at bogen er blevet leveret, dukker der en mand op for at overfalde os – en mand, der rent faktisk lignede en, der lige var trådt ud af siderne i bogen.« Ingen af de andre sagde noget. »Under alle omstændigheder,« tilføjede han for at runde af, »siger jeg blot, at hvis De gerne vil have lavet en fantomtegning af manden, kan De begynde med billedet her.«

»Mange tak,« sagde Leclerc. »Det vil jeg skrive mig bag øret.«

Der fulgte en pause.

»Godt,« sagde Gabrielle muntert. »Lad os se at få dig kørt på hospitalet.«

Leclerc blev stående i døråbningen, da Hoffmann og hans kone gik ud til ambulancen.

Månen var forsvundet bag skyerne. Himlen var helt sort, selvom der kun var en halv time til solopgang. Den amerikanske fysiker blev hjulpet op i ambulancen af en af redderne – med hovedet forbundet, iført en sort regnfrakke og med to lyserøde ankler stikkende ud under kanten af buksebenene på den eksklusive pyjamas. Efter at han havde fremsat de rablende bemærkninger om manden på det gamle, victorianske billede, var han blevet helt tavs, og i Leclercs øjne havde han virket nærmest forlegen. Han havde taget bogen med i ambulancen. Hans kone gik lige bag ham med en taske med hans tøj. De lignede et par flygtninge. Dørene blev smækket i, ambulancen satte sig i bevægelse, og en politibil lagde sig lige i hælene på den.

Leclerc fulgte de to biler med øjnene, indtil de nåede ned til svinget i indkørslen og fortsatte ud på vejen. Et kort øjeblik lyste bremselygterne rødt, og så var de væk.

Han gik ind i huset igen.

»Pænt stort hus til to mennesker,« mumlede en af gendarmerne, som stod lige inden for døren.

»Stort hus til *ti* mennesker,« mumlede Leclerc.

Han drog ud på en lille ekspedition gennem huset for at få en fornemmelse af, hvad det var, han havde med at gøre. Fem, seks ... nej, *syv* værelser ovenpå, hvert med eget badeværelse, og ingen af dem så ud til nogensinde at have været brugt. Soveværelset var kolossalt, og i direkte forlængelse af det lå et stort påklædningsværelse med spejllåger og masser af skuffer. Plasma-tv på badeværelset, dobbeltvask og en science fiction-agtig brusekabine med omkring et dusin dyser i væggen, som vandet kom ud af. På den anden side af reposen var der indrettet et motionsrum med motionscykel, romaskine, crosstrainer, håndvægte og endnu et stort fjernsyn. Ingen legetøj. Rent faktisk var der ikke et eneste spor af børn at se nogen steder, ikke engang på de indrammede billeder, der var placeret hist og her og for det meste forestillede Hoffmann og hans kone på eksklusive ferier – skiferier, naturligvis, på en lystyacht og hånd i hånd på en terrasse, der så ud til at være bygget på pæle over en ufatteligt blå korallagune.

Leclerc gik nedenunder og prøvede at forestille sig, hvordan det måtte have føltes for Hoffmann, da han halvanden time tidligere gik ned ad trappen for at gå det ukendte i møde. Han trådte uden om blodplamagerne på gulvet og fortsatte ind på Hoffmanns arbejdsværelse. En hel væg var fyldt med bøger. Han tog en tilfældig bog ned fra hylden og kiggede på ryggen. *Die Traumdeutung* af Sigmund Freud. Han åbnede den. Udgivet i Leipzig og Wien, 1900. Førsteudgave. Han tog en anden bog. *La psychologie des foules* af Gustave le Bon. Paris, 1895. Og endnu en: *L'homme machine* af Julien Offray de La Mettrie. Leiden, 1747. Også en førsteudgave. Leclerc vidste ikke ret meget om sjældne bøger, men han vidste dog tilstrækkeligt til at være klar over, at der var tale om en bogsamling, som repræsenterede en værdi på adskillige millioner. Der var ikke noget at sige til, at der var opsat så mange røgalarmer overalt i huset. Bøgernes emner var hovedsagelig af videnskabelig karakter: sociologi, psykologi, biologi, antropologi ... men ingen af dem handlede om økonomi og penge.

Han gik hen til skrivebordet og satte sig i Hoffmanns antikke kaptajnsstol. Af og til flimrede den store skærm foran ham, når tallene på den skiftede: *-1,06, -78, -4,03%, -$0.95.* Han fattede lige så lidt af tallene på skærmen, som han fattede af inskriptionen på Rosette-stenen. Hvis bare han kunne knække koden, tænkte han, kunne han blive lige så rig som Hoffmann. Hans egne investeringer, som han et par år tidligere var blevet rådet til at foretage af en håbløs »finansrådgiver«, så han kunne sikre sig selv økonomisk i sin tredje alder, var nu kun halvt så meget værd, som da han havde investeret. Som udviklingen gik, ville han være nødt til at tage et halvtidsjob, når han gik på pension – måske som chef for sikkerhedsvagterne i et stormagasin eller noget i den retning. Han kunne se frem til at fortsætte med at arbejde, til han faldt død om – hvilket ikke engang havde været nødvendigt for hans far eller farfar. Tredive år ved politiet, men alligevel havde han ikke engang råd til at bo i sin fødeby. Og hvem var det, der købte alle de eksklusive huse? For hvidvaskede penge, sædvanligvis – hustruer og døtre af præsidenter i de såkaldte »nye demokratier«, politikere fra centralasiatiske republikker, russiske oligarker, afghanske krigsherrer og våbenhandlere – verdens reelle forbrydere, kort sagt, mens han selv brugte tiden på at fange mindreårige algeriske pushere i gaderne omkring banegården. Han tvang sig selv til at rejse sig og forlade arbejdsværelset for at skubbe tankerne ud af hovedet.

I køkkenet lænede han sig op af granitpladen på kogeøen og betragtede knivene. Efter hans egne instrukser var de blevet lagt i forseglede bevisposer i håb om, at der var fingeraftryk at finde på dem. Det var en del af Hoffmanns forklaring, som han ikke forstod. Hvis målet med den ubudne gæsts besøg var kidnapning, ville han velsagtens have sørget for at være passende bevæbnet, når han ankom til huset. Og en kidnapper ville have haft brug for mindst én medsammensvoren, sandsynligvis flere. Hoffmann var forholdsvis ung og i god fysisk form og ville have sat sig til modværge. Var motivet i stedet røveri? En almindelig indbrudstyv ville have været inde og ude af huset så hurtigt som muligt og ville bare have fyldt armene med så meget, han overhovedet kunne bære, og der var masser af mindre genstande at stjæle i huset. Alt tydede derfor på, at gerningsmanden var sindsforvirret. Men hvordan kunne en voldelig psykopat have kendt sikkerhedskoderne? Det var et mysterium. Måske var der en anden indgang til huset, som ikke havde været låst?

Han gik ud i gangen igen og drejede til venstre. Resten af huset bestod af en gammel victoriansk havestue, der nu var blevet indrettet til kunstatelier, selvom der ikke ligefrem var tale om kunst på den måde, Leclerc sædvanligvis opfattede ordet. Det lignede snarere en radiologisk afdeling eller måske et glarmesterværksted. På husets oprindelige ydermur var der ophængt en stor samling af elektroniske billeder af menneskekroppen – digitale, infrarøde, røntgenbilleder – sammen med en række anatomiske tegninger af forskellige organer, lemmer og muskler.

Plader af refleksfrit glas og plexiglas i forskellige størrelser stod opstillet i træreoler. I en metalkuffert lå snesevis af mapper fyldt med omhyggeligt mærkede computerbilleder: »MR-skanninger, hoved, 1-14, sagittal, aksial, coronal«; »Mand, tværsnit, virtuelt hospital, sagittal & coronal«. På en arbejdsbænk fik han øje på en lyskasse, en lille skruestik og en masse blækhuse, gravørredskaber og malerpensler. Der var også et håndbor i et sort stativ ved siden af en mørkeblå metaldåse – »Taylor's of Harrogate, Earl Grey Tea« – som var fyldt med bor, samt en bunke glittede brochurer for en udstilling med titlen »Menneskelige konturer«, som skulle åbne samme dag på et galleri på Plaine de Plainpalais. I brochuren var der trykt en kort biografisk tekst: »Gabrielle Hoffmann er født i Yorkshire i England. Hun har en eksamen i kunst og fransk fra University of Salford og en MA fra Royal College of Art i London. I adskillige år har hun været ansat ved FN i Genève.« Han rullede en af brochurerne sammen og stak den i lommen.

Ved siden af arbejdsbænken stod et af hendes værker opstillet på et par bukke. En skannet 3D-gengivelse af et foster, som bestod af omkring tyve forskellige billeder, der var blevet overført til hver sin glasplade. Leclerc lænede sig frem for at undersøge værket nærmere. Fosterets hoved var uforholdsmæssigt stort i forhold til resten af kroppen, og dets små, tynde ben var trukket op under kroppen. Set forfra havde billedet af fosteret dybde, men hvis man flyttede hovedet og så det fra siden, var det, som om det skrumpede mere og mere ind for til sidst helt at forsvinde. Han kunne ikke finde ud af, om værket var færdigt eller ej. Han følte sig tvunget til at indrømme, at det trods alt rummede en vis udtryksmæssig kraft, men det var ikke et kunstværk, han havde lyst til at have stående hjemme hos sig selv. Det lignede i al for høj grad et fossil af et krybdyr, som hang og svævede i et akvarium. Hans kone ville synes, at det var gyseligt.

En dør førte ud til haven fra havestuen. Den var lukket og låst med en skydebolt, og han kunne ikke se nogen nøgle i nærheden. På den anden side af det kraftige glas flimrede lysene fra Genève på den anden side af søen. Et enkelt sæt forlygter bevægede sig hen langs Quai du Mont-Blanc.

Han forlod havestuen og vendte tilbage til gangen, hvor der var yderligere to døre. Den ene førte ind til et badeværelse med et stort og gammeldags toilet, hvor han benyttede sig af muligheden for at lade vandet, mens den anden førte ind til et opmagasineringsrum, der var fyldt med en masse ting, der så ud til at være blevet til overs fra Hoffmanns gamle hus. Sammenrullede tæpper, som blev holdt sammen med snor, en brødmaskine, havestole, et kroketsæt og – inderst inde i rummet – en barneseng, et puslebord og en optrækkelig uro med stjerner og måner, alt sammen helt nyt og ubrugt.

3

Mistænksomhed, frygtens barn, er i høj grad karakteristisk hos de fleste vilde dyr.

CHARLES DARWIN, *Menneskets afstamning* (1871)

Ifølge journalfortegnelserne, der senere blev frigivet af Genèves sygehusvæsen, modtog hospitalet klokken 5:22 via radioen beskeden om, at ambulancen forlod Hoffmanns hus. På det tidspunkt af døgnet var der blot tale om en køretur på fem minutter gennem Genèves øde gader for at komme fra huset til hospitalet.

I ambulancen fortsatte Hoffmann med at nægte at rette sig efter anvisningerne og lægge sig på båren og insisterede, trodsig og mut, på at sidde på båren med benene ude over kanten. Han var en lynende intelligent – og rig – mand, der var vant til, at andre mennesker respektfuldt indordnede sig under ham, men nu følte han pludselig, at han var blevet deporteret til et fattigere og mindre gunstigt land. De syges land, hvor alle borgere var andenrangs. Det irriterede ham at tænke på, hvordan Gabrielle og Leclerc havde set på ham, da han viste dem billedet fra *The Expression of Emotions in Man and Animals* – som om den indlysende forbindelse mellem bogen og overfaldet på ham blot var et overophedet produkt af en tilskadekommet hjerne. Han havde taget bogen med, og nu lå den i hans skød, mens han rastløst trommede med en finger på omslaget.

Ambulancen drejede om et hjørne, og den kvindelige ambulanceredder lagde en støttende hånd på ham. Hoffmann så skulende på hende. Han havde ingen tillid til Genève Politi eller offentlige myndigheder i det hele taget. Han havde faktisk ikke tillid til ret mange andre end sig selv. Han ledte efter sin mobiltelefon i lommerne på morgenkåben.

Gabrielle sad på sædet over for ham ved siden af den kvindelige ambulanceredder. »Hvad laver du?« spurgte hun.

»Ringer til Hugo.«

Hun himlede med øjnene. »For guds skyld, Alex ...«

»Hvad mener du? Han er nødt til at vide, hvad der er sket.« Mens Hoffmann lyttede til ringesignalet i den anden ende, lænede han sig frem og holdt om hendes hånd for at berolige hende. »Jeg har det faktisk meget bedre nu.«

Langt om længe tog Quarry telefonen. »Alex?« For en gangs skyld lød hans normalt så afslappede stemme anspændt af bekymring. Hvornår havde et telefonopkald før solopgang nogensinde været lig med gode nyheder? »Hvad fanden sker der?«

»Undskyld, jeg ringer så tidligt, Hugo. Vi har haft indbrud.«

»Åh, det må du undskylde. Er alt okay?«

»Gabrielle har det fint, mens jeg selv fik et ordentligt gok i nødden. Vi sidder i en ambulance på vej til hospitalet.«

»Hvilket hospital?«

»Universitetshospitalet, tror jeg.« Hoffmann så på Gabrielle for at få hendes bekræftelse. Hun nikkede. »Ja, universitetshospitalet.«

»Jeg er på vej.«

Et par minutter senere kørte ambulancen op ad tilkørselsrampen foran det store undervisningshospital. Gennem ambulancens røgfarvede vinduer fik Hoffmann et hurtigt indtryk af hospitalets kolossale størrelse. Ti etager, der lå oplyst som en udenlandsk lufthavnsterminal i mørket, men så forsvandt lysene brat, som om et gardin med ét blev trukket for. Ambulancen fortsatte ned ad en let snoet underjordisk rampe og standsede. Motoren blev slukket. I stilheden sendte Gabrielle ham et beroligende smil, og Hoffmann tænkte: *Lad alt håb fare, I der her går ind*. Bagdørene blev åbnet, og han så ud i et pletfrit og skinnende rent underjordisk parkeringsanlæg. En mand råbte et eller andet i det fjerne, og hans stemme blev kastet rungende tilbage fra betonvæggene.

Hoffmann fik besked på at lægge sig på båren, og denne gang besluttede han sig for ikke at protestere. Han var en del af systemet nu og måtte affinde sig med procedurerne. Han lagde sig, båren blev sænket, og med en svimlende følelse af hjælpeløshed blev han kørt gennem en række uhyggelige og fabriksagtige gange, mens han stirrede op i neonrørene i loftet, indtil båren blev parkeret ved en modtagelsesskranke. En medfølgende gendarm rakte nogle papirer over skranken. Hoffmann så, hvordan hans data blev indført i systemet, hvorefter han drejede hovedet på puden og rettede blikket ud over et tætpakket venteværelse og fik øje på et fjernsyn, som var indstillet på en nyhedskanal og blev mødt med total mangel på interesse fra den brogede forsamling af alkoholikere og narkovrag. På skærmen kunne man se japanske børshandlere med mobiltelefoner presset mod ørerne i forskellige stadier af ophidselse og fortvivlelse. Men før Hoffmann kunne nå at finde ud af, hvad indslaget handlede om, satte båren sig i bevægelse igen og fortsatte hen ad en kort gang og ind på en tom undersøgelsesstue.

Gabrielle satte sig på en formstøbt plasticstol, fandt sin makeuppung frem og tog med en række hurtige og nervøse bevægelser lidt ny læbestift på. Hoffmann betragtede hende, som om hun var en fremmed. Hun var så mørk og nydelig og selvoptaget – som en kat, der vaskede sig. Hun havde været optaget af præcis det samme, da han så hende første gang til en fest i Saint-Genis-Pouilly. En fortravlet tyrkisk læge kom ind med et clipboard i hænderne. Et lille plasticskilt på hans hvide kittel præsenterede ham som dr. Muhammet Celik. Han studerede Hoffmanns papirer, lyste ham ind i øjnene, slog på hans knæ med en lille hammer og bad ham om at nævne navnet på USA's præsident og derefter tælle baglæns fra hundrede til firs.

Hoffmann gjorde, som han fik besked på. Tilfreds med resultatet tog lægen et par plastichandsker på. Han fjernede Hoffmanns midlertidige forbinding, skilte håret i nakken, undersøgte såret og rørte forsigtigt ved det med fingrene. Hoffmann havde det, som om han blev undersøgt for lus. Al samtale blev ført fuldkommen hen over hovedet på ham.

»Han har mistet en hel del blod,« sagde Gabrielle.

»Det bløder altid meget fra et sår i hovedbunden. Jeg tror, han får brug for et par sting.«

»Er der tale om et dybt sår?«

»Nej, det er ikke specielt dybt, men det er et forholdsvist stort område, som er hævet. Kan De se her? Blev han slået med en stump genstand?«

»En brandslukker.«

»Godt. Lad mig lige notere det. Vi er også nødt til at skanne hovedet.«

Celik lænede sig frem, så hans ansigt befandt sig lige ud for Hoffmanns. Han smilede, spærrede øjnene op og sagde ekstremt langsomt: »Udmærket, monsieur Hoffmann. Senere syr jeg flængen sammen med et par sting. Lige nu er vi nødt til at køre Dem nedenunder og få taget nogle billeder af indersiden af Deres hoved. Det kommer til at foregå i et apparat, som vi kalder en CT-skanner. Er De bekendt med, hvad en CT-skanner er, monsieur Hoffmann?«

»Computertomografi er en diagnostisk metode, hvor man ved hjælp af et roterende røntgenrør og en række detektorer kan lave radiologiske tværsnitsbilleder. Teknologien blev opfundet i halvfjerdserne og er såre almindelig nu. Og ... det er *dr.* Hoffmann, ikke monsieur Hoffmann.«

Da båren blev kørt hen til en elevator, sagde Gabrielle: »Der var ingen grund til at være så uforskammet. Han prøvede jo bare at hjælpe dig.«

»Han talte til mig, som om jeg var et barn.«

»Så hold op med at opføre dig som et barn. Her, hold den her.« Hun stillede tasken med hans tøj i hans skød og gik hen foran sengen for at trykke på elevatorknappen.

Det var tydeligt, at Gabrielle kendte vejen til Radiologisk Afdeling, hvilket Hoffmann fandt underligt irriterende. I løbet af de seneste par år havde personalet hjulpet med hendes kunstværker ved at give hende adgang til at benytte skannerne, når de ikke var i brug, ligesom de ansatte var blevet på afdelingen efter fyraften for at hjælpe hende med at tage de billeder, hun havde brug for. Indtil flere af dem var blevet hendes venner. Han burde være taknemmelig for deres hjælp, men det var han ikke. Dørene gik op, og han så ud i en mørk kældergang. Han vidste, at hospitalet ejede masser af skannere. Det var her, alle de mest alvorligt tilskadekomne skiløbere fra Chamonix, Megève og selv Courcheval blev fløjet til med helikopter. Hoffmann dannede sig et hurtigt indtryk af et virvar af kontorer og undersøgelsesstuer med avanceret udstyr, der strakte sig ud i halvmørket – en hel hospitalsafdeling, som med undtagelse af en lille nødbemanding henlå fuldkommen øde og stille. En ung mand med langt og sort krøllet hår kom gående hen mod dem. »Gabrielle!« udbrød han. Han holdt om hendes hånd og gav den et kys, hvorefter han vendte sig og så ned på Hoffmann. »Ser man det ... kommer du for en gangs skyld med en *rigtig* patient til mig?«

»Lad mig præsentere dig for min mand, Alexander Hoffmann,« sagde Gabrielle. »Alex ... det her er Fabian Tallon, som er radiograf. Du husker nok Fabian. Jeg har fortalt dig så meget om ham.«

»Det tror jeg ikke,« sagde Hoffmann. Han så op på den unge mand. Tallon havde store, mørke dådyrøjne, en bred mund med kridhvide tænder og daggamle mørke skægstubbe i ansigtet. Hans skjorte var knappet lidt mere op i halsen, end den strengt taget behøvede at være, og henledte dermed automatisk opmærksomheden på hans brede brystkasse, der var en rugbyspiller værdig. Pludselig spekulerede Hoffmann på, om Gabrielle havde en affære med ham. Han prøvede at skubbe tanken ud af hovedet, men den nægtede at forsvinde. Det var mange år siden, han sidst havde følt et stik af jalousi, og han havde helt glemt, hvor nærmest udsøgt præcis følelsen var. Han lod blikket glide fra den ene til den anden og sagde: »Mange tak for alt det, du har gjort for Gabrielle.«

»Det har kun været en fornøjelse, Alex. Godt, lad os se, hvad vi kan gøre for dig.« Han skubbede til sengen, som om den ikke var tungere end en tom indkøbsvogn, og kørte den gennem modtagelsesværelset og ind på undersøgelsesstuen med CT-skanneren. »Vil du være så venlig at rejse dig?«

Endnu en gang indordnede Hoffmann sig mekanisk under procedurerne. Han blev bedt om at aflevere sin frakke og sine briller og derefter sætte sig på kanten af et leje, som udgjorde en del af apparatet. Forbindingen om hans hoved blev fjernet. Han fik besked på at lægge sig på ryggen med hovedet nærmest skanneren. Tallon justerede nakkestøtten. »Godt, det hele varer mindre end et minut,« sagde han og forsvandt. Døren gled i bag ham med et stille suk. Hoffmann løftede hovedet en anelse. Han var alene. Han rettede blikket ned forbi sine bare fødder og ud gennem den kraftige glasrude i væggen i den modsatte ende af rummet, hvor Gabrielle stod og kiggede ind til ham. Tallon sluttede sig til hende. De sagde et eller andet til hinanden, som han ikke kunne høre. Der lød en mekanisk knitren, og så hørte han højt og tydeligt Tallons stemme fra en højttaler.

»Læg dig helt ned, Alex. Prøv at ligge så stille som muligt.«

Hoffmann gjorde, som han fik besked på. Der lød en høj brummen, og lejet begyndte at glide baglæns gennem den brede åbning i skanneren. Bevægelsen blev gentaget to gange – første gang for at lave et oversigtsbillede og anden gang langsommere for at tage billederne. Han stirrede op på den hvide plasticring, idet den passerede. Det var nærmest som at blive udsat for en radiologisk bilvask. Lejet standsede og begyndte at køre den anden vej, og Hoffmann forestillede sig, hvordan hans hjerne blev gennemskyllet af et klart og rensende lys, som intet kunne skjule sig for ... at alle hans urenheder blev afsløret og tilintetgjort i en hvislen af brændende stof.

Højttaleren blev tændt med et klik, og han hørte lyden af Gabrielles stemme fortone sig i baggrunden. Det virkede på ham – kunne det virkelig passe? – som om hun havde hvisket. »Mange tak, Alex,« sagde Tallon. »Det var det hele. Bliv bare liggende, så kommer jeg ind til dig.« Han genoptog samtalen med Gabrielle. »Men du ved ...« Højttaleren blev slukket.

Det føltes, som om han lå der i en evighed, eller i det mindste havde han masser af tid til at tænke på, hvor let det ville have været for Gabrielle at have en affære i løbet af de seneste måneder. Der var alle de mange og lange timer, hun havde tilbragt på hospitalet for at tage de billeder, hun havde brug for til sine værker, og så var der alle de endnu længere dage og nætter, han havde tilbragt på kontoret med at udvikle VIXAL. Hvad var der til at holde på parterne i et ægteskab efter mere end syv år, hvis der ikke var børn, der fungerede som en form for tyngdekraft? Pludselig mærkede han endnu en for længst glemt følelse ... et udsøgt, barnligt stik af selvmedlidenhed. Til sin forfærdelse indså han, at han var på nippet til at græde.

»Er du okay, Alex?« Tallons smukke, bekymrede og uudholdelige ansigt svævede over ham.

»Ja, jeg har det udmærket.«

»Er du helt sikker?«

»Ja, jeg har det fint.« Hoffmann skyndte sig at tørre øjnene med ærmet på morgenkåben og tage brillerne på igen. Den rationelle del af hans hjerne var godt klar over, at hans pludselige humørsvingninger sandsynligvis skyldtes slaget i hovedet, men det betød ikke, at de var mindre virkelige af den grund. Han nægtede at lægge sig over i sengen igen. Han svingede benene ned fra lejet og tog et par dybe indåndinger, og da han gik ud ad døren, havde han atter genvundet kontrollen over sig selv.

»Alex,« sagde Gabrielle, »det her er radiologen, dr. Dufort.«

Hun nikkede i retning af en lille kvinde med kortklippet, gråt hår, der sad ved en computerskærm. Dufort vendte sig og sendte ham et hurtigt nik over sin smalle skulder, hvorefter hun genoptog undersøgelsen af skanningsresultaterne.

»Er det mig?« spurgte Hoffmann og stirrede på skærmen.

»Ja, det er det, *monsieur*,« svarede hun uden at vende sig.

Hoffmann betragtede sin hjerne med en vis apati ... ja, nærmest skuffelse. Det sort/hvide billede på skærmen kunne have været hvad som helst – et udsnit af et koralrev filmet af et fjernstyret undervandskamera, et stykke af månens overflade eller et abehoved. Billedets rodede karakter og fraværet af både form og skønhed deprimerede ham. Det *måtte* kunne gøres bedre, tænkte han. Det kunne ikke passe, at det var slutresultatet. Det måtte blot repræsentere en fase i udviklingen, og det var menneskehedens pligt at bane vejen for det, der ville følge – akkurat ligesom gas blev dannet ved nedbrydning af organisk materiale. Kunstig intelligens eller autonom maskinlæring, som han foretrak at kalde det – AML – havde i mere end femten år været en af hans glødende interesser. Uintelligente mennesker troede – godt hjulpet på vej af journalister – at målet var at genskabe det menneskelige sind, så man kunne fremstille en digitaliseret udgave af sig selv. Men, for helvede ... hvorfor skulle nogen spilde krudt på at efterligne noget, der var så skrøbeligt og upålideligt – og som rummede en naturligt indbygget forældelse – som det menneskelige sind: en central processorenhed, som risikerede at bukke under, hvis en underordnet komponent – for eksempel hjertet eller leveren – blev ramt af en midlertidig funktionsafbrydelse? Det svarede nærmest til at miste en Cray-computer og hele dens hukommelse, fordi et stik skulle udskiftes.

Radiologen vinklede hjernen om dens akse fra top til bund, og det virkede nærmest, som om billedet nikkede til ham. Eller som en hilsen fra det ydre rum. Hun roterede billedet og gennemgik det fra side til side.

»Der er ingen tegn på brud,« sagde hun, »og heller ingen alvorlig hævelse, hvilket er det mest afgørende. Men jeg spekulerer på, hvad det her er?«

Kranieskallen dukkede op på skærmen som et omvendt billede af en valnøddeskal. Et hvidt bånd af variabel tykkelse svøbte sig om den grå og svampede hjernemasse. Hun zoomede ind. Billedet blev større og mere uskarpt og opløstes til sidst i en lysegrå supernova. Hoffmann lænede sig frem for at studere billedet nærmere.

»Der,« sagde Dufort og rørte ved skærmen med en nedbidt fingernegl. »Kan De se de hvide prikker der? De små, lysende stjerner? Der er tale om ganske små blødninger i hjernevævet.«

»Er det alvorligt?« spurgte Gabrielle.

»Nej, ikke nødvendigvis. Det er sikkert blot, hvad man må forvente at se efter et slag af denne art. Hjernen accelereres, når hovedet bliver ramt af en tilstrækkeligt voldsom fysisk påvirkning udefra. Der vil ikke kunne undgå at opstå en smule blødning. Det lader dog til, at blødningen er standset.« Hun løftede brillerne og lænede sig helt tæt ind mod skærmen som en juveler, der undersøgte en ædelsten. »Alligevel,« sagde hun, »vil jeg gerne have foretaget endnu en undersøgelse.«

Hoffmann havde forestillet sig dette øjeblik så mange gange – et kolossalt og upersonligt hospital, et unormalt undersøgelsesresultat, en køligt afleveret lægelig dom og det første, uigenkaldelige skridt på vejen mod håbløshed og død – at der gik et øjeblik, før han erkendte, at der blot var tale om endnu en af hans hypokonderfantasier.

»Hvilken form for undersøgelse?« spurgte han.

»Jeg vil gerne supplere med en MR-skanning, som vil give et meget tydeligere billede af det bløde væv. Det bør kunne fortælle os, om der er tale om en tidligere skade eller ej.«

En tidligere skade ...

»Hvor lang tid vil det tage?«

»Undersøgelsen i sig selv varer ikke ret lang tid. Det er blot et spørgsmål om, hvorvidt vi har en ledig skanner.« Hun åbnede et nyt program og klikkede lidt rundt i det. »Vi bør kunne foretage undersøgelsen ved middagstid, medmindre der opstår noget akut.«

»Kan man ikke sige, at det her er akut?« spurgte Gabrielle.

»Nej, nej, patienten er jo ikke i nogen overhængende fare.«

»I så fald vil jeg foretrække at springe undersøgelsen over,« sagde Hoffmann.

»Lad være med at være fjollet,« sagde Gabrielle. »Få da foretaget undersøgelsen. Det kan du lige så godt.«

»Jeg er ikke interesseret i at få foretaget undersøgelsen.«

»Lad være med at være latterlig ...«

»*Jeg siger, at jeg ikke vil have foretaget den forbandede undersøgelse!*«

Der opstod et øjebliks chokeret stilhed.

»Vi ved godt, at du er oprevet, Alex,« sagde Tallon stille, »men der er ingen grund til at tale til Gabrielle på den måde.«

»Lad være med at blande dig i, hvordan jeg taler til min kone!« Han tog sig til panden. Hans fingre var iskolde. Hans hals var tør. Han var nødt til at komme væk fra hospitalet hurtigst muligt. Han sank en klump, før han fortsatte. »Undskyld, men jeg er ikke interesseret i at få foretaget undersøgelsen. Der er en række vigtige ting, jeg skal have ordnet i dag.«

»*Monsieur*,« sagde Dufort bestemt, »vi beholder alle patienter, som har været bevidstløse lige så længe, som det var tilfældet med Dem, i mindst 24 timer for at observere dem.«

»Jeg er bange for, at det ikke kan lade sig gøre.«

»Hvad er det, der er så vigtigt?« spurgte Gabrielle og stirrede vantro på ham. »Du har da vel ikke tænkt dig at tage ind på kontoret?«

»Jo, jeg skal ind på kontoret. Og du skal hen på galleriet for at være med til ferniseringen på din udstilling.«

»Alex ...«

»Der er ikke noget at diskutere. Du har knoklet i månedsvis for at få udstillingen færdig ... tænk bare på al den tid, du har tilbragt på hospitalet. Og i aften skal vi ud at spise for at fejre din succes.« Han var klar over, at han var på vej til at hæve stemmen igen og tvang sig til at sænke den. »Bare fordi denne mand trængte ind i vores hus, betyder det ikke, at han skal have lov til at trænge forstyrrende ind i vores liv. Ikke medmindre vi vælger at lade ham gøre det. Se på mig.« Han pegede på sig selv. »Jeg har det fint. Du har selv lige set billederne fra skanningen ... ingen brud og ingen hævelse.«

»Og ingen forbandet sund fornuft,« sagde en stemme på engelsk bag dem.

»Hugo,« sagde Gabrielle uden at vende sig om, »vil du ikke være så venlig at fortælle din forretningspartner, at han er lavet af kød og blod ligesom alle os andre?«

»Men er han nu også det?« Quarry stod i døren med hænderne i lommen, åbenstående frakke og et kirsebærrødt uldtørklæde om halsen.

»Forretningspartner?« gentog dr. Celik, som var blevet overtalt til at lade Quarry komme ind på undersøgelsesstuen, og så skeptisk på ham. »Sagde De ikke, at han var Deres bror?«

»Få nu lavet den forbandede undersøgelse, Al,« sagde Quarry. »Vi kan bare udsætte præsentationen.«

»Præcis,« sagde Gabrielle.

»Jeg lover, at jeg nok skal få foretaget undersøgelsen,« sagde Hoffmann med rolig og jævn stemmeføring. »Bare ikke i dag. Er det i orden, doktor? Det er ikke ligefrem sådan, at jeg risikerer at kollapse eller noget, vel?«

»*Monsieur*,« sagde den gråhårede radiolog, som havde været på arbejde siden eftermiddagen dagen før og var ved at miste tålmodigheden, »hvad De gør eller ikke gør er naturligvis Deres egen beslutning. Som jeg ser det, bør De som minimum få flængen syet, og hvis De vælger at forlade hospitalet, er De nødt til først at underskrive en erklæring, der fritager hospitalet for ethvert ansvar. Resten er op til Dem.«

»Udmærket. Jeg får flængen syet, og jeg skal nok underskrive formularen. Og så kommer jeg tilbage og får foretaget en MR-skanning på et senere tidspunkt, hvor det er mere belejligt. Er du så tilfreds?« sagde han til Gabrielle.

Før hun kunne nå at svare, lød et velkendt elektronisk hornsignal. Det varede et øjeblik, før det gik op for Hoffmann, at det var alarmsignalet på hans mobiltelefon, som han i det, der allerede føltes som et andet liv, havde stillet til at ringe klokken halv syv.

Hoffmann efterlod sin kone sammen med Quarry i venteværelset, mens han på egen hånd gik tilbage til undersøgelsesstuen for at få flængen syet. Han fik en lokalbedøvende indsprøjtning – og mærkede en kort og skarp smerte, der fik ham til at gispe – hvorefter der med en engangsskraber blev fjernet en smal bræmme af hår omkring såret. Selve syningen føltes mere underlig end ubehagelig, som om hans hovedbund nærmest blev strammet op. Bagefter fandt dr. Celik et lille spejl og viste ham resultatet af sine anstrengelser på samme måde som en frisør, der fisker efter kundens tilfredshed. Flængen var kun omkring fem centimeter lang, og nu, hvor den var syet sammen, lignede den nærmest en forvrænget mund med tykke, hvide læber på grund af den bare hud på de steder, hvor hårene var fjernet. Det virkede, som om munden smilede hånligt til Hoffmann i spejlet.

»Det kommer til at gøre ondt,« sagde Celik muntert, »når bedøvelsen aftager. De får brug for at tage noget smertestillende.« Han fjernede spejlet, og smilet forsvandt.

»Skal jeg ikke have en forbinding på igen?«

»Nej, såret heler hurtigere, når der kommer luft til.«

»Udmærket. Så tror jeg, jeg vil tage herfra nu.«

Celik trak på skuldrene. »Det er De naturligvis i Deres gode ret til, men først er De nødt til at underskrive en erklæring.«

Efter at han havde sat sin underskrift på den lille formular – »Jeg erklærer mig hermed indforstået med, at jeg forlader Universitetshospitalet på trods af lægernes anbefalinger, at jeg er blevet informeret om de risici, der er forbundet med at gøre det, og at jeg påtager mig det fulde ansvar ...« – tog Hoffmann tasken med sit tøj og fulgte efter Celik hen til et lille badeværelse. Celik tændte lyset. Netop som tyrkeren vendte ryggen til, mumlede han stille: »Idiot« – eller det var i det mindste, hvad Hoffmann troede, han hørte ham mumle, men døren gik i, før han kunne nå at svare igen.

Det var første gang, han var alene, siden han havde genvundet bevidstheden, og et øjeblik nød han bare ensomheden. Han tog sin morgenkåbe og pyjamas af. Der hang et spejl på den ene væg, og han brugte et øjeblik på at betragte sit nøgne spejlbillede i det nådesløse neonlys. Hans hud var gusten, hans mave var slap, og hans bryster var lidt mere synlige, end de plejede at være – nærmest som en pubertetspiges. Nogle af hårene på hans bryst var grå. En lang og mørk blodansamling bredte sig hen over hans venstre hofte. Han vendte siden til for at undersøge den nærmere og lod fingrene glide hen over den mørke hud, hvorefter han gav sin pik et hurtigt klem. Der var ingen reaktion, og han spekulerede på, om man kunne blive impotent af at få et slag i hovedet? Da han rettede blikket ned, virkede årerne på hans fødder på det kolde klinkegulv unaturligt tydelige. Dette er alderdommen, tænkte han med et chok, dette er fremtiden. Jeg ligner det portræt af Lucian Freud, som Gabrielle ville have mig til at købe. Han bukkede sig for at tage tasken, og et øjeblik begyndte alt omkring ham at sejle, og han var lige ved at miste balancen. Han satte sig på den hvide plasticstol og holdt hovedet ned mellem knæene.

Da svimmelheden var passeret, klædte han sig langsomt og forsigtigt på – boksershorts, T-shirt, strømper, cowboybukser, hvid langærmet skjorte og sportsjakke – og for hver ny beklædningsdel følte han sig en smule stærkere og en anelse mindre sårbar. Gabrielle havde stukket hans pung ned i inderlommen på jakken. Han tjekkede indholdet. Han havde tre tusind schweizerfranc i nye sedler. Han satte sig og tog et par ørkenstøvler på, og da han rejste sig og betragtede sig selv i spejlet, følte han sig atter tilfredsstillende camoufleret. Hans tøj afslørede intet som helst om ham, hvilket var præcis, hvad han foretrak. En direktør i en hedgefond, der forvaltede ti milliarder dollars i aktiver, kunne nu om dage sagtens forveksles med en kontorpiccolo. Om ikke andet var penge – store penge, sikre penge, penge som ikke behøvede at tiltrække sig omverdenens opmærksomhed – i den forstand blevet demokratiske.

Det bankede på døren, og han hørte radiologen, dr. Dufort, kalde på ham. »Monsieur Hoffmann? Monsieur Hoffmann, er alt i orden?«

»Ja tak,« råbte han tilbage. »Jeg har det meget bedre.«

»Min vagt slutter nu. Jeg har noget til Dem.« Han åbnede døren. Hun havde skiftet til regnfrakke og gummistøvler og holdt en paraply i den ene hånd. »Værsgo. Resultatet af Deres CT-skanning.« Hun stak en cd i et gennemsigtigt plasticomslag i hænderne på ham. »Hvis De vil høre et godt råd, bør De vise billederne til Deres egen læge så hurtigt som muligt.«

»Det vil jeg naturligvis gøre. Mange tak.«

»Vil De?« Hun så skeptisk på ham. »De *bør* gøre det. Hvis der er noget galt, forsvinder det ikke bare af sig selv. Man er bedst tjent med at se sin frygt i øjnene i stedet for at lade den sidde og gnave.«

»De tror altså, at der *er* noget galt?« Han foragtede lyden af sin stemme – skælvende, ynkværdig.

»Jeg ved det ikke, *monsieur*. De er nødt til at få foretaget en MR-skanning for at få det afklaret.«

»Hvad tror De, det kan være?« Hoffmann tøvede. »En tumor?«

»Nej, det tror jeg ikke.«

»Hvad så?«

Han granskede hendes øjne for at lede efter et praj, men han så ikke andet end kedsomhed. Hun måtte være temmelig vant til at overbringe dårlige nyheder, indså han.

»Det er sikkert slet ikke noget at være bekymret for,« sagde hun. »Men jeg vil tro, at andre forklaringer kunne være – og der er udelukkende tale om gisninger fra min side, vil jeg godt pointere – sklerose eller muligvis begyndende demens. Det vil under alle omstændigheder være bedst at være forberedt.« Hun klappede ham på hånden. »Aflæg Deres læge et besøg, *monsieur*. Tro mig ... det er altid det ukendte, der er mest skræmmende.«

4

*Den mindste konkurrencefordel hos den ene art frem for den anden,
på et hvilket som helst udviklingstrin eller når som helst på året,
eller den mindste forbedring i tilpasningen til de fysiske levevilkår,
kan tippe balancen.*

CHARLES DARWIN, *Arternes oprindelse* (1859)

Visse personer i de superriges hemmelige inderkredse af rådgivere undrede sig undertiden over, hvorfor Hoffmann havde gjort Quarry til ligestillet aktionær i Hoffmann Investment Technologies. Det var, trods alt, fysikerens egne algoritmer, der sikrede firmaets indtægt, og det var hans navn, der stod på skiltet uden for butikken. Men det passede Hoffmanns temperament udmærket, at han havde en anden og mere udadvendt person at skjule sig bag. Desuden vidste han, at havde det ikke været for hans partner, ville der ikke have været noget firma. Det skyldtes ikke kun, at Quarry havde den nødvendige ekspertise og interesse for børsvirksomhed, som han ikke selv var i besiddelse af – han havde også noget andet, som Hoffmann aldrig selv ville komme til at besidde, uanset hvor store anstrengelser han gjorde sig: talent for at omgås andre mennesker.

Det handlede naturligvis til dels om charme, men det var ikke hele forklaringen. Det handlede også om evnen til at lokke andre mennesker i en bestemt retning i en højere sags tjeneste. Hvis der var udbrudt en ny krig, havde Quarry kunnet blive en perfekt adjudant for en feltmarskal – en stilling, som både hans bedstefar og oldefar rent faktisk havde indtaget i den britiske hær – med ansvar for, at ordrer blev ført ud i livet, at dulme sårede følelser og afskedige underordnede med så stor takt, at de gik fra samtalen i fuld overbevisning om, at det hele var deres egen idé, at beslaglægge den bedste lokale herregård for at anvende den til midlertidigt hovedkvarter for tropperne og, når den seksten timer lange arbejdsdag var omme, at samle alle militærets skinsyge rivaler til en middag, som han selv havde udvalgt de mest passende vine til. Han havde en universitetseksamen i politik, filosofi og økonomi fra Oxford, en ekskone og tre børn, som nu var stuvet sikkert af vejen i et dystert palæ, der var tegnet af arkitekten Edwin Lutyens og lå i et regnfuldt hjørne af Surrey, samt en skihytte i Chamonix, som han besøgte om vinteren sammen med den kvinde, der var hans udvalgte den pågældende weekend – en lang og varieret række af intelligente, smukke og underernærede kvinder, som altid blev smidt på porten igen, før en gynækolog eller advokat kunne nå at komme ind i billedet. Gabrielle kunne ikke fordrage ham.

Ikke desto mindre gjorde den aktuelle krise dem til midlertidige allierede. Mens Hoffmann fik sin flænge syet, hentede Quarry en kop sød mælkekaffe til hende i automaten på gangen, hvorefter de satte sig på de hårde træstole i det lille venteværelse under galaksen af funklende plasticstjerner i loftet. Han holdt om hendes hånd og gav den et beroligende klem på alle de rigtige tidspunkter. Han lyttede til hendes beretning om, hvad der var sket. Da hun fortalte om Hoffmanns underlige opførsel efter overfaldet, forsikrede han hende om, at det hele nok skulle blive godt igen. »Lad os se det i øjnene, Gabs, han har aldrig været *helt* normal, vel? Selv på de bedste tidspunkter. Du skal ikke være bekymret, vi skal nok få styr på det hele. Bare giv mig ti minutter.«

Han ringede til sin sekretær og sagde, at han – omgående – havde brug for en bil med chauffør på hospitalet. Han vækkede firmaets sikkerhedsrådgiver, Maurice Genoud, og beordrede ham brysk til at møde op til et krisemøde på kontoret inden for en time og sende en sikkerhedsvagt ud til Hoffmanns hus. Til sidst lykkedes det ham at blive stillet igennem til inspektør Leclerc og overtale ham til at give grønt lys for, at dr. Hoffmann ikke behøvede at møde op på politistationen for at blive afhørt i samme øjeblik, han forlod hospitalet. Leclerc accepterede det, eftersom han allerede havde taget en række tilstrækkeligt detaljerede notater til at sammenstykke en nogenlunde sammenhængende rapport, som Hoffmann senere kunne rette til på de nødvendige steder og underskrive.

Mens alt dette stod på, betragtede Gabrielle Quarry med en blanding af tøven og beundring. Han var i den grad Alex' diametrale modsætning. Han så blændende godt ud, og han var udmærket selv klar over det. Hans affekterede sydengelske manerer fik hendes presbyterianske nordlige nerver til at stå på højkant. Undertiden spekulerede hun på, om han var bøsse, og om alle hans fuldblodskvinder i virkeligheden mest var der for et syns skyld.

»Hugo,« sagde hun alvorligt, da han langt om længe var færdig med at tale i telefon. »Jeg vil gerne have dig til at gøre mig en tjeneste og beordre ham til *ikke* at tage ind på kontoret i dag.«

Quarry holdt om hendes hånd igen. »Skat, hvis jeg troede på, at det ville hjælpe, at jeg sagde det til ham, ville jeg gøre det. Men som du – mindst lige så godt som jeg – ved, kan man, når han først har sat sig noget for, intet som helst stille op for at få ham til at ombestemme sig.«

»Er det virkelig så vigtigt, det han skal ordne i dag?«

»Ja, det er det.« Quarry drejede håndleddet en anelse, så han kunne kaste et blik på sit ur uden at slippe hendes hånd. »Jeg mener, der er naturligvis ikke tale om noget, som ikke kunne udsættes, hvis hans helbred virkelig stod på spil. Men hvis jeg skal være helt ærlig over for dig, vil det afgjort være bedst, at han gør det. Der er kunder, som er kommet rejsende langvejsfra for at mødes med ham.«

Hun trak sin hånd til sig. »Du må hellere passe på, at du ikke presser din guldgås så meget, at den falder død om,« sagde hun bittert. »Det vil helt sikkert ikke være godt for forretningen.«

»Tro mig, det ved jeg alt om,« sagde Quarry smilende. Smilet fik huden omkring hans mørkeblå øjne til at rynke. Ligesom hans hår var også hans øjenvipper sandfarvede. »Hør, hvis jeg bare et *øjeblik* får mistanke om, at hans helbred er i fare, vil jeg sørge for, at han bliver kørt direkte hjem, så han inden for et kvarter kan ligge og putte i sengen ved siden af dig. Det løfte vil jeg gerne give dig lige her og nu. Og nu,« sagde han og rettede blikket hen over hendes skulder, »hvis jeg ikke tager meget fejl, er det vores kære guldgås med de pjuskede og plukkede fjer, der kommer gående der.«

Han sprang op fra stolen. »Mine kære Al,« sagde han og kom ham i møde på gangen, »hvordan har du det? Du ser lidt bleg ud.«

»Jeg ved, at jeg vil få det meget bedre, når jeg engang er kommet ud herfra.« Hoffmann stak cd'en i frakkelommen, så Gabrielle ikke kunne se den. Han kyssede hende på kinden. »Det hele skal nok blive godt igen.«

De fortsatte ud forbi receptionen. Klokken var næsten halv otte. Udenfor var dagen langt om længe begyndt; overskyet, kold og tøvende. De tunge, rullende skyer over hospitalet havde samme grå farve som hjernevæv. Det var i det mindste, hvad Hoffmann tænkte, for uanset hvad han rettede blikket mod, var det billederne fra CT-skanningen, han så. Et vindstød bredte sig ind over den runde plads foran hospitalet og fik regnfrakken til at svøbe sig om hans ben. En lille, men ensartet gruppe af rygere bestående af en blanding af hvidklædte læger og patienter i badekåber stod uden for hovedindgangen og skuttede sig i det atypiske majvejr. I det gullige skær fra natriumgadelygterne forsvandt røgen fra deres cigaretter hvirvlende mellem regndråberne.

Quarry fandt deres bil – en stor Mercedes, som tilhørte et diskret og pålideligt limousinefirma i Genève, der havde indgået en aftale med hedgefonden. Den holdt på en plads, som var reserveret til handicappede. Chaufføren – en kraftig mand med overskæg – steg ud af bilen og åbnede bagdøren for dem, da de nærmede sig. Han har kørt for mig før, tænkte Hoffmann og kæmpede for at huske mandens navn, mens afstanden mellem dem blev reduceret.

»George!« udbrød han lettet, da de nåede helt hen til bilen. »Godmorgen, George!«

»Godmorgen, *monsieur.*« Chaufføren smilede og førte som hilsen hånden op til skyggen på sin kasket, mens Gabrielle satte sig ind på bagsædet fulgt af Quarry. »*Monsieur,*« hviskede han diskret til Hoffmann, »tilgiv mig, men bare så De ved det ... mit navn er Claude.«

»Udmærket, mine herskaber,« sagde Quarry, der sad mellem Gabrielle og Hoffmann, mens han gav deres respektive knæ et klem, »hvad blev konklusionen?«

»Kontoret,« sagde Hoffmann, mens Gabrielle i det samme sagde: »Hjem.«

»Kontoret,« gentog Hoffmann, »og derefter vil min kone gerne køres hjem.«

Trafikken var allerede tæt på vejene ind mod centrum, og da bilen kørte ind på Boulevard de la Cluse, trak Hoffmann sig ind i sin sædvanlige tavshed. Han spekulerede på, om de andre havde hørt den fejl, han havde begået. Hvad i alverden var det, der havde fået ham til at sige det? Det var ikke ligefrem sådan, at han normalt bed mærke i, hvem hans chauffør var – eller at han overhovedet henvendte sig til ham. Sædvanligvis tilbragte han alle sine bilture i selskab med sin iPad og surfede rundt på nettet for at lave lidt teknisk research eller, hvis han trængte til noget mere uforpligtende læsestof, at skimme den digitale udgave af *Financial Times* eller *Wall Street Journal.* Det var sjældent, at han overhovedet kiggede ud ad vinduet. Så meget desto mere underligt var det derfor også for ham at gøre det nu, hvor han ikke havde andet at beskæftige sig med ... og for eksempel så han, for første gang i årevis, folk stå og vente ved et busstoppested, tilsyneladende udmattede, allerede inden dagen for alvor var begyndt, og de mange unge marokkanere eller algeriere, der stod og hang på gadehjørnerne – et syn, der ikke havde eksisteret, da han i sin tid var flyttet til Schweiz. Men på den anden side, tænkte han, hvorfor skulle de ikke være der? Deres tilstedeværelse i Genève var i lige så høj grad et resultat af globaliseringen, som når han selv eller Quarry havde slået sig ned i byen.

Limousinen satte farten ned og drejede til venstre. En klokke ringede, og en sporvogn kørte op på siden af bilen. Hoffmann stirrede fraværende på ansigterne, som var indrammet af de oplyste vinduer. Et øjeblik var det, som om ansigterne svævede ubevægeligt i morgenskumringen, før de tavst begyndte at glide forbi. Nogle af passagererne stirrede tomt frem for sig, mens andre halvsov. En mand sad og læste i *Tribune de Genève*, og til sidst, i det bageste vindue, så han en markeret profil af en mand i halvtredserne – halvskaldet og med langt og fedtet gråt hår, som var samlet i en hestehale. Et øjeblik befandt han sig lige ud for Hoffmann, før sporvognen satte farten op, og ledsaget af en skurrende larm og en kaskade af blå gnister var genfærdet med ét væk igen.

Det hele skete så hurtigt og virkede så drømmeagtigt, at Hoffmann ikke følte sig sikker på, hvad det reelt var, han havde set. Quarry måtte have mærket, at det gav et sæt i ham, eller måske havde han hørt ham gispe. Han vendte sig mod ham og sagde: »Er du okay, gamle ven?« Men Hoffmann var for lammet til at sige noget.

»Hvad sker der?« Gabrielle pressede sig tilbage i sædet og kiggede på sin mand bag om ryggen på Quarry.

»Ingenting.« Det lykkedes Hoffmann at genfinde sin stemme. »Det må være bedøvelsen, der er begyndt at aftage.« Han skyggede for øjnene med hånden og kiggede ud ad vinduet. »Tænd lige for radioen, gider du?«

En kvindelig nyhedsoplæsers stemme fyldte bilen og lød nærmest uhyggeligt skarp og forbløffende upåvirket. Hun kunne sandsynligvis have viderebragt nyheden om Dommedag med et smil.

»*I aftes lovede den græske regering, at man på trods af tre bankfolks død i Athen vil fastholde en stram og restriktiv økonomisk politik. De tre bankfolk blev dræbt, da demonstranter, som protesterede mod myndighedernes nedskæringer, gik til angreb på banken med benzinbomber* ...«

Hoffmann prøvede at finde ud af, om han hallucinerede. Hvis det ikke var tilfældet, burde han straks ringe til Leclerc og bede chaufføren om ikke at slippe sporvognen af syne, før politiet ankom. Men hvad nu, hvis det hele bare var et produkt af hans fantasi? Han krympede sig allerede ved tanken om den ydmygelse, han ville udsætte sig selv for. Men endnu værre var, at han ikke længere ville kunne stole på signalerne fra sin egen hjerne. Han ville kunne klare alt ... med undtagelse af at blive sindssyg. Han ville hellere dø end havne i den blindgyde igen. Så derfor sagde han ingenting og fortsatte med at vende ansigtet væk fra de andre, så de ikke kunne se panikken i hans øjne, mens stemmen i radioen plaprende fortsatte.

»*Det forventes, at finansmarkedet vil åbne i minus efter de store fald, der hele ugen har præget markederne i Europa og Amerika. Krisen er skabt af frygten for, at et eller flere lande i eurozonen må opgive at tilbagebetale sin gæld. I nattens løb har der været yderligere store kursfald i Fjernøsten* ...«

Hvis min hjerne var en algoritme, tænkte Hoffmann, ville jeg sætte den i karantæne eller ganske enkelt bare slukke for den.

»*I Storbritannien går indbyggerne i dag til stemmeurnerne for at vælge en ny regering. Alt tyder i øjeblikket på, at centrum-venstre partiet Labour må give afkald på regeringsmagten efter tretten år* ...«

»Har du brevstemt, Gabs?« spurgte Quarry henkastet.

»Ja. Har du ikke?«

»Nej, for helvede. Hvorfor skulle jeg spilde min tid på den slags? Hvem stemte du på? Nej, vent ... lad mig gætte. De Grønne.«

»Der er tale om hemmelig afstemning,« sagde hun stramt og så væk, irriteret over at han havde ramt plet.

Hoffmanns hedgefund havde til huse i Les Eaux-Vives lige syd for søen. Kvarteret var lige så solidt og selvsikkert som de schweiziske forretningsfolk, der havde grundlagt bydelen med de store, tunge murstensejendomme, de brede pariseragtige boulevarder, som var spundet ind i et sammenfiltret net af sporvognskabler, og de mange kirsebærtræer, der skød op i vejkanten og lod deres lyserøde og hvide konfetti drysse ned over de grå fortove foran de mange forretninger og restauranter, og over dem lå syv etager med kontorer og lejligheder stablet oven på hinanden. Midt i al denne borgerlige respektabilitet lå Hoffmann Investment Technologies bag en smal victoriansk facade, der var let at overse, medmindre man direkte ledte efter den, og kun et lille navneskilt ved siden af porttelefonen afslørede firmaets eksistens. En stålrampe, som blev overvåget af et kamera, førte ned til et underjordisk parkeringsanlæg. På den ene side lå en *salon de thé* og på den anden et døgnåbent supermarked. I det fjerne lå der stadig en smule sne på toppen af bjergene i Jurakæden.

»Lover du, at du passer på?« spurgte Gabrielle, da Mercedesen standsede.

Hoffmann førte en hånd bag om ryggen på Quarry og gav hendes skulder et klem. »Jeg får det hele tiden bedre og bedre. Men hvad med dig? Har du det fint nok med at tage hjem til huset?«

»Genoud sender en mand ud til jer,« sagde Quarry.

Gabrielle lavede et hurtigt ansigt til Hoffmann – hendes Hugoansigt, hvor hun trak mundvigene ned, rakte tunge og rullede med øjnene. På trods af alt var han lige ved at le højt. »*Hugo* har det hele under kontrol,« sagde hun. »Er det ikke rigtigt, Hugo? Som altid.« Hun gav sin mand et kys på hånden, mens den stadig hvilede på hendes skulder. »Jeg bliver alligevel ikke hjemme. Jeg henter bare mine ting og tager hen på galleriet.«

Chaufføren åbnede døren.

»Hey, for resten,« sagde Hoffmann. Han havde ikke lyst til at give slip på hende. »Held og lykke. Jeg kommer hen og ser, hvordan det går, så snart jeg kan slippe væk.«

»Det ville være dejligt.«

Han steg ud på fortovet. Gabrielle mærkede en dyster forudanelse om, at hun aldrig ville se ham igen, og følelsen var så voldsom, at hun fik kvalme. »Er du sikker på, at vi ikke hellere begge to skulle aflyse alt og tage en fridag?«

»Aldrig i livet. Det hele skal nok gå.«

»Kan du have en dejlig dag, skat,« sagde Quarry og skubbede sin slanke krop hen over lædersædet mod den åbne dør. »Ved du i øvrigt godt,« sagde han, mens han steg ud, »at jeg tror, jeg lægger vejen forbi og køber en af dine dingenoter. Den ville passe rigtig flot ind i receptionen, tror jeg.«

Da bilen satte sig i bevægelse, kastede Gabrielle et blik tilbage gennem bagruden og så på dem. Quarry havde lagt sin venstre arm om skuldrene på Alex og styrede ham hen over fortovet, mens han ivrigt gestikulerede med den anden hånd. Hun kunne ikke se, hvad det var, han forsøgte at understrege med sine håndbevægelser, men hun vidste, at han fortalte en vittighed. Et øjeblik efter var de væk.

For en besøgende fremstod ejendommen, hvor Hoffmann Investment Technologies havde kontor, som en række omhyggeligt indøvede faser i en tryllekunst. Først mødte man et par kraftige døre af røgfarvet glas, som førte ind til et smalt og lavloftet receptionsområde, der knap var bredere end en almindelig entre, hvor væggene var beklædt med svagt oplyste brune granitplader. Derefter stillede man sig foran et 3D-kamera, der gennemførte en hurtig genkendelsesskanning. Det tog den geometriske algoritme mindre end et sekund at analysere ansigtstrækkene og sammenligne dem med ansigtstrækkene i databasen (mens processen stod på, var det vigtigt at bevare et neutralt ansigtsudtryk), og hvis man var gæst i bygningen, oplyste man derpå sit navn til den mutte og indelukkede sikkerhedsvagt. Når man var blevet sikkerhedsgodkendt, blev man vist gennem en drejemølle, fortsatte hen ad endnu en gang og drejede til venstre, hvorefter man pludselig befandt sig i et kolossalt, åbent rum, som lå badet i dagslys, og først i det øjeblik gik det op for en, at der rent faktisk var tale om tre bygninger, som var slået sammen til én. Alle murene på bagsiden af bygningerne var blevet revet ned og på samtlige otte etager udskiftet med en lodret glasvæg, som vendte ud mod et gårdanlæg, der var opbygget omkring et springvand og en beplantning af store, velplejede bregner. To elevatorer gled lydløst op og ned i lydisolerede glastårne.

Quarry, firmaets showman og sælger, havde været ude af sig selv af begejstring lige siden det øjeblik, han ni måneder tidligere første gang blev vist rundt i bygningen. For sit eget vedkommende havde Hoffmann været vild med alle de computerstyrede systemer – lysanlægget, der automatisk tilpassede sig mængden af dagslys udefra; vinduerne, der automatisk åbnede sig for at regulere temperaturen; ventilationskanalerne på taget, hvorigennem der blev trukket frisk luft ind i bygningen for at fjerne behovet for aircondition; jordvarme-anlægget og tanken med de hundrede tusind liter opsamlet regnvand, der blev benyttet, når der blev skyllet ud i toiletterne i bygningen. I ejendomsmæglerens annonce havde bygningen været beskrevet som »et holistisk, digitaliseret ejendomskompleks med minimal CO2-udledning«. Hvis der udbrød brand, ville spjældene i ventilationssystemet omgående blive lukket for at forhindre spredning af røgen, og elevatorerne ville køre ned i stueetagen for at forhindre, at nogen benyttede dem. Men vigtigst af alt var ejendommen koblet på Europas hurtigste lyslederkabel GV1. Det var det, der havde gjort udslaget, og de havde lejet sig ind på hele femte etage. Firmaerne, der boede direkte over og under dem – DigiSyst, EcoTec, EuroTel – var lige så kryptiske som deres navne. Det virkede, som om ingen af de ansatte i firmaerne nogensinde anerkendte eksistensen af de ansatte i de andre firmaer i bygningen. Alle ture i elevatorerne blev gennemført i akavet tavshed, undtagen når en ny passager trådte ind i elevatoren og meddelte den ønskede etage (stemmegenkendelsessystemet kunne forstå alle regionale dialekter på fireogtyve sprog). Hoffmann – for hvem privatlivets fred var som en fetich, og for hvem smalltalk af enhver art var en pestilens – var meget begejstret for denne tekniske detalje.

Femte etage var som et lille selvstændigt kongerige i hele denne større enhed. En væg af uigennemsigtigt, turkisfarvet glas fyldt med små glasbobler skærmede adgangen til firmaets kontorer fra elevatorerne. For at komme ind i firmaet var det, akkurat ligesom i stueetagen, nødvendigt først at præsentere et afslappet og neutralt ansigt for skanneren. Ansigtsgenkendelsesprogrammet aktiverede en skydedør, og glasset i den vibrerede ganske stille, når den gled til side og afslørede adgangen til firmaets eget receptionsområde, hvor en række lave hynder betrukket med sort og gråt stof var stablet oven på hinanden som byggeklodser og fungerede som stole og sofaer omkring et sofabord af krom og glas. Desuden bestod møblementet af en række justerbare konsoller med computere med touchscreen, hvor firmaets gæster kunne surfe rundt på internettet, mens de ventede på at blive kaldt ind til deres møder med en af medarbejderne. På hver skærm var der en screensaver, hvor firmaets slogan stod skrevet med røde bogstaver på hvid baggrund:

FREMTIDENS FIRMA ER PAPIRLØST
FREMTIDENS FIRMA ER LAGERLØST
FREMTIDENS FIRMA ER DIGITALT
FREMTIDENS FIRMA ER *HER*

Der var ingen tidsskrifter eller aviser i receptionsområdet. Det var firmaets politik, at så vidt muligt måtte ingen form for tryksager eller papir overhovedet forefindes på kontoret. Naturligvis kunne man ikke tvinge reglen ned over hovedet på firmaets gæster, men alle ansatte – herunder også firmaets seniorpartnere – var forpligtet til at betale en bøde på ti schweizerfranc og fik deres navn offentliggjort på firmaets intranet, hver gang de blev afsløret i at være i besiddelse af blæk og træmasse i stedet for silikone og plastic. Det var utroligt, hvor hurtigt folks vaner – selv Quarrys – ændrede sig i kraft af en så simpel regel som denne. Ti år efter, at Bill Gates for første gang havde besunget det papirløse kontor i *Ledelse med tankens hast*, havde Hoffmann mere eller mindre gjort tankerne til virkelighed. På en underlig måde var han næsten lige så stolt af denne bedrift som af alt det andet, de havde udrettet.

Derfor var det reelt temmelig pinligt, at han nu gik gennem receptionsområdet med en førsteudgave af *The Expression of the Emotions in Man and Animals* på sig. Hvis han havde afsløret en anden medarbejder i at gøre det, ville han have påpeget over for vedkommende, at bogen allerede var tilgængelig på nettet i kraft af Projekt Gutenberg eller på Darwin.online.org, og han ville sarkastisk have spurgt synderen, om han virkelig troede, at han læste hurtigere end VIXAL-4-algoritmen, eller om han måske havde optrænet sin hjerne til at foretage søgninger på enkeltord. Han kunne ikke se, at der var et paradoks mellem den nidkærhed, hvormed han på den ene side forbød bøger på kontoret, mens han på den anden side stolt lod dem indgå i sin samling af sjældne førsteudgaver derhjemme. Bøger var antikviteter, akkurat ligesom alle mulige andre genstande fra fortiden, og set i det lys kunne man fuldt ud lige så godt irettesætte en, der samlede på venetianske kandelabre eller natpotter, for at benytte elektricitet eller toiletter med skyl. Ikke desto mindre stak han bogen ind under frakken og kastede et skyldigt blik op mod et af de små overvågningskameraer på væggen.

»Nå, professoren bryder nok sine egne regler, hvad?« sagde Quarry og løsnede sit tørklæde. »Er det ikke lige en tand for meget?«

»Jeg havde helt glemt, at jeg havde den med.«

»Gu' havde du ej! Dit kontor eller mit?«

»Det ved jeg ikke. Gør det nogen forskel? Okay ... dit.«

For at komme ind på Quarrys kontor var de nødt til at passere handelsafdelingen. Børsen i Japan lukkede om et kvarter, det europæiske marked åbnede klokken ni, og de omkring halvtreds kvantitative analytikere – *quanter*, som de blev kaldt i branchens indforståede jargon – var allerede i fuld gang med arbejdet. Ingen talte med hinanden med andet end en sagte hvisken. De fleste stirrede bare tavst på de obligatoriske opstillinger af seks computerskærme foran sig. Gigantiske plasmafjernsyn uden lyd viste skærmbilleder fra CNBC og Bloomberg, og under skærmene viste en række lysende digitalure lydløst tidens ubønhørlige gang i Tokyo, Beijing, Moskva, Genève, London og New York. I det 21. århundrede var stilheden lig med lyden af penge. En lejlighedsvis svag klapren fra medarbejdernes tastaturer var det eneste, der overhovedet antydede, at der var mennesker til stede på kontoret.

Hoffmann førte en hånd om i nakken og rørte forsigtigt ved sårets hårde, smilende mund. Han spekulerede på, hvor synligt arret var. Måske skulle han tage en baseballkasket på? Han var bevidst om, at han var både bleg og ubarberet, og han bestræbte sig på at undgå at møde nogens blik, hvilket imidlertid var let nok, eftersom der ikke var mange, der bekymrede sig om at se op, da han gik forbi. Ni ud af ti af medarbejderne på Hoffmanns team var mænd, men han havde aldrig helt forstået årsagen til det. Det skyldtes ikke en bevidst politik. Det var ganske enkelt bare sådan, at det hovedsaglig var mænd, der søgte stillingerne i firmaet – som regel flygtninge fra den akademiske verdens to største ulemper: lave lønninger og intellektuelt snobberi. Et halvt dusin af medarbejderne havde været ansat på The Large Hadron Collider-projektet. Hoffmann kunne ikke drømme om at ansætte nogen, som ikke havde en ph.d. i matematik eller naturvidenskab, og han forventede, at alle ansøgernes doktorafhandlinger blev bedømt til at tilhøre de bedste femten procent. Medarbejdernes nationalitet spillede ingen rolle, og det samme var tilfældet med deres sociale kompetencer, og resultatet var, at navnene på lønningslisten undertiden mindede om en deltagerliste fra en FN-konference om Aspergers syndrom. Quarry kaldte det »Nørdernes verden«. Hvis man medregnede det seneste års bonusudbetalinger, lå medarbejdernes gennemsnitlige årsindkomst på næsten en halv million dollars.

Kun fem afdelingschefer havde deres eget kontor – cheferne for afdelingerne for Finans, Risiko og Handel, foruden Hoffmann, hvis titel var direktør, og Quarry, der havde titel af administrerende direktør. De fem chefkontorer var ensartede, lydisolerede glaskuber med hvide persienner, beigefarvede tæpper og skandinaviske møbler af lyst træ og krom. Fra Quarrys vindue var der udsigt til gaden og en privat tysk bank i bygningen direkte overfor, hvor alle vinduerne var forsynet med kraftige netgardiner. Quarry var i færd med at få bygget en 65 meter lang superyacht hos Benetti i Viareggio, og en række indrammede blåtryk og kunstneriske skitser prydede væggene på hans kontor, mens der på skrivebordet stod en naturtro model i reduceret målestok. Hele vejen rundt ville båden lige under dækket blive forsynet med en stribe af lys, som han kunne tænde og slukke eller få til at skifte farve med en fjernbetjening, mens han spiste middag i havnen. Han havde planer om at døbe båden *Alfa*. Hoffmann, som var lykkelig i en Hobie Cat, havde i begyndelsen været bekymret for, at deres investorer ville betragte ødselheden som et bevis på, at de tjente for mange penge. Men som altid havde Quarry været bedre til at gennemskue de psykologiske faktorer, der var på spil i forhold til kunderne: »Nej, nej. De vil elske det. De vil sige til alle og enhver: 'Har I nogen anelse om, hvor meget de gutter tjener ...?' Tro mig, det vil kun gøre dem endnu mere ivrige efter at være en del af det hele. De er bare drenge, og de er flokdyr.«

Nu satte Quarry sig bag modelbåden, kiggede på Hoffmann over en af de tre swimmingpools på dækket og spurgte: »Kaffe? Morgenmad?«

»Bare kaffe.« Hoffmann gik hen til vinduet.

Quarry trykkede på samtaleanlægget for at give en besked til sin sekretær. »To kopper sort kaffe, tak. Du bør sørge for at drikke noget vand,« sagde han til Hoffmanns ryg. »Det er ikke godt, hvis du bliver dehydreret.« Men Hoffmann hørte ikke efter. »Og en flaske vand, skat. Plus en banan og lidt yoghurt. Er Genoud mødt op?«

»Nej, endnu ikke, Hugo.«

»Send ham direkte ind, når han kommer.« Han slap knappen på samtaleanlægget. »Sker der noget interessant dernede?«

Hoffmann støttede hænderne på vindueskarmen og stirrede ned på gaden. En gruppe fodgængere stod på hjørnet overfor og ventede på, at lyset skiftede, selvom der ikke kom nogen biler fra nogen af retningerne. Efter at han havde betragtet dem i et stykke tid, mumlede han spydigt: »Forbandede, stramrøvede schweizere ...«

»Ja, men hvis man minder sig selv om deres stramrøvede skatteprocent på 8,8, som de lader os slippe med, får man det straks bedre.«

En velskabt kvinde i en nedringet bluse, med fregner i hele hovedet og en kaskade af mørkerødt hår kom ind på kontoret uden først at banke på. Hugos sekretær, en australsk kvinde. Hoffmann kunne ikke huske, hvad hun hed. Han havde en mistanke om, at hun var en af Hugos tidligere elskerinder, som havde passeret den definitive pensionsalder på 31 år for at beklæde stillingen og var blevet overflyttet til et job med lettere pligter. I hænderne holdt hun en bakke, og lige bag hende trådte en mand i et mørkt jakkesæt med tilhørende mørkt slips ind på kontoret med en lysebrun regnfrakke over armen.

»Monsieur Genoud er kommet,« sagde kvinden og tilføjede bekymret: »Hvordan går det, Alex?«

Hoffmann vendte sig mod Quarry. »Har du fortalt det til hende?«

»Ja, jeg ringede fra hospitalet. Det var hende, der bestilte bilen til os. Spiller det nogen rolle? Det er vel ikke nogen hemmelighed?«

»Jeg vil foretrække, at det ikke bliver udbasuneret til alle og enhver på kontoret, hvis det er i orden.«

»Naturligvis, hvis det er sådan, du ønsker det. Lad være med at fortælle det til nogen, Amber, okay?«

»Naturligvis, Hugo.« Hun så forundret på Hoffmann. »Undskyld, Alex.«

Hoffmann løftede hånden i en tilgivende gestus. Han tog sin kaffe på bakken og vendte tilbage til vinduet. Fodgængerne var væk. En sporvogn standsede skramlende og åbnede dørene, hvorefter det myldrede ud med passagerer i hele sporvognens længde, som om nogen havde trukket en kniv hele vejen hen langs sporvognen og sprættet maven på den op. Hoffmann prøvede at koncentrere sig om de enkelte ansigter, men der var alt for mange, og de forsvandt alt for hurtigt i alle retninger. Da han atter vendte sig, stod Genoud på kontoret, og døren var allerede blevet lukket igen. De havde sagt noget til ham, men han havde ikke hørt dem. Han var bevidst om en tung og ventende stilhed.

»Undskyld?«

Genoud svarede tålmodigt: »Dr. Hoffmann, som jeg netop sagde til mr. Quarry, jeg har talt med adskillige af mine gamle kolleger ved Genève Politi. Der er nu blevet udsendt et signalement af manden, og et hold teknikere er i fuld gang med at undersøge Deres hus.«

»Den ansvarshavende kriminalinspektørs navn er Leclerc,« sagde Hoffmann.

»Ja, jeg kender ham. Han er desværre ved at være moden til at blive sendt på pension. Det lader til, at sagen allerede er steget ham til hovedet.« Genoud tøvede. »Må jeg spørge Dem om noget, dr. Hoffmann ... er De sikker på, at De har fortalt ham alt? Det vil være klogt at være helt ærlig over for ham.«

»Ja, selvfølgelig har jeg det. Hvorfor helvede skulle jeg ikke have gjort det?« Hoffmann brød sig ikke om den tone, Genoud havde stillet spørgsmålet i.

Quarry blandede sig. »Jeg er skide ligeglad med, hvad inspektør Clouseau tænker. Det store spørgsmål er, hvordan galningen slap forbi Alex' sikkerhedsanlæg? Og hvis det lykkedes ham at gøre det én gang, betyder det så, at han vil kunne gøre det igen? Og hvis han kunne komme ind i dit hus, vil han så kunne gøre det samme her? Er det ikke det, vi betaler dig for, Maurice? At sørge for vores sikkerhed?«

Genouds hulkindede ansigt blev mørkerødt. »Bygningen her er fuldt ud lige så godt beskyttet som enhver anden i Genève. Hvad angår dr. Hoffmanns hus, siger politiet, at koden til portanlægget, hoveddøren og muligvis også tyverialarmen lader til at have været kendt af den ubudne gæst. Den slags er der ingen sikkerhedssystemer i hele verden, der kan beskytte mod.«

»Jeg ændrer koderne i aften,« sagde Hoffmann. »Fra nu af er det *mig*, der bestemmer, hvem der kender dem.«

»Jeg kan forsikre Dem, dr. Hoffmann,« sagde Genoud, »at kun to medarbejdere i firmaet kender sikkerhedskoderne – mig selv og en af mine teknikere – og der har ikke været tale om utætheder fra vores side.«

»Nej, det siger De jo. Men manden må jo have koderne et eller andet sted fra.«

»Godt, lad os lade sikkerhedskoderne hvile lige her og nu,« sagde Quarry. »Hovedsagen er, at indtil manden bliver anholdt, vil jeg gerne have, at Alex er ordentligt beskyttet. Hvad skal der til for at sikre det?«

»Permanent vagt ved huset, for det første – en af mine mænd er allerede på plads. Mindst to andre mænd på vagt i nat – den ene til at holde øje med haven omkring huset og den anden indenfor i stueetagen. Og når dr. Hoffmann bevæger sig rundt i byen, vil jeg foreslå, at han er ledsaget af en chauffør, der er trænet i terrorbekæmpelse, samt en sikkerhedsvagt.«

»Bevæbnede?«

»Det er op til Dem.«

»Og hvad siger du, professor?«

For en time siden ville Hoffmann have afvist begge forholdsregler som absurde, men synet af manden i sporvognen havde rystet ham. Små stik af panik blev ved med at brede sig som løbeild i hans sind. »Jeg vil også gerne have, at nogen passer på Gabrielle. Vi antager hele tiden, at det var *mig*, galningen var ude efter, men hvad nu, hvis det i stedet var hende?«

Genoud skrev en række notater i en lille kalender. »Godt, det skal vi sørge for.«

»Bare indtil manden er blevet anholdt, okay? Så kan vi alle genoptage vores normale liv.«

»Og hvad med Dem, mr. Quarry?« spurgte Genoud. »Bør vi også tage visse forholdsregler i forhold til Dem?«

Quarry lo. »Det eneste, der holder mig vågen om natten, er frygten for en faderskabssag.«

»Godt,« sagde Quarry, da Genoud var gået, »lad os tale om præsentationen ... hvis du da stadig mener, at du er klar til det.«

»Jeg er klar.«

»Okay, gud være lovet. Ni investorer ... alle eksisterende kunder, som vi aftalte. Fire institutioner, tre stinkende rige enkeltpersoner, to familievirksomheder og en agerhøne i et pæretræ.«

»En agerhøne?«

»Okay, nej ... ikke en agerhøne. Der er ingen agerhøne, må jeg indrømme.« Quarry var i sit es. Hvis han var tre fjerdedele gambler, var han også en fjerdedel sælger, og det var et stykke tid siden, denne vigtige side af ham havde fået lov til at udfolde sig. »Grundreglerne er: For det første skal de underskrive en fortrolighedsaftale vedrørende vores software, og for det andet har de hver især fået lov til at medbringe én professionel rådgiver. Efter planen ankommer de om halvanden time, så jeg vil foreslå, at du tager et bad og bliver barberet, før de møder op. Vi har brug for, at du fremstår som et geni, men *også* en lille smule excentrisk. Ikke – og jeg håber ikke, at du har noget imod, at jeg siger det – skingrende skør. Du gennemgår principperne for dem. Vi viser dem maskinparken. Jeg holder salgstalen, og så inviterer vi dem på frokost på Beau-Rivage.«

»Hvor stort er det beløb, vi satser på at rejse?«

»Jeg håber på en milliard, men jeg vil være tilfreds med syv hundrede og halvtreds millioner.«

»Og vores kommission? Hvad har vi besluttet? Var det to og tyve?«

»Hvad synes du?«

»Jeg ved det ikke. Det er dit ansvarsområde.«

»Hvis vi opkræver mere end den gængse sats, vil vi fremstå som griske, men hvis vi på den anden side stiller os tilfredse med mindre, vil de miste al respekt for os. Med vores tidligere resultater in mente er det sælgers marked, men alligevel vil jeg foreslå, at vi holder os på to og tyve.« Quarry skubbede stolen tilbage og svingede fødderne op på skrivebordet i en enkelt flydende bevægelse. »Det bliver en stor dag for os, Alexi. Vi har ventet et helt år på at vise dem det her, og de kan nærmest ikke vente med at komme i gang.«

Et årligt administrationsgebyr på to procent af en milliard dollars var lig med tyve millioner dollars – bare for at møde op på arbejde om morgenen. Et resultatafhængigt honorar på tyve procent af en investering på en milliard dollars, hvis man gik ud fra et afkast på tyve procent – hvilket var beskedent i forhold til Hoffmanns normale niveau – var lig med yderligere fyrre millioner om året. Med andre ord var der tale om en årsindtægt på tres millioner dollars for en halv formiddags arbejde og to timers enerverende smalltalk på en eksklusiv restaurant. Selv Hoffmann var villig til at affinde sig med at skulle underholde en flok idioter for et beløb i den størrelsesorden.

»Hvem er det nærmere bestemt, der kommer?« spurgte han.

»Åh, du ved ... de sædvanlige mistænkte.« De næste ti minutter brugte Quarry på at beskrive investorerne efter tur. »Men du behøver ikke at bekymre dig om dem. Den del af sagen skal jeg nok tage mig af. Bare du sørger for at fortælle om dine elskede algoritmer. Godt, og se så lige at få hvilet dig lidt.«

5

Der er ikke en evne, der er af større vigtighed for menneskets fremgang ift. intellekt, end opmærksomhed. Dyr viser tydeligt, at de er i besiddelse af denne evne, f.eks. når en kat passer på ved et hul og forbereder sig på at springe på sit bytte.

CHARLES DARWIN, *Menneskets afstamning* (1871)

Hoffmanns kontor var identisk med Quarrys med den undtagelse, at han ikke havde nogen billeder af en båd på væggene, og at han i det hele taget ikke havde indrettet sig med nogen form for udsmykning ud over tre indrammede fotografier. Det ene forestillede Gabrielle og var taget, da de to år tidligere sad og spiste frokost på Pampelonne-stranden i Saint-Tropez. Gabrielle lo og så direkte ind i kameraet. Solen spillede i hendes ansigt, og der sad en smule indtørret salt på hendes kinder efter en lang svømmetur i havet samme morgen. Han havde aldrig nogensinde før set et menneske, der var så vitalt og levende, og billedet bragte ham altid i godt humør. Et andet billede forestillede Hoffmann selv og var taget i 2001. Med en gul sikkerhedshjelm på hovedet stod han 175 meter under jordens overflade i tunnelen, som senere skulle komme til at huse partikelacceleratoren. På det tredje billede stod en smokingklædt Quarry i London og fik overrakt prisen som årets *Algorithmic Hedge Fund Manager* af en minister fra Labour-regeringen. Hoffmann selv havde naturligvis nægtet at deltage i begivenheden – en beslutning, som Quarry havde støttet ham i, fordi han var overbevist om, at det kun var med til at understrege den mystik, der omgærdede firmaet.

Hoffmann lukkede døren og gik hen langs de dobbelte glasvægge og lukkede persiennerne. Han hængte sin regnfrakke op, tog cd'en med billederne fra CT-skanningen op af lommen og slog omslaget let ind mod tænderne, mens han overvejede, hvad han skulle stille op med den. Med undtagelse af de uundgåelige seks Bloomberg-skærme, et tastatur, en mus og en telefon var skrivebordet tomt og ryddeligt. Han satte sig i sin højryggede ortopædiske stol med gasautomatisk vippemekanisme og hyndefyld af havregryn, åbnede den nederste skuffe og bragte cd'en ud af syne ved at skubbe den helt ind i bunden af skuffen. Han lukkede skuffen igen og tændte computeren. I Tokyo var Nikkey Stock Average, der bestod af kurserne for 225 aktier, lukket i et minus på 3,3%. Mitsubishi Corporation var endt i et minus på 5,4%, Japan Petroleum Exploration i minus 4, Mazda Motors i minus 5 og Nikon i minus 3,5%. Shanghai Composite var endt i et minus på 4,1 – det laveste i otte måneder. Det hele var på vej ind i en vild deroute, tænkte Hoffmann.

Pludselig, før han overhovedet var klar over, hvad der skete, begyndte skærmene på bordet foran ham at stå sløret for hans blik, og han brød ud i gråd. Han rystede på hænderne. En underligt klagende lyd pressede sig op gennem hans hals. Hele hans overkrop rystede ukontrollabelt. Jeg er ved at gå helt op i limningen, tænkte han og støttede panden mod skrivebordet, men alligevel føltes det på samme tid, som om han var underligt løsrevet fra sit eget sammenbrud. Som om han betragtede sig selv fra et hjørne højt oppe under loftet. Han var bevidst om, at han stønnede som et udmattet dyr. Da de krampagtige rystelser efter et par minutter havde fortaget sig en anelse, og han igen kunne trække vejret normalt, gik det op for ham, at han havde fået det meget bedre. Han følte sig nærmest euforisk og forstod, hvordan man sagtens kunne blive afhængig af den nemme mulighed for renselse, der lå i at græde. Han rettede sig op, tog brillerne af og tørrede sig i øjnene med sine skælvende fingerspidser og derefter under næsen med håndryggen. Han udspilede kinderne og hviskede stille: »Åh gud ... åh gud.«

Han blev siddende helt stille i stolen i et par minutter, indtil han følte sig sikker på, at han var kommet sig, før han rejste sig, gik hen til regnfrakken og tog Darwin-bogen op af lommen. Han lagde den på skrivebordet og satte sig igen. Bogen med den 138 år gamle, grønne lærredsindbinding og den lettere flossede ryg virkede totalt malplaceret på kontoret, hvor intet var ældre end et halvt år. Han åbnede tøvende bogen på det sted, hvor han var holdt op med at læse i den kort efter midnat (Kapitel XII: Overraskelse – Forskrækkelse – Frygt – Rædsel). Han tog bogmærket ud og glattede det. *Rosengaarden & Nijenhuise, Antikvariske videnskabelige og medicinske bøger. Grundlagt 1911.* Han rakte ud efter telefonen, og efter at han et øjeblik havde diskuteret med sig selv, om det var den bedste løsning, tastede han nummeret til antikvariatet i Amsterdam.

Telefonen ringede længe, men blev ikke taget, hvilket dog ikke var overraskende, eftersom klokken kun var knap halv ni. Men Hoffmann forstod sig ikke på den form for tidsmæssige nuancer. Hvis han sad ved sit skrivebord, gik han ud fra, at alle andre gjorde præcis det samme. Han lod telefonen fortsætte med at ringe, mens han tænkte på Amsterdam. Han havde besøgt byen to gange og kunne godt lide dens elegance og historie. Den føltes som en intelligent by, og han tænkte, at han ville invitere Gabrielle med på en tur dertil, når det hele var faldet på plads igen. De kunne ryge pot på en café – var det ikke det, man gjorde i Amsterdam? – og bagefter elske hele eftermiddagen på et loftsværelse på et smart boutique-hotel. Han lyttede til ringetonens langtrukne knurren. Han forstillede sig, hvordan telefonen kimede i et støvet antikvariat, hvorfra der via en række små vinduer af kraftigt victoriansk glas var udsigt til en brostensbelagt gade og en kanal i baggrunden på den anden side af træernes grene. Høje reoler, hvor man kun kunne nå de øverste hylder ved hjælp af vakkelvorne stiger; avancerede videnskabelige instrumenter af blankpoleret stål – en sekstant, måske, og et mikroskop – samt en ældre, rundrygget og skaldet bogelsker, der drejede nøglen i døren og skyndte sig ind til disken lige i tide til at tage telefonen ...

»*Goedemorgen. Rosengaarden en Nijenhuise.*«

Stemmen var hverken ældre eller mandlig, men ung og kvindelig. Melodiøs og syngende.

»Taler De engelsk?« spurgte han.

»Ja. Hvad kan jeg hjælpe Dem med?«

Han rømmede sig og lænede sig frem i stolen. »Jeg tror, De har sendt en bog til mig i forgårs. Mit navn er Alexander Hoffmann. Jeg bor i Genève.«

»Hoffmann. Ja, dr. Hoffmann! Det kan jeg selvfølgelig godt huske. En Darwin-førsteudgave. En smuk bog. Har De allerede modtaget den? Jeg håber ikke, at der var problemer med leveringen.«

»Ja, jeg har allerede modtaget den. Men der var ikke noget følgebrev, så jeg kan ikke takke den person, der købte den til mig. Kan De fortælle mig, hvem bogen er fra?«

Der opstod en pause. »Sagde De ikke, at Deres navn var Alexander Hoffmann?«

»Jo, det er korrekt.«

Denne gang var pausen længere, og da den unge kvinde fortsatte, lød hendes stemme forvirret. »Men ... De købte den jo selv, dr. Hoffmann.«

Hoffmann lukkede øjnene. Da han åbnede dem igen, forekom det ham, at hele kontoret havde drejet en anelse om sin egen akse. »Det kan ikke være muligt,« sagde han. »Det var ikke mig, der købte bogen. Det må have været en anden, der udgav sig for at være mig.«

»Men De betalte den jo selv. Er De sikker på, at De ikke bare har glemt det?«

»Hvordan betalte jeg den?«

»Med en bankoverførsel.«

»Og hvor meget betalte jeg for bogen?«

»Ti tusind euro.«

Med den anden hånd klamrede Hoffmann sig til kanten af skrivebordet. »Lige et øjeblik. Hvordan kunne det lade sig gøre? Er der en, der er kommet ind i forretningen og har sagt, at vedkommende var mig?«

»Vi har ikke nogen butik længere og har ikke haft det i fem år. Kun en postadresse. Nu om dage bor vi i et pakhus uden for Rotterdam.«

»Men så må en eller anden medarbejder i det mindste have talt med mig i telefonen?«

»Nej, det er meget usædvanligt, at vi taler med kunderne. Alle ordrer bliver modtaget elektronisk.«

Hoffmann kilede telefonen ind mellem kinden og skulderen. Han klikkede på sin computer, åbnede sit mailprogram og tjekkede beskederne i mappen med sendt post. »Hvornår skulle jeg have sendt den pågældende mail?«

»Den 3. maj.«

»Jeg sidder her og kigger på de mails, jeg sendte den 3. maj, og jeg kan forsikre Dem om, at jeg ikke har sendt nogen mail til Dem den dag. Hvilken adresse er mailen sendt fra?«

»a.hoffmann@HoffmannInvestmentTechnologies.com.«

»Ja, det er min mailadresse, men jeg kan ikke se, at jeg skulle have sendt en mail til antikvariatet.«

»De har måske sendt den fra en anden computer?«

»Nej, det er jeg sikker på, at jeg ikke har.« Selv mens han sagde det, kunne han høre usikkerheden i sin stemme, og han følte sig nærmest fysisk syg af panik, som om en afgrund pludselig havde åbnet sig under hans fødder. Radiologen havde nævnt noget om begyndende demens som en mulig forklaring på de hvide prikker på billederne fra skanningen. Måske havde han sendt mailen fra sin mobil eller fra sin bærbare computer derhjemme og havde glemt alt om det – men hvis det var tilfældet, burde han kunne se mailen i mappen. »Hvad stod der helt præcis i den mail, jeg sendte?« spurgte han. »Kan De læse teksten op for mig?«

»Der var ingen besked. Processen er helt automatiseret. Kunderne klikker på titlen i vores online-katalog og udfylder en elektronisk bestillingsseddel med oplysninger om navn, adresse og betalingsform.« Hun måtte have hørt usikkerheden i hans stemme, og nu lød hun mere forsigtig. »Jeg håber ikke, at De ønsker at annullere ordren.«

»Nej, jeg vil bare gerne finde ud af, hvordan det hænger sammen. De siger, at pengene blev sendt via en bankoverførsel. Hvilket kontonummer blev pengene overført fra?«

»Det må jeg desværre ikke oplyse.«

Hoffmann mobiliserede al sin autoritet. »Hør venligst efter, hvad jeg siger nu. Det er indlysende, at jeg er offer for et større svindelnummer, der involverer identitetstyveri. Og jeg kan love Dem for, at jeg vil annullere bestillingen og overgive hele den forbandede sag til politiet og mine advokater, hvis De ikke omgående oplyser kontonummeret, så jeg kan finde ud af, hvad helvede det er, der foregår.«

I lang tid var der fuldkommen tavst i den anden ende af røret, men langt om længe sagde kvinden køligt: »Jeg kan ikke oplyse et kontonummer i telefonen, men jeg kan sende det til den mailadresse, der står på bestillingen. Jeg kan gøre det med det samme. Vil det være en acceptabel løsning?«

»Ja, det er helt i orden. Mange tak.«

Hoffmann afbrød forbindelsen og tømte lungerne for luft. Han placerede albuerne på skrivebordet, støttede hovedet mod fingerspidserne og stirrede stift på computerskærmen. Det føltes, som om tiden sneglede sig af sted, men reelt gik der ikke mere end tyve sekunder, før hans mailprogram meddelte, at han havde modtaget en ny besked. Han åbnede mailen fra antikvariatet. Der var ingen tekst i mailen, kun en enkelt linje, der bestod af tyve tal og bogstaver samt navnet på kontohaveren: A.J. Hoffmann. Han stirrede på nummeret og trykkede på knappen på samtaleanlægget for at tale med sin sekretær. »Marie-Claude, vil du ikke sende mig en liste med numrene på alle mine personlige konti? Med det samme, tak.«

»Naturligvis.«

»Du har også en fortegnelse over sikkerhedskoderne i mit hus, ikke?«

»Jo, det har jeg, dr. Hoffmann.« Marie-Claude var en både dygtig og kompetent schweizisk kvinde midt i halvtredserne, som havde arbejdet for Hoffmann i fem år. Hun var den eneste på hele kontoret, der ikke tiltalte ham med fornavn. Det var ganske enkelt utænkeligt, at hun skulle være involveret i nogen form for ulovlig aktivitet.

»Hvor gemmer du koderne?«

»De ligger i Deres personlige mappe på min computer.«

»Er der nogen, der har bedt om at få dem udleveret?«

»Nej.«

»Og du har ikke diskuteret dem med nogen?«

»Nej, afgjort ikke.«

»Ikke engang din mand?«

»Min mand døde sidste år.«

»Gjorde han? Åh, okay. Undskyld. Godt, der var indbrud hjemme hos mig i nat. Politiet vil muligvis henvende sig for at stille nogle spørgsmål. Bare så du ved det.«

»Javel, dr. Hoffmann.«

Mens han ventede på, at hun sendte kontonumrene, bladrede han lidt i Darwin-bogen og slog ordet »mistænksomhed« op i stikordsregisteret:

Et menneskes hjerte kan være fyldt med det sorteste had eller mistænksomhed, eller det kan være tæret op af misundelse eller jalousi, men eftersom disse følelser ikke straks fører til handling, og eftersom de sædvanligvis varer i et stykke tid, kommer de ikke til udtryk i form af nogen ydre tegn ...

Med al respekt for Darwin følte Hoffmann, at det var empirisk usandt. Hans eget hjerte var fyldt med den sorteste mistænksomhed, og han var ikke i tvivl om, at det kunne ses i hans ansigt i form af hans nedadvendte mundvige og sammenknebne, flakkende øjne. Hvem havde nogensinde hørt om et tilfælde af identitetstyveri, hvor tyven købte en gave til offeret? En eller anden prøvede at lave numre med ham. Det var præcis, hvad det handlede om. Vedkommende prøvede at få ham til at tvivle på sin egen mentale sundhed ... og måske endda slå ham ihjel. Enten det, eller også var han for alvor ved at gå fra forstanden.

Han skubbede sig op af stolen og vandrede rastløst frem og tilbage på kontoret. Han åbnede lamellerne i persiennerne og stirrede ud i handelsafdelingen. Havde han en fjende derude? De omkring halvtreds *quanter* var opdelt i tre hold: Inkubation, der udviklede og afprøvede algoritmerne; Teknologi, som forvandlede prototyperne til operative redskaber; Eksekution, der førte tilsyn med de faktiske handler. Der var ingen tvivl om, at nogle af dem var en smule underlige. Ungareren, Imre Szabo, for eksempel, der ikke kunne gå hen ad en gang uden at røre ved alle dørhåndtagene. En anden spiste alt med kniv og gaffel, selv kiks og chips. På trods af deres særheder havde Hoffmann personligt ansat dem alle sammen, men han kendte dem ikke særlig godt. De var blot medarbejdere og på ingen måde hans venner, hvilket han nu ærgrede sig over. Han lod lamellerne i persiennerne falde tilbage på plads og vendte sig igen mod computerskærmen.

Listen med oplysningerne om hans bankkonti ventede i hans

indbakke. Han havde i alt otte konti – schweizerfranc, dollars, pund, euro, anfordring, indlån, offshore og fælles. Han sammenlignede numrene med den konto, der var blevet benyttet til at betale for bogen. Ingen af kontonumrene stemte overens. Et øjeblik eller to slog han blot fingeren let mod skrivebordet, før han løftede røret af telefonen og ringede til firmaets økonomichef, Lin Ju-Long.

»LJ? Det er Alex. Vil du ikke lige gøre mig en tjeneste og tjekke et kontonummer for mig? Kontoen står i mit navn, men jeg kan ikke genkende kontonummeret. Jeg vil gerne vide, om du kan finde det et eller andet sted i systemet.« Han videresendte mailen fra antikvariatet. »Jeg har allerede sendt nummeret til dig. Har du modtaget det?«

Der fulgte en pause.

»Ja, Alex, nu kom den. Okay ... jeg kan se, at kontonummeret begynder med 'KYD', hvilket er de første tre bogstaver i et IBAN-nummer for en dollarkonto på Cayman Islands.«

»Kan det være en firmakonto af en slags?«

»Jeg tjekker lige i systemet. Er der opstået et problem?«

»Nej. Jeg vil bare gerne tjekke det. Jeg vil sætte pris på, at det bare bliver mellem dig og mig.«

»Okay, Alex. Jeg er ked af det med ...«

»Jeg har det fint,« skyndte Hoffmann sig at sige for at afbryde ham. »Jeg er ikke kommet noget til.«

»Okay, det lyder godt. Har du for resten talt med Gana?«

Gana var Ganapathi Rajamani, firmaets risikochef.

»Nej,« svarede Hoffmann. »Hvorfor?«

»Godkendte du en stor short-position i Procter and Gamble i aftes? To millioner til 62 pr. aktie?«

»Ja ... og?«

»Gana er bekymret. Han siger, at vores risikogrænse er overskredet, og han har indkaldt til et møde i risikoudvalget.«

»Sig til ham, at han kan tale med Hugo om det. Giv mig besked om, hvad du finder ud af med hensyn til kontoen, okay?«

Hoffmann følte sig for træt til at gøre mere ved det. Han kaldte Marie-Claude op igen og bad hende om at sørge for, at han ikke blev forstyrret den næste time. Han slukkede sin mobiltelefon, lagde sig på sofaen og prøvede at forestille sig, hvem i alverden det kunne være, der havde gjort sig så store anstrengelser for at stjæle hans navn for at købe en sjælden, victoriansk bog om naturvidenskab og havde overført betalingen fra en dollarkonto på Cayman Islands, som tilsyneladende var registreret i hans navn. Men han kunne ikke gennemskue den bizarre og gådefulde handling, og inden længe døsede han hen.

Inspektør Leclerc vidste, at chefen for Genève Politi, der satte en stor ære i punktlighed, mødte op på politiets hovedkvarter på Boulevard Carl-Vogt klokken præcis 9:00, og at dagens første handling altid bestod i at læse et resumé af, hvad der var sket i hans kanton i nattens løb. Da telefonen på Leclercs kontor derfor ringede klokken 9:08, havde han en temmelig god idé om, hvem det var, der var i den anden ende af røret.

»Jean-Philippe?« sagde en skarp stemme.

»Godmorgen, boss.«

»Angående overfaldet på den amerikanske bankmand, Hoffmann.«

»Ja, boss?«

»Hvor står sagen?«

»Hoffmann har på eget initiativ forladt Universitetshospitalet. Teknikerne er i fuld gang med deres undersøgelser hjemme hos ham. Vi har udsendt et detaljeret signalement af gerningsmanden. En af vores mænd holder vagt uden for huset. Det er stort set, hvor sagen står.«

»Så han er ikke kommet alvorligt til skade?«

»Tilsyneladende ikke.«

»Det er da altid noget. Hvad lægger du i det hele?«

»Det er en bizar sag. Huset er som et uindtageligt fort, men alligevel lader det til, at gerningsmanden bare uden videre lukkede sig ind. Han havde tilsyneladende planer om at binde sit offer – eller sine ofre – og det lader til, at han var i færd med at slibe knive i husets køkken. I sidste ende slog han dog bare Hoffmann i hovedet og stak af. Der er ikke stjålet noget. For at være helt ærlig har jeg en mistanke om, at Hoffmann ikke fortæller hele historien, men jeg kan ikke finde ud af, om det er noget, han gør med fuldt overlæg, eller om han bare er forvirret.«

Der opstod en kort pause i den anden ende. Leclerc kunne høre en eller anden bevæge sig rundt i baggrunden.

»Slutter din vagt snart?«

»Jeg var netop på vej til at gå, da du ringede, boss.«

»Gør mig en tjeneste og tag en dobbeltvagt, okay? Jeg har allerede haft finansministerens kontor i telefonen. De ville vide, hvad det er, der foregår. Det vil være bedst, hvis du følger sagen til dørs.«

»Finansministeren?« gentog Leclerc forundret. »Hvorfor er han så interesseret?«

»Åh, du ved. Den sædvanlige historie, velsagtens. Der gælder én lov for de rige og en anden for de fattige. Sørg for at holde mig opdateret, okay?«

Da Leclerc havde lagt røret på igen, flød en lang række bandeord stille ud over hans læber. Han spankulerede hen ad gangen til kaffeautomaten for at hente en kop sort og ekstra stærk espresso. Det føltes, som om han havde sand i øjnene, og han havde ondt i bihulerne. Jeg er blevet for gammel til det her, tænkte han. Det var ikke engang sådan, at der var særlig meget, han kunne foretage sig i sagen. Han havde allerede sendt en af sine yngre medarbejdere ud for at tale med Hoffmanns husassistenter. Han gik tilbage til kontoret, ringede til sin kone og sagde, at han ikke kom hjem før ud på eftermiddagen, hvorefter han loggede sig på internettet for at se, om han kunne finde ud af noget mere om fysikeren og hedgefonddirektøren dr. Hoffmann. Til hans store overraskelse var der stort set ingenting at finde – ingenting i Wikipedia, ingen avisartikler og ikke et eneste billede. Men alligevel interesserede finansministeren sig personligt for sagen.

Hvad helvede var en hedgefond i det hele taget? spekulerede han. Han slog ordet op: »En privat investeringsfond, som kan investere i en bred vifte af aktiver og benytte sig af en række strategier for at opretholde en afdækket portefølje med det formål at beskytte fondens investorer mod markedsmæssige fald, mens man samtidig bestræber sig på at maksimere afkastet, når markedet er stigende.«

Uden at føle sig klogere bladrede han i sine notater. Hoffmann havde fortalt, at han havde arbejdet i finanssektoren i de seneste otte år, og at han forinden i seks år havde været involveret i arbejdet med at udvikle CERN's partikelaccelerator. Tilfældigvis kendte Leclerc en mand, en tidligere politiinspektør, som nu var ansat i sikkerhedsafdelingen i CERN. Han ringede til ham, og et kvarter efter sad han bag rattet i sin lille Renault og kørte langsomt gennem morgentrafikken i nordvestlig retning, forbi lufthavnen og ind på Route de Meyrin, som bragte ham ind gennem det trøstesløse industrikvarter Zimeysa.

Forude, indrammet af bjergene i det fjerne, var det, som om CERN's kolossale, rustfarvede træglobus rejste sig fra de dyrkede marker som en gigantisk anakronisme: en forestilling fra 1960'erne om, hvordan fremtiden ville tage sig ud. Leclerc parkerede på den anden side af vejen og fortsatte ind i hovedbygningen. Han oplyste sit navn og satte gæstekortet fast på sin vindjakke. Mens han ventede på at blive hentet af sin kontaktperson, studerede han den lille udstilling i receptionsområdet. Tilsyneladende var seksten hundrede superledende magneter hver med en vægt på næsten tredive ton anbragt i en 27 kilometer lang tunnel direkte under fødderne på ham og sendte protonstråler rundt i tunnelen i en så svimlende høj fart, at de tilbagelagde turen rundt i den cirkelformede tunnel hele elleve tusind gange i sekundet. Kollisionen mellem strålerne, der fandt sted ved en sammenstødsenergi på syv trillioner elektronvolt pr. proton, forventedes at kunne afdække hemmeligheden bag universets skabelse, afsløre nye dimensioner og forklare, hvad mørkt stof er. Intet af det havde, som Leclerc så det, det fjerneste at gøre med de finansielle markeder.

Quarrys investorer begyndte at ankomme lidt over ti, og de første – en 56-årig mand fra Genève ved navn Etienne Mussard og hans søster Clarisse – ankom med bus. »De kommer sandsynligvis tidligt,« havde Quarry advaret Hoffmann. »De kommer altid i god tid til alt.« Søskendeparret, der ikke var videre velklædte, var begge ugifte og boede sammen i en lille lejlighed i forstaden Lancy, som de havde arvet efter deres forældre. Ingen af dem havde kørekort. De rejste aldrig på ferie, og de spiste kun sjældent på restaurant. Quarry vurderede monsieur Mussards personlige formue til at ligge et sted omkring syv hundrede millioner euro, mens madame Mussards var god for cirka fem hundrede og halvtreds millioner. Deres mors oldefar, Robert Fazy, havde ejet en privat bank, der i 1980'erne var blevet solgt i kølvandet på en skandale, som involverede jødiske formuer, der var blevet beslaglagt af nazisterne under Anden Verdenskrig og deponeret hos Fazy et Cie. Med sig havde søskendeparret deres familieadvokat, dr. Max-Albert Gallant, hvis firma bekvemt nok også tog sig af alle juridiske anliggender i Hoffmann Investment Technologies. Det var via Gallant, det var lykkedes Quarry at blive introduceret til søskendeparret. »De behandler mig som en søn,« sagde Quarry. »De er med andre ord helt igennem uforskammede og bestiller ikke andet end at beklage sig.«

Det trøstesløse pars ankomst blev kort efter fulgt af Elmira

Gulzhan – muligvis den mest eksotiske af alle Hoffmanns kunder – præsidenten af Azakhstans 38-årige datter. Elmira boede i Paris og var uddannet på INSEAD i Fontainebleau og stod for administrationen af Gulzhan-familiens økonomiske interesser i udlandet – en formue, som CIA i 2009 havde vurderet til at ligge på omkring 19 milliarder dollars. Quarry havde fået det arrangeret, så han tilfældigt mødte hende til en skifest i Val d'Isere. Gulzhan-familien havde allerede investeret 120 millioner dollars gennem Hoffmanns hedgefond – et beløb, som Quarry håbede, at han kunne overtale Elmira til mindst at fordoble. På skiløjperne var det lykkedes Quarry også at blive gode venner med Elmiras mangeårige elsker, François de Gombart-Tonnelle, en parisisk advokat, som også var ved hendes side i dag. Hun steg ud af sin skudsikre Mercedes i en knælang, smaragdgrøn silkefrakke med et matchende tørklæde draperet løst om sin tætte manke af skinnende blankt sort hår. Quarry ventede i vestibulen for at tage imod hende. »Lad dig ikke narre,« havde han advarende sagt til Hoffmann. »Hun ligner måske en, der er på vej til derby på væddeløbsbanen, men hun vil når som helst kunne få et job ved Goldman. Og *desuden* kunne hun så let som ingenting få sin far til at udstede en ordre på, at du skal have fingerneglene rykket af.«

De næste, der dukkede op – i en limousine fra Hotel Président Wilson på den anden side af søen – var et par amerikanere, der var kommet rejsende fra New York alene for at deltage i dagens præsentationsmøde. Ezra Klein var chefanalytiker i Winter Bay Trust, en investeringsinstitutforening med 14 milliarder dollars under forvaltning, hvor man ifølge virksomhedens målsætning bestræbte sig på at »udjævne risikoen og sikre et højt afkast ved at investere i en bred vifte af forvaltede porteføljer snarere end individuelle aktier eller obligationer«. Klein havde ry for at være superintelligent, hvilket blev understreget af hans vane med at tale med hele seks ord i sekundet (hans forvirrede underordnede havde engang i al hemmelighed målt hastigheden), hvilket var cirka dobbelt så hurtigt som normal menneskelig tale – og det gjorde ham ikke ligefrem lettere at forstå, at hvert tredje ord lod til at være et akronym eller et indforstået finansielt fagudtryk. »Ezra er sgu lidt småautistisk,« sagde Quarry. »Ingen kone, ingen børn og ingen kønsorganer af nogen slags, så vidt jeg kan vurdere. Winter Bay er muligvis god for yderligere hundrede millioner, men det må vi vente med at se.«

Ved siden af Ezra Klein gik en kraftig mand i halvtredserne – der ikke engang gjorde sig den anstrengelse at foregive, at han lyttede til Kleins uforståelige volapyk – iført fuld Wall Street-uniform i form af et tredelt jakkesæt suppleret med et rødt-og-hvidstribet slips. Bill Easterbrook fra det amerikanske bankkonglomerat AmCor. »Du har mødt Bill før,« havde Quarry advaret Hoffmann. »Kan du ikke huske ham? Det er ham dinosauren, som ligner en, der lige er trådt ud af en Oliver Stone-film. Siden du mødte ham sidst, er han blevet indsat som direktør i et selvstændigt datterselskab ved navn AmCor Alternative Investments, hvilket i bund og grund blot er en regnskabsmæssig fidus for at tilfredsstille Finanstilsynets kontrollanter.« Quarry havde selv arbejdet for AmCor i London i ti år, og han og Easterbrook havde kendt hinanden i mange år – »i mange, mange år«, som han drømmende sagde, hvormed han mente, at de kendte hinanden så langt tilbage i fortidens tåger, at han ikke længere kunne huske de nærmere detaljer – hele vejen tilbage til 1990'ernes glade dage med kokain og callgirls. Da Quarry havde forladt AmCor for at slå sig sammen med Hoffmann, havde Easterbrook skaffet dem deres første kunde mod til gengæld at få udbetalt en kommission. Nu var AmCor Alternative Hoffmanns største investor med tæt på en milliard under forvaltning. Ezra Klein var endnu en af mødedeltagere, som Quarry gjorde sig den anstrengelse at byde velkommen i vestibulen.

Og sådan ankom alle investorerne lidt efter lidt. 27-årige Amschel Herxheimer fra bank- og handelsdynastiet Herxheimer, hvis søster havde gået på universitetet i Oxford sammen med Quarry, og som nu var i færd med at blive kørt i stilling til at overtage direktørposten i familiens 200 år gamle private bankvirksomhed. Kedelige Iain Mould fra det, der engang havde været det endnu mere kedelige boligfinansieringsinstitut Fife, indtil virksomheden i begyndelsen af århundredet var blevet børsnoteret og – i løbet af blot tre år – havde oparbejdet en gæld, der svarede til halvdelen af Skotlands bruttonationalprodukt, hvilket havde gjort det nødvendigt at lade virksomheden blive overtaget af den britiske regering. Milliardæren Mieczyslaw Łukasiński, forhenværende matematikprofessor og leder af Polens Kommunistiske Ungdomsforbund og nuværende ejer af Østeuropas tredjestørste forsikringsselskab. Og til sidst to kinesiske iværksættere, Liwei Xu og Qi Zhang, som repræsenterede en investeringsbank i Shanghai og mødte op med ikke færre end seks forretningsforbindelser klædt i mørke jakkesæt, som de insisterede på var deres advokater, men som Quarry var temmelig overbevist om var computereksperter, der var med for at vurdere Hoffmanns sikkerhedsmæssige foranstaltninger i cyberspace – og efter en anspændt, men ovenud høflig ordveksling havde »advokaterne« modvilligt indvilliget i at forlade mødelokalet.

Ikke én eneste af de investorer, Quarry havde inviteret, havde takket nej. »Der er to grunde til, at de kommer,« havde han forklaret Hoffmann. »For det første kommer de, fordi vi gennem de sidste tre år – selv mens det finansielle marked er styrtdykket – har sikret dem en fortjeneste på 83 %, og jeg vil ikke være bange for at udfordre enhver til at finde en hedgefond noget andet sted i verden, der har skabt så vedvarende alfa – jeg mener, de må spekulere på, hvad helvede det er, vi har gang i, og alligevel har vi nægtet at tage imod så meget som en eneste ekstra cent til investering.«

»Og hvad er den anden grund til, at de kommer?«

»Åh, lad være med at være så beskeden.«

»Jeg er vist ikke helt med.«

»Den anden grund er *dig*, din torsk. De kommer for at se *dig*. De er nysgerrige efter at finde ud af, hvad du har at tilbyde. Du er en levende legende, og de kommer for at røre ved en flig af dit tøj og se, om deres fingre bliver forvandlet til guld.«

Hoffmann blev vækket af Marie-Claude.

»Dr. Hoffmann?« Hun ruskede blidt i hans skulder. »Dr. Hoffmann? Mr. Quarry har bedt mig om at fortælle, at investorerne venter på Dem i direktionsværelset.«

Han havde været midt i en livlig drøm, men da han åbnede øjnene, bristede billederne som sæbebobler. Et øjeblik fik sekretærens ansigt ham til at tænke på sin mor. Hun havde de samme grågrønne øjne, den samme markante næse og det samme ængstelige og bekymrede udtryk. »Mange tak,« sagde han og rettede sig op. »Sig til ham, at jeg er der om et øjeblik,« sagde han og tilføjede impulsivt: »Jeg beklager det med din mand. Jeg har det med let at blive ...« han vred sig hjælpeløst i hænderne, »... lidt forvirret.«

»Det er helt i orden. Mange tak.«

Der var et toilet på gangen lige over for hans kontor. Han skruede op for den kolde hane, holdt hænderne ind under strålen og plaskede igen og igen det iskolde vand op i ansigtet, indtil det sved i huden. Han havde ikke tid til at blive barberet. Huden på hagen og omkring munden, der normalt var så glat og blød, føltes nu stikkende og ru som et dyrs pels. Det var underligt – og det skyldtes uden tvivl et af de irrationelle humørskift, som slaget i baghovedet var skyld i – men han var begyndt at føle sig nærmest sprudlende af energi. Han havde overlevet et møde med døden – hvilket jo i sig selv var ganske opløftende – og nu havde han et helt direktionsværelse fyldt med supplikanter, der bare ventede på ham for, med Hugos ord, at røre ved en flig af hans tøj i håb om, at hans store talent for at tjene penge ville smitte af på dem. Nogle af jordens mest velhavende mennesker havde løsrevet sig fra deres lystyachter, swimmingpools og væddeløbsbaner, fra børslokaler på Manhattan og revisionsfirmaer i Shanghai for at høre dr. Alex Hoffmann, den legendariske – igen Hugos ordvalg – grundlægger af Hoffmann Investment Technologies, prædike om sine visioner for fremtiden. Og hvilken historie han havde at fortælle! Hvilket evangelium han havde at forkynde!

Med disse tanker hvirvlende rundt i sit forslåede hoved tørrede han sig i ansigtet, rankede ryggen og satte kursen mod direktionsværelset. Da han fortsatte gennem handelsafdelingen, sprang firmaets lille og smidige risikochef op af sin stol og kom løbende ud fra sit kontor for at sige noget til ham, men Hoffmann vinkede ham bare væk. Uanset hvad han havde at fortælle, måtte det vente.

6

Meget stor rigdom vil utvivlsomt hjælpe med at gøre mennesket til unyttige vandbier, men de velstilledes antal er aldrig stort, og her finder en slags udryddelse også sted, da vi dagligt ser rige mennesker, som er fjolser eller ødelande, miste alle deres penge.

CHARLES DARWIN, *Menneskets afstamning* (1871)

Direktionsværelset udstrålede den samme erhvervsmæssige mangel på personlighed – de samme lydtætte glasvægge og persienner fra loft til gulv – som chefkontorerne. En stor, tom skærm, som blev benyttet til telekonferencer, optog det meste af pladsen på endevæggen bag det store ovale bord af lyst skandinavisk træ. Da Hoffmann trådte ind ad døren, var samtlige atten stole optaget af enten investorer eller rådgivere, og den eneste ledige plads var for bordenden ved siden af Quarry, som med tydelig lettelse i øjnene fulgte hans vej rundt om bordet. »Godt, så er han her endelig,« sagde han, »mine damer og herrer, dr. Alex Hoffmann, direktør i Hoffmann Investment Technologies. Som De kan se, er hans hjerne så stor, at vi har været nødt til at udvide hans hoved for at give den plads nok. Undskyld, Alex, det var naturligvis bare sagt i spøg. Jeg er bange for, at stingene skyldes, at han har fået et grimt slag i baghovedet, men han er heldigvis helt frisk igen. Er det ikke rigtigt?«

De stirrede alle på ham. De nærmeste vendte sig på stolene for at se op på ham, men Hoffmann mærkede kinderne blusse af forlegenhed og undgik at skabe øjenkontakt. Han satte sig ved siden af Quarry, foldede hænderne på bordet foran sig og stirrede stift på sine sammenflettede fingre. Han mærkede Quarrys hånd, da den gav hans skulder et klem, og så øgedes vægten, da englænderen støttede sig til ham for at rejse sig.

»Udmærket, så kan vi gå i gang. Godt ... velkommen til Genève, venner. Der er nu gået næsten otte år, siden Alex og jeg slog pjalterne sammen og udnyttede hans intelligens og mit gode udseende til at grundlægge en helt speciel form for investeringsfond, der udelukkende er baseret på algoritmiske handler. Vi begyndte med kun lige godt hundrede millioner dollars i aktiver under forvaltning, og en stor andel af beløbet stammede fra min gode ven her, Bill Easterbrook fra AmCor ... velkommen, Bill. Allerede det første år sikrede vi et afkast, og hver eneste år siden har vi fortsat sikret vores kunder et afkast, hvilket er grunden til, at firmaet nu er hundrede gange større, end da vi begyndte, og er oppe på at administrere aktiver for ti milliarder dollars.

Jeg vil dog ikke bruge tiden på at prale af vores hidtidige bedrifter. Jeg håber, at det ikke er nødvendigt. I modtager alle vores kvartalsvise statusorientering og ved allerede, hvad vi har opnået sammen. Jeg vil blot give jer en enkelt statistisk oplysning. Den 9. oktober 2007 lukkede Dow Jones-indekset i 14,164. I aftes – jeg tjekkede det lige før, jeg forlod mit kontor – lukkede Dow i 10,866. Denne nedgang repræsenterer et tab på næsten en fjerdedel i løbet af godt to et halvt år! Prøv at forestille jer det. Alle disse stakler med deres pensionsplaner og sikrede obligationer har mistet næsten 25 procent af deres investeringer. Mens I ved at lægge jeres tillid i hænderne på *os* i samme periode har set nettoværdien af jeres aktiver stige med 83 procent. Mine damer og herrer, jeg tror, at I alle vil give mig ret i, at det var en ganske klog beslutning at investere jeres penge gennem os.«

For første gang dristede Hoffmann sig til at løfte hovedet og lade blikket glide rundt om bordet. Quarrys tilhørere lyttede intenst. (»De to mest interessante ting i verden,« havde Quarry engang sagt, »er andre menneskers sexliv og ens egne penge.«) Selv Ezra Klein, der normalt rokkede frem og tilbage som en religiøs student i en koranskole, sad midlertidigt helt stille, mens Mieczyslaw Łukasiński ganske enkelt ikke kunne forhindre et stort smil i at brede sig i sit runde bondefjæs.

Quarrys højre hånd hvilede stadig på Hoffmanns skulder, mens han skødesløst havde stukket den anden hånd i lommen. »I vores selskab omtaler vi kløften mellem, hvordan markedet og fonden klarer sig, som 'alfa'. I løbet af de sidste tre år har Hoffmann haft en alfa på 112 procent, hvilket er grunden til, at finanspressen to gange har kåret os til Årets Algoritmiske Hedgefond.«

Han tav et øjeblik, før han fortsatte. »Godt, denne vedvarende stabilitet skyldes ikke, kan jeg godt garantere, at vi bare har haft heldet med os. I Hoffmann bruger vi hvert år 32 millioner dollars på forskning. Vi har ansat tres af de skarpeste naturvidenskabelige hjerner i verden – eller i det mindste har jeg fået at vide, at de er skarpe, for jeg fatter ikke et ord af, hvad de fabler om.«

Han holdt en lille pause for at give plads til den eftertænksomme latter, der bredte sig. Hoffmann bemærkede, at den engelske bankmand, Iain Mould, lo specielt højt, og han vidste omgående, at manden var et fjols. Quarry fjernede hånden fra Hoffmanns skulder, tog den anden op af lommen og placerede begge hænder på bordet. Han lænede sig frem, pludselig alvorlig og indtrængende.

»For omkring atten måneder siden opnåede Alex og hans team et markant teknologisk gennembrud, og som en konsekvens deraf var vi nødt til at træffe den vanskelige beslutning at lukke fonden og afvise yderligere kapital, selv fra allerede eksisterende kunder. Jeg ved, at hver og én af de tilstedeværende her i lokalet – og det er grunden til, at I alle er blevet inviteret med til præsentationen i dag – var skuffede og forvirrede over denne beslutning … og at nogle af jer endda var temmelig vrede på os.«

Hoffmann så på Elmira Gulzhan, der sad og lyttede opmærksomt i den modsatte ende af bordet. Hun havde råbt og skreget ad Quarry i telefonen, vidste han, og havde oven i købet truet med at trække familiens penge ud af fonden eller det, der var endnu værre (»Hvis man lukker døren for en Gulzhan, kan jeg ikke svare for følgerne ...«).

»Godt,« fortsatte Quarry med en ganske svag antydning af et fingerkys i retning af Elmira, »og det vil vi gerne benytte os af lejligheden til at undskylde. Men vi traf den beslutning, at vi var nødt til at koncentrere os om at implementere den nye investeringsstrategi med vores aktivers eksisterende størrelse. I en hvilken som helst investeringsfond er der, som jeg er sikker på, at I alle er klar over, altid en risiko for, at øgede investeringer generelt giver et dårligere samlet afkast. Vi ønskede at være så sikre som muligt på, at dette ikke ville ske.

Det er nu vores overbevisning, at det nye system, som vi kalder VIXAL-4, er robust nok til at håndtere en udvidelse af vores portefølje. Ja, den alfa, vi har opnået i løbet af de seneste seks måneder, har vist sig at være markant større, end det var tilfældet, da vi støttede os til de oprindelige algoritmer, og derfor har jeg den store glæde at meddele, at fra dags dato går Hoffmann fra at være lukket til atter at åbne for ny kapital og byde yderligere investeringer velkommen – dog kun fra allerede eksisterende kunder.«

Han tav og drak en slurk vand for at lade ordene få en chance for at bundfælde sig. Der var ikke en lyd at høre i lokalet.

»Op med humøret, alle sammen,« sagde han muntert, »det var en *god* nyhed, jeg netop overbragte.«

Anspændtheden blev erstattet af latter, og for første gang, siden Hoffmann var kommet ind ad døren, så investorerne direkte på hinanden. Han indså, at de var som en lille, privat klub – en frimurerloge knyttet sammen af en fælles hemmelig viden. Hemmelighedsfulde smil bredte sig rundt om bordet. De var alle en del af inderkredsen.

»Og på dette tidspunkt,« sagde Quarry og lod et tilfreds blik glide rundt om bordet, »tror jeg, at det bedste, jeg kan gøre, er at overlade ordet til Alex, så han kan orientere jer lidt mere om den tekniske side af sagen.« Han satte sig halvt, men rejste sig så igen. »Med en smule held vil jeg måske oven i købet selv kunne forstå, hvordan tingene hænger sammen.«

Mere latter, og så var ordet Hoffmanns.

Han var ikke en mand, for hvem det faldt naturligt at tale i større forsamlinger. De få undervisningshold, han havde haft på Princeton, før han forlod USA, havde været ren tortur for både ham og de studerende. Men nu følte han, at hele hans krop sitrede af en underlig energi og klarhed. Han rørte forsigtigt ved den sammensyede flænge i baghovedet, tog et par dybe indåndinger og rejste sig.

»Mine damer og herrer, vi er nødt til at være selektive med hensyn til detaljerne omkring det, vi beskæftiger os med her i firmaet, så vi kan undgå, at vores ideer bliver stjålet af vores konkurrenter, men som De sikkert alle ved, er det grundlæggende princip bag vores aktiviteter ikke noget stort mysterium. Vi udvælger et par hundrede forskellige værdipapirer, som vi handler gennem en periode på 24 timer. Algoritmerne, som er programmeret ind i vores computere, udvælger de positioner, vi indtager, på basis af en detaljeret analyse af de forudgående tendenser, især i forbindelse med likvide futures – Dow Jones, for eksempel, eller S&P 500 – og de mest almindelige råvarer som olie, naturgas, guld, sølv, kobber, hvede, etcetera. Desuden foretager vi også en del højfrekvenshandler, hvor vi måske kun holder positionerne i et par millisekunder. Det er i virkeligheden slet ikke så kompliceret. Selv S&P's 200-dages glidende gennemsnit kan være en forholdsvis pålidelig rettesnor for udviklingen på markedet. Hvis det nuværende indeks er højere end det foregående gennemsnit, vil markedet sandsynligvis være præget af spekulation i stigende kurser; og hvis det er lavere, vil markedet omvendt være præget af spekulation i faldende kurser. Eller vi kan fremsætte den formodning, baseret på tyve års data, at hvis tin handles til en bestemt pris og yen til en anden, er det højst sandsynligt, at det vil afspejle sig i DAX-indekset på en bestemt måde. Naturligvis har vi væsentligt flere gennemsnitlige par at arbejde med – flere millioner, rent faktisk – men princippet er ganske enkelt: De mest pålidelige rettesnore, hvad angår fremtiden, ligger i fortiden. Og vi behøver kun at have ret i vores antagelser om markedet i halvtreds procent af tilfældene for at sikre et afkast.

Da vi grundlagde firmaet, var der ikke mange, der kunne have forudset, hvor betydningsfulde algoritmiske handler ville blive. Pionererne i denne branche blev ofte nedladende afvist som *quanter*, nørder eller særlinge. Vi var dem, som ingen af pigerne ville danse med til festerne ...«

»Det er stadig tilfældet,« indskød Quarry.

Hoffmann affærdigede ham med en håndbevægelse. »Det er muligt, men den succes, vi har opnået her i firmaet, taler for sig selv. Hugo nævnte tidligere, at i en periode, hvor Dow Jones-indekset er faldet med næsten 25 procent, er vi vokset med 83 procent. Hvordan har det kunnet lade sig gøre? Det er ganske enkelt. Vi har haft to år med panik på markedet, og vores algoritmer lever højt på denne panik, fordi mennesker altid reagerer på en forudsigelig måde, når de er bange.«

Han løftede hænderne. »'Himmelrummet er fyldt med nøgne væsener, der farer frem gennem luften. Nøgne mennesker, nøgne mænd, nøgne kvinder, der farer frem og rejser storm og snefog. Hører I det suse? Det bruser som af store fugles vingeslag oppe i luften. Det er nøgne menneskers angst, det er nøgne menneskers flugt!'«

Han tav og så rundt på investorernes ansigter, som uden undtagelse var rettet mod ham. Adskillige af mødedeltagerne sad med åben mund som fugleunger, der ventede på mad. Hans egen mund føltes tør. »Dette er ikke mine egne ord. De stammer fra en eskimoisk åndemaner, der bliver citeret af Elias Canetti i bogen *Masse og magt*. Da jeg udtænkte VIXAL-4, brugte jeg dette citat som screensaver på min computer. Må jeg ikke få lidt vand, Hugo?« Quarry lænede sig frem og skubbede en flaske Evian og et glas hen til ham. Hoffmann ignorerede glasset, skruede hætten af flasken og drak direkte af den. Han vidste ikke, hvilken effekt han havde på sit publikum, men han var i grunden også ligeglad. Han tørrede sig om munden med håndryggen.

»Omkring år 350 f. Kr. definerede Aristoteles mennesket som '*zoon logon echon*' – 'det rationelle væsen' eller, mere præcist, 'det levende væsen, der har sprog'. Frem for alt er det sproget, der adskiller os fra alle andre levende væsener her på Jorden. Udviklingen af sproget frigjorde os fra en verden af fysiske genstande og erstattede den med et univers af symboler. Laverestående dyr kommunikerer sandsynligvis også med hinanden på en primitiv måde og kan måske oven i købet lære betydningen af nogle få af vores menneskelige symboler – en hund kan f.eks. lære at forstå enkle beskeder som 'sit' eller 'kom'. I måske fyrre tusind år var det kun mennesket, der var *zoon logon echon*, et levende væsen med sprog, men nu er det for første gang nogensinde ikke længere sandt, for vi deler vores verden med computere.«

Hoffmann pegede ud mod handelsafdelingen med flasken, så lidt af indholdet skvulpede ud over bordet. »Computere ... engang forestillede vi os, at computere – robotter – ville overtage alle de simple opgaver i vores liv. At de ville tage et forklæde på og løbe rundt og fungere som tjenestefolk og gøre rent i vores hjem og den slags, hvorved vi alle ville få større muligheder for at nyde vores fritid. Rent faktisk er det dog det modsatte, der er ved at ske. Vi har masser af uintelligent menneskelig kapacitet til at varetage de simple, fysiske opgaver i samfundet – og ofte arbejder disse mennesker i mange timer til en ussel løn – men i stedet kommer de mennesker, som computerne erstatter, fra højtuddannede grupper som oversættere, medicinske teknikere, dommerfuldmægtige, revisorer og børsmæglere.

Computere er i stigende grad blevet pålidelige oversættere på områder som handel og teknologi. Inden for det lægevidenskabelige område kan de lytte til en patients symptomer og diagnosticere sygdomme og endda foreslå behandlinger. På det juridiske område kan de søge i og vurdere kolossale mængder af komplicerede dokumenter til en brøkdel af, hvad det ville koste at lade juridiske analytikere udføre arbejdet. Talegenkendelse gør algoritmer i stand til at uddrage betydningen af såvel det talte som det skrevne ord, og nyhedsmeddelelser kan analyseres i realtid.

Da Hugo og jeg oprettede fonden, bestod de data, vi benyttede, udelukkende af digitaliserede finansstatistikker. Der var stort set ikke andet, vi kunne støtte os til. Men i løbet af de seneste år er en helt ny galakse af informationer kommet inden for vores rækkevidde, og i en nær fremtid vil enhver form for information i verden – hver eneste lille bid af viden, som menneskeheden er i besiddelse af; hver eneste tanke, der nogensinde er blevet tænkt og fundet værdig til at blive gemt i tusinder af år – være tilgængelig digitalt. Hver eneste vej på Jorden er blevet kortlagt. Hver eneste bygning er blevet fotograferet. Uanset hvor vi rejser hen, uanset hvad vi køber, uanset hvilke internetsider vi besøger ... efterlader vi et digitalt spor, der er lige så tydeligt som snegleslim. Og alle disse data kan aflæses, samles og analyseres af computere, hvorefter der kan uddrages en værdifuld viden på baggrund af oplysningerne – og det på måder, som vi end ikke fatter omfanget af endnu.

De fleste mennesker er knap opmærksomme på, hvad der er sket. Og hvorfor skulle de også være det? Når man forlader bygningen her og går hen ad gaden igen, ligner hele verden stort set stadig sig selv. En mand, der levede for hundrede år siden, ville kunne gå rundt i denne del af Genève og stadig føle sig hjemme. Men bag den fysiske facade – bag alle murstenene og vinduerne – er verden forandret, forvrænget og skrumpet, som om den er gledet ind i en anden dimension. Lad mig give et lille eksempel. I 2007 mistede de britiske myndigheder alle deres data om 25 millioner mennesker – skattemæssige forhold, detaljer om bankkonti, adresser og fødselsdatoer. Men det var ikke to lastbiler, der blev væk. Det var to cd'er. Men alligevel var det ingenting. En dag vil Google have digitaliseret alle de bøger, der nogensinde er udkommet. Der bliver ikke brug for biblioteker længere. Man vil ikke have brug for andet end en lille skærm, som man kan holde i hånden.

Men nu kommer pointen. Mennesket læser stadig i det samme tempo som på Aristoteles' tid. Den gennemsnitlige amerikanske universitetsstuderende læser 450 ord i minuttet. De allerbedste når op på omkring 800 ord. Det svarer til cirka to sider i minuttet. Men så sent som sidste år meddelte IBM, at man er i færd med at konstruere en ny computer til den amerikanske regering, som kan præstere hele tyve tusind billioner udregninger i sekundet. Der er en fysisk grænse for, hvor meget information vi som mennesker kan absorbere, og vi har nået grænsen for vores formåen. Men der er ingen grænser for, hvor meget en computer kan absorbere.

Og sproget – udskiftningen af genstande med symboler – er forbundet med endnu en stor ulempe for os som mennesker. Den græske filosof Epiktet erkendte dette for to tusind år siden, da han skrev: 'Det, der bringer mennesker ud af ligevægt, er ikke tingene selv, men deres meninger om tingene.' Sproget slap forestillingskraften fri, og deraf opstod rygter, panik og frygt. Men algoritmer har ingen forestillingskraft. De går ikke i panik, og det er grunden til, at de er så velegnede til at handle på det finansielle marked.

Det, vi i vores markedsberegninger har bestræbt os på at gøre med vores nye generation af VIXAL-algoritmer, er at isolere, måle og indarbejde den del af priselementet, som udelukkende udspringer af forudsigelige mønstre for menneskelig adfærd. Hvorfor sker der for eksempel næsten altid uundgåeligt det, at en aktiekurs, der stiger på grund af forventninger om et positivt resultat, falder til under sin tidligere kurs, hvis det viser sig, at resultatet bliver dårligere end forventet? Hvorfor klamrer investorer sig ved visse lejligheder stædigt til en bestemt aktie, selvom den falder i kurs, og deres tab stiger, mens de ved andre lejligheder sælger en helt igennem solid aktie, som de burde beholde, ganske enkelt fordi markedet under ét er for nedadgående? Den algoritme, som kan tilpasse sin strategi og tage højde for disse mysterier, vil derfor have en kolossal konkurrencemæssig fordel. Og vi mener, at der nu er tilstrækkeligt mange data til rådighed til, at vi kan forudsige disse anormaliteter og profitere på baggrund af vores viden.«

Ezra Klein, som havde rokket frem og tilbage med tiltagende intensitet, kunne ikke længere styre sig. »Men så er der jo ikke tale om andet end *adfærdsmæssigt* betingede investeringer!« brast det ud af ham. Han fik det til at lyde som kætteri. »Indrømmet, jeg er enig i, at EMH-tesen ikke længere holder, men hvordan kan I filtrere støjen fra og skabe et nyttigt redskab ud af den adfærdsmæssigt betingede tilgang?«

»Når man ser bort fra vurderingen af en aktie, som den varierer over tid, er det, man står tilbage med – om noget – den adfærdsmæssige effekt.«

»Ja, men hvordan finder man frem til, hvad det var, der var den bagvedliggende årsag til den adfærdsmæssige effekt? Det er jo hele universets forbandede historie, vi taler om!«

»Ezra, jeg er helt enig med dig,« sagde Hoffmann roligt. »Vi kan ikke analysere samtlige aspekter af menneskets adfærd på markedet i løbet af de seneste tyve år – og de bagvedliggende faktorer, der udløste denne adfærd – uanset hvor store datamængder, der nu er til rådighed i digital form, og uanset hvor hurtig vores hardware er. Vi har fra begyndelsen været klar over, at vi måtte indsnævre vores fokus. Og den løsning, vi valgte, bestod i at udvælge en bestemt følelse, som vi ved, der foreligger en anseelig mængde af data om.«

»Og hvilken følelse valgte I?«

»Frygt.«

Der opstod en vis uro omkring bordet. Selvom Hoffmann havde bestræbt sig på ikke at anvende alt for indforståede udtryk – hvor var det typisk for Klein, tænkte han, at han absolut skulle anvende forkortelsen EMH, der stod for »efficient market hypothesis« og henviste til en tese om, at finansmarkederne grundlæggende var stabile og effektive – havde han ikke desto mindre fornemmet en tiltagende forvirring blandt tilhørerne. Men nu havde han uden tvivl deres fulde opmærksomhed. Han fortsatte: »Historisk set er frygt den stærkeste følelse i forhold til økonomi. Prøv at tænke på Frederick D. Roosevelt under Depressionen i 30'erne. Han var ophavsmand til det mest berømte citat i hele finansverdenens historie: 'Det eneste, vi har at frygte, er frygten selv!' Rent faktisk er frygt efter alt at dømme den stærkeste menneskelige følelse, der findes. Punktum. Hvem er nogensinde vågnet klokken fire om natten, fordi de var lykkelige? Følelsen er så stærk, at vi rent faktisk har fundet det forholdsvis let at filtrere den støj fra, som stammer fra andre følelsesmæssige indtryk, og udelukkende fokusere på dette ene signal. En af de ting, vi for eksempel har været i stand til at gøre, er at koble de seneste udsving på markedet sammen med frekvensen af frygtrelaterede ord i medierne – terror, alarm, panik, rædsel, forfærdelse, gru, skræk, miltbrand, atomkrig. Og vores konklusion er, at verden nu om dage som aldrig før er drevet af frygt.«

»Det er al-Qaedas skyld,« sagde Elmira Gulzhan.

»Delvist, ja. Men hvorfor skulle al-Qaeda skabe mere frygt end truslen om gensidig tilintetgørelse under Den kolde Krig i halvtredserne og tresserne – hvilket i øvrigt var en tid, der var kendetegnet ved markedsvækst og stabilitet? Vores konklusion er, at det er digitaliseringen i sig selv, der skaber en frygtepidemi, og at Epiktet havde ret: Vi lever ikke i en verden af virkelige genstande, men i en verden af holdninger og fantasier. Som vi ser det, er markedets øgede volatilitet eller omskiftelighed skabt af digitaliseringen, som overdriver menneskets humørsvingninger i kraft af udbredelsen af informationer via internettet i et omfang, som verden aldrig før har kendt til.«

»Men vi har fundet en metode til at tjene penge på det,« indskød Quarry muntert. Han nikkede til Hoffmann for at få ham til at fortsætte.

»Som de fleste vil være klar over, opererer børsen i Chicago med det, der er kendt som S&P 500, Volatilitetsindekset eller VIX, som i den ene eller anden form har været anvendt i sytten år. Der er tale om en, af mangel på et bedre ord, 'ticker', der følger prisen på optionerne – både købs- og salgsoptioner – på de aktier fra S&P 500, der bliver handlet. Hvis nogen gerne vil have den matematiske definition, udregnes det som kvadratroden af den 30 dages gennemsnitlige varians for de to korteste udløbsdatoer på mere end én uge, ganget med 100. Og hvis I ikke interesserer jer for matematik, kan jeg nøjes med at sige, at det viser markedets implicitte volatilitet for den kommende måned. Det går op og ned fra det ene øjeblik til det andet. Jo højere indekset er, jo større er usikkerheden på markedet, så derfor omtales tallet blandt tradere også som 'frygtindekset'. Og det er, naturligvis, i sig selv likvidt – der kan handles optioner og futures på VIX-indekset, og dem handler vi.

VIX var med andre ord vores udgangspunkt. Det har givet os en stor mængde nyttige data, der fører helt tilbage til 1993, og som vi nu kan koble sammen med de nye adfærdsmæssige indicier, vi har indsamlet, ligesom vi også på dette område benytter os af vores sædvanlige metodik. I begyndelsen gav det os også inspirationen til prototypen for vores algoritme, VIXAL-1, og navnet er blevet hængende hele vejen igennem, selvom vi nu har bevæget os langt væk fra selve VIX-indekset. Vi er nu kommet til vores fjerde version, som vi med indlysende mangel på fantasi kalder VIXAL-4.«

Klein afbrød ham igen. »Volatiliteten bestemt af VIX-indekset kan være både positiv og negativ.«

»Det tager vi højde for,« sagde Hoffmann. »I vores optik kan optimisme måles som hvad som helst fra et fravær af frygt til en reaktion mod frygt. Glem ikke, at frygt ikke bare er lig med en bred panik på markedet og flugt for at komme i sikkerhed. Der er også det, vi omtaler som en 'fastholdelseseffekt', hvor vi holder fast i en aktie, selvom det strider mod al sund fornuft, ligesom der er en 'adrenalineffekt', når en aktie stiger markant i værdi. Vi er stadig i færd med at forske i alle disse forskellige kategorier for at kortlægge deres effekt på markedet og dermed forfine vores model.«

Easterbrook rakte en hånd i vejret. »Ja, Bill?«

»Er denne algoritme allerede blevet taget i anvendelse?«

»Skal jeg ikke lade Hugo besvare dette spørgsmål, eftersom det snarere er af praktisk end teoretisk karakter?«

»Inkubation begyndte at afprøve VIXAL-1 for næsten to år siden,« sagde Quarry, »selvom der naturligvis blot var tale om en simulering uden reel eksponering på markedet. I maj 2009 gik vi i luften med VIXAL-2, dog blot med legetøjspenge i størrelsesordenen hundrede millioner dollars. Da vi havde løst de tidlige indkøringsproblemer, tog vi i november samme år et skridt videre med VIXAL-3 og øgede investeringsrammen til en milliard, og resultatet var så lovende, at vi for en uge siden besluttede at lade VIXAL-4 overtage kontrollen med alle fondens investeringer.«

»Med hvilket resultat?«

»Vi skal nok vise jer alle de specifikke tal, før vi slutter, men citeret frit fra hukommelsen genererede VIXAL-2 tolv millioner dollars i løbet af en periode på seks måneder, mens VIXAL-3 genererede 118 millioner. Og så sent som i aftes lå VIXAL-4 på omkring 79,7 millioner.«

Easterbrook rynkede panden. »Sagde du ikke lige, at algoritmen kun havde været anvendt i en uge?«

»Jo.«

»Men det betyder ...«

»Det betyder,« sagde Ezra Klein, som allerede havde gennemført regnestykket i hovedet og nærmest sprang op af stolen, »at du på basis af en fond på ti milliarder kan se frem til et afkast på 4,14 milliarder om året.«

»Og VIXAL-4 er en autonom maskinlærings-algoritme,« sagde Hoffmann. »I takt med, at den indsamler og analyserer flere data, taler alt for, at den vil blive endnu mere effektiv.«

Forsigtige pift og mumlende stemmer lød rundt om bordet. De to kinesere begyndte at hviske til hinanden.

»Derfor kan I nok forstå, at vi nu har besluttet os for at åbne for yderligere investeringer,« sagde Quarry med et skævt smil. »Vi er nødt til at slå til og udnytte situationen, før nogen får held til at udvikle en klon af vores strategi. Og nu, mine damer og herrer, forekommer det mig at være et passende tidspunkt at tilbyde jer et indtryk af, hvordan VIXAL fungerer i praksis.«

I Cologny tre kilometer derfra var politiets tekniske eksperter færdige med deres undersøgelser i Hoffmanns hus. De to teknikere, som var blevet sendt ud til gerningsstedet – en ung mand og en ung kvinde, der lige så godt kunne have været et par studerende eller et kærestepar – havde pakket deres udstyr sammen og var kørt igen. En gendarm sad og kedede sig i sin bil i indkørslen.

Gabrielle sad i sit atelier og skilte portrættet af fosteret fra hinanden ved forsigtigt at skubbe glaspladerne ud af rillerne i bundpladen, indpakke dem i først blødt papir og derefter bobleplast, før hun lagde dem i en papkasse. Hun greb sig selv i at tænke på, hvor underligt det var, at der var strømmet så meget energi ud af det sorte hul, som de tragiske begivenheder i forbindelse med aborten havde sendt hende ned i. Hun havde mistet barnet for to år siden, da hun var fem en halv måned henne. Det var ikke den første graviditet, der var endt med en spontan abort, men det var på alle måder den mest knusende, fordi hun havde været så langt henne. Hun var blevet skannet på hospitalet, da lægerne begyndte at blive bekymrede, hvilket var usædvanligt. Efter aborten var hun – i stedet for at blive alene tilbage i Schweiz – taget med Alex på forretningsrejse til Oxford. Da hun havde gået rundt på et museum, mens Alex havde samtaler med en række ph.d.-kandidater på Randolph Hotel, var hun faldet over en 3D-model af opbygningen af penicillin, som i 1944 var blevet genskabt på en række plexiglasplader af nobelpristageren i kemi, Dorothy Hodgkin. En idé var spiret i hendes tanker, og da hun kom hjem til Genève, havde hun prøvet sig frem og anvendt den samme teknik til MR-skanningen af hendes livmoder – det eneste, hun havde tilbage af barnet.

Hun havde brugt en uge på at prøve sig frem for at finde ud af, hvilke af de to hundrede tværsnitsbilleder, hun skulle bruge, og hvordan hun skulle få dem overført til glas, hvilken blæk hun skulle bruge, og hvordan hun skulle forhindre blækket i at blive tværet ud. Gentagne gange havde hun skåret sig på glassets skarpe kanter, men den eftermiddag, da hun for første gang havde stillet glaspladerne i den rigtige rækkefølge og set fosteret tage form – helt ned til de små knyttede hænder og sammenkrøllede tæer – var der opstået et mirakel, hun aldrig nogensinde ville glemme. Uden for vinduet i den lejlighed, de boede i dengang, var himlen blevet mørk, mens hun arbejdede, og spaltede gule lyn havde stået ned over bjergene. Hun vidste, at ingen ville tro på hende, hvis hun fortalte om oplevelsen. Det virkede lidt for melodramatisk, men hun havde følt, at hun var i kontakt med en voldsom urkraft. At hun etablerede en forbindelse til de døde. Da Alex kom hjem fra arbejde og så portrættet, havde han bare siddet og stirret tavst på det i ti minutter.

Derefter var hun blevet fuldkommen optaget af mulighederne for at lade videnskab og kunst smelte sammen og skabe billeder af levende former. For det meste havde hun fungeret som sin egen model og havde overtalt radiograferne på hospitalet til at skanne hende fra top til tå. Hjernen havde vist sig at være den sværeste del af anatomien at genskabe korrekt. Hun havde været nødt til at finde ud af, hvilke linjer det var bedst at medtage – *Aquaeductus cerebri*, *Cisterna ambiens*, *Tentorium cerebelli* og *Medulla oblongata*. Formens enkelthed var det, der tiltalte hende mest, sammen med de indbyggede paradokser – klarhed og mystik, det upersonlige og det intime, det generiske og alligevel helt igennem unikke. Da hun om morgenen havde set Alex blive kørt ind i CT-skanneren, havde hun fået lyst til at lave et portræt af ham. Hun spekulerede på, om lægerne ville lade hende låne billederne fra skanningen, eller om han selv ville give hende lov til at bruge dem.

Hun pakkede forsigtigt den sidste af glaspladerne ind og til sidst bundpladen, hvorefter hun forseglede papkassen med kraftig, brun tape. Det havde været en smertefuld beslutning for hende at lade lige præcis dette af alle hendes værker indgå i udstillingen. Hvis nogen købte værket, vidste hun, at hun sikkert aldrig ville se det igen. Men alligevel føltes det, som om det var vigtigt for hende at gøre det. Det var hele formålet med i det hele taget at have skabt værket – at give det et selvstændigt liv og lade det drage ud i verden.

Hun løftede kassen og bar den ud i gangen, som om den var en offergave. På alle dørhåndtagene var der rester af lyseblåt pulver, efter at teknikerne havde børstet dem for fingeraftryk. I hallen var blodet blevet tørret af gulvet. Klinkerne var stadig fugtige og viste, hvor Alex havde ligget, da hun fandt ham. Hun trådte omhyggeligt uden om stedet. Hun hørte støj fra arbejdsværelset, og det løb hende koldt ned ad ryggen, da en stor mandlig silhuet i det samme dukkede op i døråbningen. Et forskrækket gisp slap ud over hendes læber, og hun var lige ved at tabe kassen ud af hænderne.

Men så genkendte hun manden. Det var sikkerhedseksperten, Genoud. Det var ham, der havde vist hende, hvordan alarmsystemet fungerede, da de flyttede ind. Han var sammen med en kraftigt bygget mand, som lignede en bryder.

»Madame Hoffmann, tilgiv os, hvis vi forskrækkede Dem.« Genoud så på hende med et alvorligt og professionelt blik og præsenterede den anden mand. »Camille her er blevet sendt hertil af Deres mand for at passe på Dem resten af dagen.«

»Jeg har ikke brug for, at nogen passer på ...« begyndte Gabrielle, men hun var stadig for forskrækket til at yde nogen nævneværdig modstand og registrerede blot, hvordan hun lod sikkerhedsvagten tage kassen ud af hendes favn og bære den ud til den ventende Mercedes. Hun protesterede dog og sagde, at i det mindste ville hun have lov til at køre hen på galleriet i sin egen bil. Men Genoud insisterede på, at det ikke var sikkert – ikke før den mand, der havde overfaldt hendes mand, var blevet pågrebet – og hans professionelle mangel på fleksibilitet var så urokkelig, at hun endnu en gang bøjede sig og blot gjorde, som hun fik besked på.

»For helvede, ganske enkelt fænomenalt!« hviskede Quarry og holdt om Hoffmanns albue, da de forlod direktionslokalet.

»Synes du? Jeg havde en fornemmelse af, at jeg mistede dem på et tidspunkt.«

»De har ikke noget imod at føle sig fortabte, så længe man bare til sidst samler dem op igen og viser dem præcis det, de brændende ønsker at se. Det eneste, der reelt betyder noget. Og alle elsker en smule græsk filosofi.« Han styrede Hoffmann ind foran sig. »Tak skæbne, Ezra er en forbandet usympatisk stodder, men jeg kunne have kysset ham for den lille omgang hjernegymnastik, han leverede hen mod slutningen.«

Investorerne ventede tålmodigt i udkanten af handelsafdelingen – alle med undtagelse af den unge Herxheimer og polakken

Łukasiński, som begge stod med ryggen til de andre og talte med sagte stemmer i deres mobiltelefoner. Quarry vekslede et blik med Hoffmann, der blot trak på skuldrene. Selvom de brød fortrolighedsaftalen, var der ikke meget, de kunne stille op mod det. Aftaler om fortrolighed var allerhelvedes svære at håndhæve uden konkrete beviser på, at de var blevet brudt, og på dette tidspunkt ville det i øvrigt allerede være for sent at forhindre skaden.

»Følg venligst med denne vej,« råbte Quarry, og mens han som en anden turguide holdt en finger i vejret, førte han gæsterne gennem det store lokale på en lang række. Herxheimer og Łukasiński skyndte sig at afslutte deres samtaler og slutte sig til gruppen. Elmira Gulzhan, som nu havde taget et par store solbriller på, indtog som det mest naturlige i verden pladsen forrest i rækken. Clarisse Mussard trippede af sted i sin cardigan og sine uformelige bukser lige i hælene på hende og lignede nærmest hendes tjenestepige. Instinktivt kastede Hoffmann et blik op på CNBC-skærmen for at følge med i, hvad der skete på de europæiske markeder. Det lod til, at den ugelange nedgang langt om længe var vendt, for FTSE 100 var steget med næsten en halv procent.

Gruppen samlede sig om en af handelsskærmene i Eksekution. En af medarbejderne rejste sig fra sin plads, så gæsterne bedre kunne komme til.

»Godt, her har vi så VIXAL-4 i aktion,« sagde Hoffmann. Han trådte et par skridt tilbage, så investorerne kunne kaste et nærmere blik på skærmen, men han undlod at sætte sig på kontorstolen, for så ville det have været alt for let for dem at se arret i hans baghoved. »Algoritmen vælger selv sine handler. De står i venstre side af skærmen i kolonnen med ventende ordrer. Til højre står de allerede gennemførte handler.« Han trådte en smule nærmere, så han kunne læse tallene. »Her, for eksempel,« begyndte han, »har vi ...« Han tav igen, overrasket over størrelsen på handlen. Et øjeblik troede han, at kommaet stod det forkerte sted. »Her kan I se, at vi har halvanden million optioner på at sælge Accenture til 52 dollars pr. aktie.«

»Hold da helt op,« sagde Easterbrook. »Det er fandeme lidt af en satsning på, at kursen falder. Ved I noget om Accenture, som vi andre ikke er blevet orienteret om?«

»Resultatet for andet kvartal faldt med tre procent,« lirede Klein af fra hukommelsen, »udbytte 60 cent pr. aktie. Det er ikke fantastisk, og jeg forstår ikke logikken bag positionen.«

»Der *må* være en eller anden logik bag,« sagde Quarry, »for ellers ville VIXAL ikke være gået ind i optionerne. Måske er det bedre, at du viser dem en anden handel, Alex?«

Hoffmann skiftede skærmbillede. »Godt. Her ... kan I se? Her er en anden short-position, vi lige er gået ind i her til morgen. Tolv en halv millioner optioner på at sælge Vista Airways til 7,28 euro pr. aktie.«

Vista Airways var et stort europæisk lavprisflyselskab, og ingen af de tilstedeværende kunne nogensinde drømme om – døde eller levende – at sætte deres ben i et af selskabets fly.

»*Tolv en halv millioner*?« gentog Easterbrook. »Det må være en ordentlig luns af markedet. Jeg må indrømme, at det lader til at være en allerhelvedes modig algoritme, I har udviklet.«

»Tror du virkelig, Bill,« sagde Quarry, »at det er så risikabelt? Aktier i flyselskaber er skrøbelige nu om stunder. Jeg er helt rolig i forhold til positionen.« Men han lød defensiv, og Hoffmann regnede med, at han havde bemærket, at de europæiske markeder var stigende. Hvis genopretningen bredte sig til den anden side af Atlanten, risikerede de at blive fanget i en tidevandsbølge og ende med at blive presset til at sælge optionen med tab.

»Vista Airways havde en passagerfremgang på tolv procent i fjerde kvartal,« sagde Klein, »og deres reviderede overskudsprognose steg med ni procent. De har lige taget en ny flåde af fly i brug. Jeg forstår heller ikke logikken bag positionen.«

»Wynn Resorts,« sagde Hoffmann, der havde skyndt sig at kalde et nyt skærmbillede frem. »1,2 millioner short til 124.« Han rynkede panden og så forundret på skærmen. De kolossale satsninger på fald lignede ikke det komplicerede mønster, der normalt kendetegnede VIXAL's afdækkede handler.

»Se, *det* undrer mig i høj grad,« sagde Klein, »for i første kvartal steg deres vækst fra 740 til 909 millioner med et udbytte på 25 cent pr. aktie, *og* de har lige bygget et fantastisk nyt resort i Macau, hvilket bogstavelig talt svarer til, at de har fået tilladelse til at trykke deres egne pengesedler. Alene i første kvartal omsatte de for over 20 milliarder i bordspil. Må jeg?« Uden at vente på et svar lænede han sig ind foran Hoffmann, greb musen og begyndte at klikke sig gennem de senest gennemførte handler. Hans jakkesæt lugtede af renseri, og Hoffmann var nødt til at vende ansigtet væk. »Procter & Gamble, seks millioner short til kurs 62 ... Exelon, *tre millioner* short til kurs 41,5 ... plus alle optionerne ... for helvede, Hoffmann, er en asteroide på vej til at ramme Jorden eller hvad?«

Han stod nærmest med hovedet helt inde i skærmen, mens han fiskede en notesbog op af en inderlomme og begyndte at grifle en række tal i den, men Quarry lænede sig frem og snuppede behændigt bogen ud af hænderne på ham. »Hov, hov. Nu ikke så fræk, Ezra,« sagde han. »Du ved jo godt, at du befinder dig på et papirløst kontor.« Han rykkede siden ud af bogen, krøllede den sammen og stak den i lommen.

François de Gombart-Tonnelle, Elmiras elsker, sagde: »Sig mig, Alex, store short-positioner som en hvilken som helst af disse ... udvælger algoritmen dem helt uafhængigt, eller er der brug for menneskelig indgriben for at føre dem ud i livet?«

»Algoritmen arbejder selvstændigt,« svarede Hoffmann. Han fjernede detaljerne om handlerne fra skærmen. »Først beslutter algoritmen, hvilke aktier den ønsker at sælge, hvorefter den undersøger aktiernes handelsmønster over de seneste 20 dage. Og derpå gennemfører den handlen på en måde, så den undlader at alarmere markedet og påvirke prisen.«

»Så hele processen er i realiteten bare kontrolleret af et elektronisk styresystem? Jeres medarbejdere kan i virkeligheden sammenlignes med piloterne i en jumbojet?«

»Præcis. Vores systemer er koblet direkte på børsmæglernes systemer, og vi benytter os af deres infrastruktur til at gennemføre handlerne. Ingen ringer til en børsmægler længere. I det mindste ikke nogen herfra.«

»Jeg håber da,« sagde Iain Mould, »at der er en form for menneskelig supervision et eller andet sted.«

»Ja, akkurat som det er tilfældet i cockpittet på en jumbojet ... der foregår en vedvarende supervision, men intervention er en sjældenhed, medmindre noget begynder at gå galt. Hvis en af medarbejderne i Eksekvering ser, at en ordre, som vækker en vis bekymring, går igennem, kan han naturligvis gå ind og træde på bremsen, indtil handlen bliver godkendt af enten mig eller Hugo eller en af vores afdelingschefer.«

»Er det nogensinde sket?«

»Nej. Ikke med VIXAL-4. Endnu ikke.«

»Hvor mange handler håndterer systemet om dagen?«

»Omkring otte hundrede,« svarede Quarry.

»Og de bliver alle udvalgt algoritmisk?«

»Ja. Jeg kan ikke huske, hvornår jeg selv sidst gennemførte en handel.«

»Jeg går ud fra, at jeres primære mægler er AmCor ... i lyset af jeres mangeårige samarbejde.«

»Vi benytter forskellige mæglere nu om dage, ikke kun AmCor.«

»Beklageligvis,« lo Easterbrook.

»Med største respekt for Bill,« sagde Quarry, »ønsker vi ikke, at ét enkelt mæglerfirma kender alle vores strategier. I øjeblikket benytter vi en blanding af store banker og finanshuse: tre til aktier, tre til råvarer og fem til obligationer. Godt, lad os kaste et blik på vores hardware, ikke?«

Da gruppen bevægede sig videre, trak Quarry Hoffmann lidt til side. »Er der noget, jeg ikke forstår,« hviskede han stille, »eller er vores positioner helt ude i hampen?«

»De virker ganske rigtigt lidt mere udsatte end normalt,« sagde Hoffmann, »men der er ingen grund til bekymring. Nu hvor jeg tænker nærmere efter, nævnte Gana godt nok noget om et møde i risikoudvalget. Jeg bad ham om at tale med dig om det.«

»For helvede, var det *det*, han ville? Jeg havde ikke tid til at tage telefonen, da han ringede. For fanden da også.« Quarry kastede et hurtigt blik på sit ur og så op på skærmene. De europæiske markeder fastholdt den tidligere stigning. »Godt, lad os lige snuppe fem minutter, mens de drikker kaffe. Jeg giver Gana besked på at mødes med os på mit kontor. Følg med dem og sørg for, at de er glade.«

Computerne stod i et stort, vinduesløst lokale på den modsatte side af handelsafdelingen, og nu var det Hoffmann, der viste vej. Han stillede sig foran ansigtsgenkendelseskameraet – kun ganske få af medarbejderne havde adgang til denne hellige del af firmaet – og ventede på, at der lød et klik, og boltene gled tilbage, før han skubbede til døren. Døren var solid og brandsikret og bestod af et panel af hærdet glas i midten, mens den i siderne var forsynet med kraftige gummikanter, så der lød en afdæmpet skrabende lyd, da gummikanten under døren gled hen over de hvide gulvklinker.

Hoffmann fortsatte ind i lokalet som den første, og de andre fulgte efter. Sammenlignet med den forholdsvise ro, der herskede i handelsafdelingen, lød den konstante summen i computerrummet nærmest fabriksagtig og industriel. De mange computere stod stablet oven på hinanden på lagerhylder, og en mindre skov af røde og grønne lamper blinkede uafbrudt, mens de store datamængder blev bearbejdet. I den modsatte ende af lokalet patruljerede to IBM TS3500 båndrobotter frem og tilbage på skinner i store, aflange bokse af plexiglas og skød sig nærmest som angribende slanger fra den ene ende af lokalet til den anden i takt med, at VIXAL-4 gav dem besked på enten at lagre eller hente data. Temperaturen i rummet var adskillige grader lavere end i resten af bygningen. Larmen fra det kraftige airconditionanlæg, der var nødvendigt for at afkøle den centrale processorenhed – kombineret med den hvirvlende lyd fra kølerne i selve computerne – gjorde det overraskende svært at føre en samtale, så Hoffmann var nødt til at hæve stemmen, så også de bageste kunne høre ham.

»Hvis I synes, at det her er imponerende, kan jeg fortælle, at det kun svarer til fire procent af computerkapaciteten i CERN, hvor jeg tidligere har været ansat. Men princippet er det samme. Vi har næsten tusind standard-pc'er,« sagde han og lagde stolt hånden på en af hylderne, »hver med to til fire cores, akkurat som det er tilfældet hjemme hos jer selv … blot med den forskel, at vores er uden kabinetter og er blevet leveret direkte fra producenten. Vi har erfaret, at det er meget mere pålideligt og omkostningsbesparende for os end at investere i supercomputere, ligesom det er lettere for os at opgradere, hvilket vi gør hele tiden. Jeg antager, at I er bekendt med Moores Lov, der siger, at antallet af transistorer, der kan placeres i et integreret kredsløb – hvilket i bund og grund er lig med hukommelsesstørrelse og processorhastighed – vil blive fordoblet hver attende måned, mens prisen samtidig vil blive halveret. Moores Lov har med overraskende konsistens holdt stik siden 1965 og gør det stadig den dag i dag. I 90'erne havde vi i CERN en Cray X-MP/48 supercomputer, som kostede femten millioner dollars og alligevel kun leverede halvdelen af den kraft, man nu finder i en Xbox fra Microsoft til to hundrede dollars. I kan nok forestille jer, hvad denne udvikling vil betyde for fremtiden.«

Elmira Gulzhan slog armene om overkroppen og rystede overdrevent af kulde. »Hvorfor skal der være så forbandet koldt herinde?«

»Processorerne udskiller en del varme, og vi er nødt til at afkøle dem for at forhindre, at de bryder sammen. Hvis vi slukkede for airconditionanlægget herinde, ville temperaturen stige med én grad celsius i minuttet. I løbet af tyve minutter ville det blive meget ubehageligt at opholde sig herinde, og efter en halv time ville vi opleve et totalt funktionsstop.«

»Hvad sker der, hvis I bliver ramt af en strømafbrydelse?« spurgte Etienne Mussard.

»Er der tale om en kortvarig afbrydelse, slår vores bilbatterier til. Efter ti minutter vil en række dieselgeneratorer i kælderen gå i gang.«

»Hvad vil der ske i tilfælde af brand?« spurgte Łukasiński, »eller hvis bygningen bliver angrebet af terrorister?«

»Vi har naturligvis et fuldt backup-system, så alle handler vil fortsætte som normalt. Men bare rolig, det kommer ikke til at ske. Vi har investeret en hel del i sikkerhed – sprinklersystemer, røgalarmer, brandmure, videoovervågning, vagter, beskyttelse i cyberspace. Og glem ikke, at vi befinder os i Schweiz.«

De fleste smilede, men ikke Łukasiński. »Står I selv for sikkerheden, eller er den del af firmaet blevet outsourcet?«

»Outsourcet.« Hoffmann spekulerede på, hvorfor polakken var så besat af de sikkerhedsmæssige aspekter. De velhavendes paranoia, gættede han på. »Alt er outsourcet – sikkerhed, juridiske forhold, revision, transport, catering, teknisk support, rengøring. Kontorlokalerne er lejede. Selv møblerne er lejede. Vi bestræber os på at være et firma, der ikke kun tjener penge på den digitale tidsalder – vi ønsker at *være* helt igennem digitale – og det betyder også, at vi prøver at køre firmaet så gnidningsløst som muligt og ikke have noget lager.«

»Hvad med jeres egen personlige sikkerhed?« spurgte Łukasiński. »Stingene i baghovedet ... jeg forstår, at du blev udsat for et overfald hjemme hos dig selv i aftes.«

Hoffmann mærkede et underligt stik af skyld og forlegenhed. »Hvordan har du hørt det?«

»En eller anden nævnte det,« svarede Łukasiński henkastet.

Elmira lagde en hånd på Hoffmanns arm. Hendes lange, rødbrune negle lignede en rovfugls kløer. »Åh, Alex,« sagde hun, »hvor frygteligt for dig.«

»Hvem?« forlangte Hoffmann at få at vide.

»Hvis jeg må blande mig,« sagde Quarry, som ubemærket havde sluttet sig til gruppen igen, »havde det, som Alex var ude for, intet som helst at gøre med firmaet eller vores forretninger. Der var blot tale om en galning, som jeg er sikker på, at politiet snart vil slå kloen i. Og for at svare direkte på dit spørgsmål, Mieczyslaw, har vi nu taget de nødvendige forholdsregler for at give Alex den nødvendige beskyttelse, indtil sagen er opklaret. Godt, er der nogen, der har flere spørgsmål, der handler direkte om vores hardware?« Ingen sagde noget. »Nej? Så vil jeg foreslå, at vi går ud herfra, inden vi alle sammen dør af kulde. Der står kaffe og venter i direktionsværelset, så vi kan få varmen igen. Hvis I bare går i forvejen, slutter vi os til jer igen om et par minutter. Jeg har lige brug for at veksle et par ord med Alex.«

De var kommet halvvejs gennem handelsafdelingen og havde ryggen til de store tv-skærme, da en af *quanterne* gispede højt. I et lokale, hvor ingen nogensinde sagde noget, der lød højere end en stille hvisken, rungede mandens gisp som et geværskud på en læsesal. Hoffmann standsede brat, og da han vendte sig, så han halvdelen af sine medarbejdere rejse sig og stirre på billederne på Bloomberg- og CNBC-skærmene. Manden, der stod nærmest Hoffmann, holdt sig for munden.

Begge satellitkanaler bragte de samme billeder, der tydeligvis var optaget med en mobiltelefon og viste et passagerfly, der lagde an til landing i en lufthavn. Det var tydeligt, at flyet havde store problemer og nærmede sig jorden med al for høj fart og i en underlig vinkel. Den ene vinge lå meget højere i luften end den anden, og der stod røg ud fra siden af flyet.

En eller anden tog en fjernbetjening og skruede op for lyden.

Et øjeblik forsvandt flyet ud af syne bag et kontroltårn, og da det atter dukkede op, gled det hen over tagene på nogle lave, sandfarvede bygninger – hangarer, måske. Bag bygningerne voksede en lille klynge af fyrretræer. Det var, som om flyets underside strejfede en af bygningerne, nærmest som en kærtegnende gestus, men så eksploderede det pludselig i en flammende ildkugle, der fortsatte med at rulle gennem luften. En af vingerne – stadig med en intakt motor på – blev slynget op fra det flammende inferno og gennemførte en række elegante saltoer i luften. Kameraet fulgte rystende vingen, indtil den styrtede til jorden og forsvandt ud af syne, hvorefter braget fra eksplosionen og chokbølgen ramte kameraet. Der lød skingre skrig og desperate råb på et sprog, som Hoffmann ikke helt kunne placere – russisk, måske – og så rystede billedet endnu mere, før der blev klippet til en senere og mere stabil optagelse, hvor man så en tyk, sort og olieagtig røg spættet med gule og orange flammer rejse sig over lufthavnen.

Sammen med billederne hørte de den kvindelige amerikanske nyhedsværts stakåndede stemme. »Vi ser her de billeder, der blev optaget for ganske få minutter siden og viser et fly fra Vista Airways, som med 98 passagerer om bord styrtede ned under indflyvningen til Domodedovo-lufthavnen i Moskva ...«

»Vista Airways?« sagde Quarry og hvirvlede rundt på hælen for at se på Hoffmann. »Sagde hun lige Vista Airways?«

En række mumlende samtaler brød ud på samme tid ved handelsbordene. »Tak skæbne, vi har shortet Vista Airways-aktier hele formiddagen.« »Er det ikke bare lidt for underligt?« »En eller anden er lige gået hen over min grav.«

»Vil en eller anden være så venlig at slukke for det forbandede fjernsyn?« råbte Hoffmann. Da ingen reagerede, spankulerede han ind mellem bordene og flåede fjernbetjeningen ud af hænderne på den lamslåede *quant*. Optagelserne var allerede begyndt at blive vist igen, hvilket utvivlsomt ville ske resten af dagen, indtil de havde været vist så mange gange, at deres evne til at vække seernes interesse omsider aftog. Langt om længe lykkedes det ham at finde mute-knappen, og stilheden sænkede sig atter i rummet. »Udmærket,« sagde han. »Så er det nok. Tilbage til arbejdet.«

Han smed fjernbetjeningen fra sig på bordet og gik tilbage til Easterbrook og Klein, der begge var hærdede børsveteraner og allerede havde skyndt sig hen til den nærmeste terminal for at tjekke kurserne. Alle de andre stod som stivnede af chok – som godtroende bønder, der lige havde været vidne til en overnaturlig hændelse. Hoffmann kunne mærke deres øjne på sig. Clarisse Mussard gjorde oven i købet korsets tegn.

»Tak skæbne,« sagde Easterbrook og vendte sig væk fra skærmen, »det skete for blot fem minutter siden, og Vistas aktie er allerede faldet med femten procent. Den styrtdykker.«

»Ja, den nærmest eksploderer lige for øjnene af os,« tilføjede Klein og lo nervøst.

»Så er det nok, venner,« sagde Quarry, »der er civilister til stede.« Han så på de andre investorer. »Jeg kan huske et par tradere fra Goldman, som tilfældigvis shortede aktier i flyforsikring om morgenen den 11. september. De gav hinanden en high-five midt på kontoret, da det første fly ramte. De anede jo ikke noget om, hvad der foregik. Ingen af os kan vide noget om de ulykker, der sker.«

Klein kunne stadig ikke løsrive sig fra skærmen. »Hold da helt kæft,« mumlede han med stemmen fuld af beundring, »jeres lille sorte boks er allerede i fuld gang med at rydde op, Alex.«

Hoffmann stirrede på skærmen over skulderen på Klein. Tallene i kolonnen med gennemførte handler ændrede sig i hastigt tempo, mens VIXAL sikrede sig et solidt afkast på optionen på at sælge Vista Airways' aktier til kursen fra før flystyrtet. Kolonnen med fondens aktuelle gevinst, omregnet til dollars, fremstod som et slør af flimrende fortjeneste.

»Gad vide, hvor meget I kommer til at tjene på denne ene handel alene,« sagde Easterbrook, »tyve millioner, tredive millioner? For helvede, Hugo, Finanstilsynets kontrollanter kommer til at sværme om denne handel som myrer om krummerne efter en skovtur.«

»Alex?« sagde Quarry. »Vi må hellere holde mødet nu.«

Men Hoffmann, som ikke kunne løsrive sig fra tallene på handelsskærmen, lyttede ikke. Presset mod hans kranieskal var intenst. Han førte en hånd op til arret og lod fingrene glide over stingene. Det føltes, som om de var så stramme, at de risikerede at briste.

7

Det kan ikke fortsætte for altid. Det er eksponentialfunktioners natur, at de vokser, indtil de bryder sammen.

GORDON MOORE, OPFINDER AF MOORES LOV (2005)

Ifølge et notat, som efterfølgende blev skrevet af Ganapathi Rajamani, firmaets risikochef, holdt risikoudvalget i Hoffmann Investment Technologies et kort møde, der begyndte klokken 11:57. Alle de fem medlemmer af firmaets øverste ledelse stod opført som tilstedeværende: dr. Alex Hoffmann, firmaets direktør; administrerende direktør Hugo Quarry, økonomichef Lin Ju-Long, handelschef Pieter van der Zyl – og Rajamani selv.

Mødet var ikke helt så formelt, som notatet får det til at lyde. Ja, rent faktisk var det sådan, at da deltagerne efterfølgende sammenlignede deres erindringer om begivenheden, var alle enige om, at ingen havde siddet ned til mødet. De havde alle blot stået på Quarrys kontor – med undtagelse af Quarry, som havde lænet sig op ad skrivebordet, så han kunne holde et vågent øje med skærmen på sin computer. Hoffmann stillede sig endnu en gang ved vinduet og åbnede med jævne mellemrum en sprække i persiennen, så han kunne kigge ned på gaden. Det var en anden detalje, som de alle lod til at kunne huske: hvor urolig og fraværende han havde været.

»Godt,« sagde Quarry, »lad os holde det ganske kort. Jeg har hundrede milliarder potentielle dollars, som lige nu er overladt til sig selv i direktionsværelset, og jeg er nødt til at vende tilbage hurtigst muligt. Vil du være så venlig at lukke døren, LJ?« Han ventede, indtil der ikke længere var nogen risiko for, at nogen kunne høre dem. »Jeg går ud fra, at vi alle så, hvad der skete lige før. Det første spørgsmål er, om det vil komme til at udløse en officiel undersøgelse, at vi satsede så stort på faldet i Vista Airways' aktier kort før, de styrtdykkede. Gana?«

»Det korte svar er: Ja, med stor sandsynlighed.« Rajamani var en nydelig og omhyggelig ung mand, der ikke var i tvivl om sin egen store betydning. Hans job gik ud på at holde øje med fondens risikoniveau og sikre, at loven blev overholdt. Quarry havde headhuntet ham fra Financial Services Authority i London seks måneder tidligere for at pynte på firmaets image over for myndighederne.

»Ja?« gentog Quarry. »Selvom vi umuligt kunne have vidst, hvad der ville ske?«

»Hele processen er automatiseret. Tilsynsmyndighedernes algoritmer vil have registreret enhver usædvanlig aktivitet omkring selskabets aktier i tiden umiddelbart før det bratte kursfald, hvilket allerede vil have rettet deres opmærksomhed direkte mod os.«

»Men vi har ikke gjort noget ulovligt.«

»Nej. Ikke medmindre det var os, der øvede sabotage mod flyet.«

»Men det har vi da ikke gjort, har vi?« Quarry lod blikket glide rundt. »Jeg mener, jeg opfordrer normalt folk til at udvise initiativ ...«

»Men hvad de uden tvivl vil ønske at få en forklaring på,« fortsatte Rajamani, »er dog, hvorfor vi shortede tolv en halv million aktier på lige præcis det pågældende tidspunkt. Jeg ved godt, at det lyder som et absurd spørgsmål, Alex, men kan det på nogen måde tænkes, at VIXAL har været i stand til at opfange nyheden om flystyrtet før resten af markedet?«

Hoffmann lod tøvende lamellerne i persiennen falde på plads og vendte sig mod sine kolleger. »VIXAL er koblet på Reuters direkte digitale nyhedsstrøm, hvilket måske kan give algoritmen en fordel på et sekund eller to i forhold til mæglere af kød og blod ... men det samme er tilfældet med masser af andre algoritmiske systemer.«

»Desuden ville der ikke være tid til at foretage sig ret meget i dette korte tidsrum,« sagde van der Zyl. »Det ville have krævet et par timer at stable en position som vores på benene.«

»Hvornår begyndte vi at sikre os optionerne?« spurgte Quarry.

»I det øjeblik, de europæiske markeder åbnede,« sagde Ju-Long. »Klokken ni.«

»Kan vi ikke bare droppe den her samtale?« spurgte Hoffmann irritabelt. »Det vil tage os mindre end fem minutter at vise selv den dummeste og mest uintelligente kontrollant fra Finanstilsynet, at vi shortede aktien som en del af et mønster af satsninger på faldende kurser. Der var intet som helst specielt ved det. Det var et sammentræf. Fat det dog.«

»Godt, som forhenværende dum og uintelligent kontrollant,« sagde Rajamani, »er jeg nødt til at sige, at jeg er enig med dig, Alex. Det er mønsteret, der er interessant, og det var rent faktisk grunden til, at jeg prøvede at komme til at tale med dig om det tidligere på formiddagen, hvis du kan huske det?«

»Ja, jeg ved det godt. Jeg beklager, men jeg var ved at komme for sent til præsentationen.« Quarry skulle aldrig have ansat manden, tænkte Hoffmann. Én gang kontrollant, altid kontrollant. Det var fuldkommen ligesom en accent – man kunne aldrig helt skjule, hvor man kom fra.

»Vi er derfor nødt til at rette al fokus mod vores risikoniveau, hvis markedet stiger,« fortsatte Rajamani. »Procter & Gamble, Accenture, Exelon ... snesevis af aktier. Millioner og atter millioner i optioner siden tirsdag aften. Alle sammen kolossale satsninger på faldende kurser.«

»Og desuden er der vores eksponering i forhold til VIX,« tilføjede van der Zyl. »Det har fået alarmklokkerne til at ringe hos mig i nogle dage nu. Jeg nævnte det faktisk for dig i sidste uge, Hugo, medmindre du har glemt det?« Van der Zyl havde engang undervist kommende ingeniører på det teknologiske universitet i Delft og havde aldrig helt lagt pædagogikken på hylden.

»Godt, hvor står vi i forhold til VIX?« spurgte Quarry. »Jeg har haft så travlt med at forberede præsentationen, at jeg ikke har haft tid til at tjekke vores positioner på det seneste.«

»Da jeg sidst så efter, havde vi indgået yderligere tyve tusind kontrakter.«

»Tyve *tusind*?« Quarry sendte Hoffmann et hurtigt blik.

»Vi begyndte at akkumulere VIX-futures tilbage i april, da indekset lå på atten,« sagde Ju-Long. »Hvis vi havde solgt tidligere på ugen, ville vi have sikret os et pænt afkast, og jeg tog for givet, at det var det, der ville ske. Men i stedet for at gøre det mest logiske og sælge, fortsætter vi med at købe. Yderligere fire tusind kontrakter i aftes til 24. Det er en allerhelvedes risikabel position at befinde sig i.«

»Jeg er helt ærligt alvorligt bekymret,« sagde Rajamani. »Vores portefølje passer ikke til de retningslinjer, vi normalt holder os til. Vi er lang i guld. Vi er lang i dollars. Vi er kort i alle aktieindeks.«

Hoffmann lod blikket glide fra den ene til den anden – fra Rajamani til Ju-Long til van der Zyl – og pludselig stod det klart for ham, at de måtte have talt indbyrdes sammen inden mødet. Det var i virkeligheden et bagholdsangreb gennemført af finansielle bureaukrater. Ikke én eneste af dem var kvalificeret til at være *quant*. Han mærkede sit temperament ulme. »Udmærket, hvad vil du foreslå, at vi gør, Gana?« spurgte han.

»Jeg synes, at vi bør begynde at lukke nogle af disse positioner.«

»For helvede, det er stort set det *dummeste*, jeg nogensinde har hørt,« sagde Hoffmann og slog i frustration hånden ind i persiennen, så den klirrede højt mod glasset. »For fanden, Gana, vi tjente tæt på firs millioner dollars i sidste uge. Vi har lige tjent yderligere fyrre millioner her i formiddag. Og så vil du have, at vi skal ignorere VIXAL's analyse og gå tilbage til at handle på basis af vores egne vurderinger?«

»Nej, ikke ignorere VIXAL, Alex. Det har jeg aldrig sagt.«

»Giv manden en chance, Alex,« sagde Quarry stille. »Det var kun et forslag. Det er hans job at holde øje med risikoen.«

»Nej, jeg har rent faktisk ikke lyst til at give ham en chance. Han vil have, at vi dropper en strategi, som har vist masser af alfa – og det er præcis den form for ulogiske og vanvittige reaktioner baseret på frygt, som VIXAL er udviklet til at udnytte! Hvis Gana ikke tror på, at algoritmerne på alle måder overgår den menneskelige hjerne, når det handler om at gennemskue markedet, arbejder han i det forkerte firma.«

Rajamani lod sig ikke gå på af direktørens svada. Han var kendt for at være lidt af en terrier, og da han arbejdede i FSA, var han gået direkte efter Goldman. »Jeg er nødt til at minde dig om, Alex,« sagde han, »at i henhold til firmaets tegningsindbydelse lover vi kunderne, at de ikke vil blive udsat for en årlig volatilitet på mere end tyve procent. Og når jeg ser, at de vedtagne grænser er i fare for ikke at blive overholdt, er det min pligt at reagere.«

»Hvad mener du?«

»Jeg mener, at hvis vores risikoniveau ikke falder, er jeg nødt til at orientere investorerne. Hvilket igen betyder, at jeg er nødt til at orientere bestyrelsen.«

»Men det er *mit* firma.«

»Og det er investorernes penge – hovedparten af dem, i det mindste.«

I den efterfølgende tavshed begyndte Hoffmann at massere sig energisk i tindingerne med knoerne. Han havde fået en dunkende hovedpine igen og havde brug for noget mere smertestillende. »Bestyrelsen?« mumlede han. »Jeg er ikke engang sikker på, hvem der sidder i den forpulede bestyrelse.« I hans øjne var bestyrelsen en ren formalitet – en teknisk juridisk instans, som af skattemæssige årsager var registreret på Cayman Islands, og som formelt forvaltede investorernes penge og betalte hedgefonden et administrations- og præstationshonorar.

»Okay,« sagde Quarry. »Jeg tror ikke, at vi på nogen måde nærmer os dette punkt endnu. Som man sagde under krigen: Bevar roen og fortsæt frem.« Han sendte de andre et af sine allermest vindende smil.

»Af rent juridiske årsager er jeg nødt til at insistere på, at min bekymring bliver ført til protokols,« sagde Rajamani.

»Udmærket. Skriv et notat om mødet, så skal jeg nok underskrive det. Men glem ikke, at du er den nye dreng i klassen, og at det er Alex' firma – Alex' og mit, selvom både du og jeg kun er her på grund af ham. Og hvis Alex stoler på VIXAL, bør vi alle gøre det. Guderne skal vide, at vi næppe kan være utilfredse med algoritmens hidtidige succes. Imidlertid er jeg enig med dig i, at vi også er nødt til at holde øje med risikoniveauet. Vi er ikke interesserede i at være så optagede af at holde øje med instrumentbrættet, at vi flyver direkte ind i en bjergvæg. Alex, giver du mig ikke ret i det? Godt, i lyset af, at de fleste af disse aktier handles på det amerikanske marked, vil jeg foreslå, at vi mødes her på kontoret igen klokken 15:30 for at vurdere situationen, når markederne i USA åbner.«

»I så fald,« sagde Rajamani ildevarslende, »tror jeg, det vil være klogt at lade en advokat deltage i mødet.«

»Udmærket. Jeg vil bede Max Gallant om at tage med tilbage på kontoret efter frokosten. Er det okay med dig, Alex?«

Hoffmann nikkede træt.

Ifølge notatet sluttede mødet klokken 12:08.

* * *

»Åh, Alex ... for resten,« sagde Ju-Long og vendte sig i døråbningen, netop som mændene defilerede ud. »Jeg havde nær glemt det igen ... det kontonummer, du spurgte mig om? Det viser sig, at det faktisk ligger i vores system.«

»Hvilken konto taler du om?« spurgte Quarry.

»Åh, det er ikke noget særligt,« svarede Hoffmann. »Bare en konto, jeg havde et spørgsmål om. Jeg fanger dig lige om et øjeblik, LJ.«

De tre mænd vendte tilbage til deres kontorer med Rajamani forrest. Da Quarry så dem gå, forvandlede det udtryk af elskværdig forsoning, han havde fulgt dem ud af kontoret med, sig til en foragtelig grimasse. »Opblæste lille nar,« sagde han og efterlignede Rajamanis flydende engelske accent: »'... er jeg nødt til at orientere bestyrelsen'. '... tror jeg, det vil være klogt at lade en advokat deltage'.« Han løftede hænderne og lod, som om han tog sigte med en riffel.

»Det var dig, der ansatte ham,« sagde Hoffmann.

»Ja, det ved jeg godt. Men bare rolig, det bliver også mig, der fyrer ham.« Et øjeblik før de tre mænd drejede om hjørnet og forsvandt, lod han, som om han trykkede på en aftrækker. »Og hvis han tror, jeg betaler Max Gallant to tusind franc i timen for at komme og beskytte hans røv, venter der ham lidt af en overraskelse.« Pludselig sænkede Quarry stemmen. »Alt er okay, ikke, Alex? Jeg behøver ikke at være bekymret, vel? Det var bare sådan, at et kort øjeblik havde jeg den samme følelse, som da jeg var ansat i AmCor og solgte strukturerede gældsprodukter.«

»Kan du beskrive følelsen lidt nærmere?«

»Følelsen af at jeg hver dage bliver rigere og rigere, men jeg forstår ikke hvorfor.«

Hoffmann betragtede ham overrasket. I otte år havde han aldrig hørt Quarry give udtryk for bekymring. Det var næsten lige så foruroligende som nogle af de andre ting, der var sket i dagens løb.

»Hør her, Hugo,« sagde han, »vi kan sætte VIXAL ud af kraft i eftermiddag, hvis du gerne vil have det. Vi kan lukke positionerne og lade pengene gå tilbage til investorerne. Husk på, at jeg rent faktisk kun befinder mig i denne branche på grund af dig.«

»Men hvad med *dig*, Alex?« spurgte Quarry indtrængende. »Har *du* lyst til at stoppe? Jeg mener, vi kunne jo ... du ved ... vi har tjent mere end nok til, at vi kan leve et liv i luksus resten af tilværelsen. Vi behøver ikke blive ved med at ligge på knæ for investorerne.«

»Nej, jeg har ikke lyst til at stoppe. Vi har ressourcerne til, at vi rent teknisk kan foretage os ting, som ingen andre overhovedet har forsøgt før. Men hvis du gerne vil trække dig, er jeg parat til at købe dig ud.«

Nu var det Quarry, som så chokeret på Hoffmann, men så lo han pludselig. »Nå, det kunne du tænke dig, hvad? Men så let slipper du fandeme ikke af med mig!« Det var, som om hans mod var vendt lige så hurtigt tilbage, som det før havde svigtet ham. »Nej, jeg er med på vognen lige så længe, vi vælger at fortsætte. Det skyldtes velsagtens bare, at jeg så flyet styrte ... det skræmte mig en smule. Men hvis du har det fint med situationen, har jeg det også. Okay?« Han holdt hånden hen mod døren for at lade Hoffmann gå forrest. »Skal vi vende tilbage til den højtærede flok af psykopater og forbrydere, som vi med så stor stolthed kalder vores kunder?«

»Kan *du* ikke bare snakke med dem? Jeg har ikke mere at sige til dem. Hvis de gerne vil investere flere penge, er det fint, men hvis de ikke vil, kan de rende mig i røven.«

»Men det er *dig*, de er kommet for at opleve.«

»Og de *har* allerede oplevet mig.«

Quarry så på ham med hængende mundvige. »Spiser du i det mindste ikke frokost sammen med os?«

»Hugo, jeg kan ikke udstå de mennesker ...« Men Quarrys ansigtsudtryk var så ulykkeligt, at Hoffmann straks kapitulerede.

»Åh, for helvede, hvis det virkelig er så vigtigt for dig, skal jeg sgu nok deltage i den forbandede frokost.«

»Beau-Rivage. Klokken et.« Det virkede, som om Quarry var på nippet til at sige noget mere, men i det samme kiggede han på sit ur og bandede højt. »Pis, de har været alene i et kvarter!« Han satte kursen mod direktionsværelset. »Klokken et,« råbte han, mens han vendte sig om, gik baglæns og rettede en finger tilbage mod Alex. »Jeg vidste, at jeg kunne regne med dig.« Han havde allerede sin mobiltelefon i den anden hånd og var i færd med at indtaste et nummer.

Hoffmann drejede om på hælen og gik i den modsatte retning. Der var ingen andre på gangen. Han tjekkede hurtigt fælleskøkkenet med kaffemaskinen, mikrobølgeovnen og det kolossale køleskab. Heller ingen at se. Et par skridt længere fremme var døren til Ju-Longs kontor lukket, og hans sekretær sad ikke ved sit skrivebord. Hoffmann bankede på døren og fortsatte ind uden at vente på svar.

Det var, som om han havde overrasket en flok teenagedrenge, der sad og så porno på familiens computer. Ju-Long, van der Zyl og Rajamani nærmest sprang tilbage fra skærmen, og Ju-Long klikkede med musen for at skifte skærmbillede.

»Vi stod netop og tjekkede valutamarkederne,« sagde van der Zyl. Det var, som om trækkene i hollænderens ansigt var lidt for store til hans hoved og fik ham til at ligne en intelligent og sørgmodig gargoil.

»Og?«

»Euroen falder i forhold til dollaren.«

»Hvilket er helt, som vi regnede med, mener jeg.« Hoffmann skubbede døren helt op. »Lad mig ikke forstyrre jer.«

»Alex …« begyndte Rajamani.

Hoffmann afbrød ham. »Det var LJ, jeg gerne ville tale med … under fire øjne.« Han stirrede stift frem for sig, mens de to andre mænd forlod kontoret. Da de var gået, sagde han: »Godt, du siger, at kontoen ligger i vores system?«

»Den dukker op i to sammenhænge.«

»Mener du, at kontoen er en af vores ... og at vi benytter den i forretningsmæssigt øjemed?«

»Nej.« En række uventet dybe rynker bredte sig i Ju-Longs glatte pande. »Rent faktisk troede jeg, at den var til dit eget private brug.«

»Hvorfor?«

»Fordi du bad om at få overført 42 millioner dollars til den.«

Hoffmann betragtede den anden mands ansigt omhyggeligt for at lede efter tegn på, at han tog gas på ham. Men, som Quarry altid sagde, var Ju-Long – på trods af sine mange beundringsværdige kvaliteter – fuldkommen blottet for humoristisk sans.

»Hvornår gav jeg besked om denne overførsel?«

»For elleve måneder siden. Jeg har lige sendt dig den oprindelige mail, så du kan se den.«

»Okay, tak. Jeg tjekker den senere. Men du sagde, at der var to transaktioner?«

»Ja. Pengene blev ført tilbage i sidste måned. Med renter.«

»Og du har aldrig udspurgt mig om transaktionerne?«

»Nej, Alex,« sagde kineseren stille. »Hvorfor skulle jeg gøre det? Som du selv siger, er det jo dit firma.«

»Ja, naturligvis. Selvfølgelig. Tak, LJ.«

»Ingen årsag.«

Hoffmann vendte sig mod døren. »Og det er vel ikke tilfældigvis sådan, at du netop nævnte det for Gana og Pieter lige før?«

»Nej.« Ju-Longs øjne var store og uskyldige.

Hoffmann skyndte sig tilbage til sit kontor. 42 millioner dollars? Han var sikker på, at han aldrig havde bedt nogen om at overføre en sum i den størrelsesorden. Han ville næppe have glemt det, hvis det var tilfældet. Der måtte være tale om svindel. Han spankulerede forbi Marie-Claude, der sad og skrev på sin computer lige uden for hans dør, og fortsatte direkte hen til skrivebordet. Han loggede sig på computeren og åbnede sin indbakke. Og dér fandt han ganske rigtigt mailen med anmodningen om at overføre 42.032.127,88 dollars til Royal Grand Cayman Bank Limited den 17. juni året før. Umiddelbart under beskeden var der en notifikation fra hedgefondens egen bank om, at der fra samme konto den 3. april var blevet tilbageført 43.188.037,09 dollars.

Han gennemførte et hurtigt regnestykke i hovedet. Hvilken svindler tilbagebetalte en sum, som han havde stjålet fra sit offer, med præcis 2,75 procent i rente?

Han rettede blikket mod skærmen igen for at studere den mail, der gav sig ud for at være hans oprindelige besked. Der var ingen hilsen eller underskrift, blod de sædvanlige instrukser om at overføre beløbet *X* til kontoen *Y*. LJ ville have sendt anmodningen videre uden et øjebliks tøven – i sikker forvisning om, at deres intranet var i sikkerhed bag den bedste firewall, der overhovedet fandtes, og at de pågældende konti under alle omstændigheder ville blive afstemt elektronisk i rette tid. Hvis det havde drejet sig om en tilsvarende sum i guldbarrer eller kufferter fyldt med kontanter, ville de sikkert have været mere forsigtige. Men i rent fysisk forstand var der jo ikke tale om rigtige penge – blot strenge og sekvenser af lysende grønne symboler, der ikke var mere substantielle end protoplasma. Det var hele grunden til, at de turde gøre det, de gjorde.

Han tjekkede, hvornår han skulle have sendt mailen om overførslen. Klokken tolv midnat, præcis.

Han lænede sig tilbage i stolen og betragtede røgalarmen i loftet over skrivebordet. Han arbejdede ofte til sent, men aldrig så sent som til midnat. Hvis mailen var ægte, skulle den derfor have været sendt fra hans computer derhjemme. Var det muligt, at hvis han tjekkede computeren på arbejdsværelset, ville han finde en kopi af mailen sammen med ordren til det hollandske antikvariat? Kunne han lide af et eller andet underligt Jekyll-og-Hyde-syndrom, som fik den ene halvdel af hans hjerne til at foretage sig ting, som den anden halvdel ikke kendte til?

Efter en pludselig indskydelse åbnede han skrivebordsskuffen, tog cd'en fra hospitalet og stak den ind i drevet på computeren. Der gik et øjeblik, før programmet åbnede sig, og så udfyldtes skærmen af en liste bestående af over to hundrede monokrome billeder af indersiden af hans hoved. Han klikkede hurtigt gennem billederne for at finde det, som havde påkaldt sig radiologens interesse, men det var håbløst. Når han klikkede billederne hurtigt igennem, var det, som om hans hjerne tonede ud af intetheden, svulmede op til et skybrud af grå masse og derefter skrumpede ind til det rene ingenting igen.

Han kaldte på sin sekretær. »Marie-Claude, hvis du kigger i min telefonbog, vil du kunne finde en dr. Jeanne Polidori. Vil du ikke bestille tid til en konsultation hos hende i morgen? Sig til hende, at det ikke kan vente.«

»Javel, dr. Hoffmann. På hvilket tidspunkt af dagen?«

»Når som helst. Og så vil jeg gerne køres hen på galleriet, hvor min kone udstiller. Kender du adressen?«

»Ja, dr. Hoffmann. Hvornår vil De gerne køres derhen?«

»Nu. Kan du skaffe en bil?«

»Monsieur Genoud har sørget for, at De har en chauffør til rådighed på alle tidspunkter af døgnet.«

»Åh ja, det er også rigtigt. Det havde jeg helt glemt. Udmærket, giv ham besked på, at jeg er på vej ned.«

Han skubbede cd'en ud og lagde den tilbage i skuffen sammen med Darwin-bogen, hvorefter han rejste sig og tog sin regnfrakke. Da han gik gennem handelsafdelingen, lod han blikket glide ud over bordene. På et sted, hvor persiennerne ikke var lukket helt til, fangede han mellem lamellerne et glimt af Elmira Gulzhan og hendes kæreste, der sad og lænede sig ind over en iPad. Bag dem stod Quarry med korslagte arme og smilede selvtilfreds. Etienne Mussard, der stod med sit krumme skildpaddeskjold af en ryg vendt mod de andre, var i færd med at taste en række tal ind på en stor lommeregner med en gammel mands langsomme bevægelser.

På den modsatte væg viste Bloomberg- og CNBC-skærmene en række røde pile, der alle vendte ned. De europæiske markeder havde tabt deres tidligere momentum og faldt hurtigt. Det ville næsten med garanti trykke markedet i USA, når det åbnede, hvilket igen ville betyde, at hedgefonden midt på eftermiddagen ville være væsentligt mindre udsat for at lide tab. Hoffmann mærkede med lettelse sit humør stige. Ja, han oplevede faktisk en umiskendelig følelse af stolthed. Endnu en gang beviste VIXAL, at algoritmen var klogere end alle de mennesker, der omgav den ... klogere end selv dens skaber.

Hans gode humør fortsatte, mens han tog elevatoren ned i stueetagen, drejede om hjørnet og gik ind i lobbyen, hvor en kraftig skikkelse i et billigt, mørkt jakkesæt rejste sig for at tage imod ham. Af alle velhavende menneskers forskellige former for krukkeri var der ikke noget, som Hoffmann havde fundet mere absurd end synet af en livvagt, der sad uden for et mødelokale eller en restaurant. Han havde ofte spekuleret på, hvem det nærmere bestemt var, velhavende mennesker med sikkerhedsfolk forventede at blive overfaldet af – måske med undtagelse af deres egne aktionærer eller familiemedlemmer. Men på netop denne dag var han glad for at være ledsaget af den høflige, bølleagtige mand, der viste ham sit id-kort og præsenterede sig som Olivier Paccard, *l'homme de la sécurité.*

»Hvis De vil være så venlig at vente et øjeblik, dr. Hoffmann,« sagde Paccard. Han løftede den ene hånd i en høflig anmodning om stilhed og stirrede frem for sig. En ledning var forbundet til en højttaler i hans øre. »Udmærket,« sagde han. »Vi kan gå nu.«

Paccard fortsatte med raske trin hen til udgangen og trykkede på knappen ved siden af døren med flad hånd, netop som en lang, mørk Mercedes holdt ind til kantstenen. Bag rattet sad den chauffør, som havde hentet Hoffmann på hospitalet. Paccard fortsatte ud på fortovet, åbnede bagdøren og gennede Hoffmann ind. Hans håndflade strejfede et kort øjeblik fysikerens nakke. Før Hoffmann overhovedet havde fået en chance for at sætte sig til rette i sædet, gled Paccard ind på forsædet, bildørene blev lukket og låst, og chaufføren trak ud i middagstrafikken. Hele processen kunne ikke have strakt sig over mere end ti sekunder.

Bilen drejede skarpt til venstre og fortsatte med høj fart hen ad en mørk sidegade, som i den modsatte ende åbnede sig mod søen og bjergene i det fjerne. Solen var stadig ikke brudt gennem skydækket. Den høje hvide vandsøjle i søen – Jet d'Eau, et af Genèves mest kendte vartegn – rejste sig 140 meter op mod den grå himmel og forvandlede sig i toppen til en kold regn, som i kaskader væltede ned mod søens rolige, sorte overflade. Blitzlysene fra turisterne, der fotograferede hinanden med vandstrålen i baggrunden, lynede skarpt i halvmørket.

Chaufføren accelererede for at nå over for grønt, hvorefter han foretog endnu et skarpt sving og drejede ind på den firsporede vej blot for at blive tvunget til at standse ud for Jardin Anglais, fordi et eller andet spærrede vejbanen længere fremme. Paccard strakte hals for at se, hvad der skete.

Det var her, Hoffmann undertiden løb en tur, hvis han havde et problem, han skulle have løst – herfra til Parc des Eaux-Vives og tilbage igen, om nødvendigt to eller tre gange, indtil han havde fundet et svar – uden at tale med nogen og uden at se på noget bestemt. Han havde aldrig for alvor studeret området før, og nu rettede han et forundret blik ud over den velkendte del af byen, som han reelt aldrig havde *set* før. Legepladsen med de blå plasticrutsjebaner; det lille crêperie under træerne; fodgængerovergangen, hvor han undertiden måtte stå og løbe på stedet i et minuts tid, indtil lyset skiftede til grønt. For anden gang i dagens løb havde han det, som om han var gæst i sit eget liv, og pludselig mærkede han en voldsom trang til at bede chaufføren om at standse og lade ham stige ud. Men han havde kun lige nået at tænke tanken, før Mercedesen igen satte sig i bevægelse. Lidt efter nåede de over til det travle trafikkryds for enden af Pont du Mont-Blanc og forlod det igen i høj fart et par sekunder senere, hvorefter bilen vævede sig ind og ud mellem de mange langsomme lastbiler og busser, der også havde kurs mod vest og gallerierne og antikvitetsforretningerne i gaderne omkring Plaine de Plainpalais.

8

Der er ingen undtagelser fra reglen om, at levende væsener øges så hurtigt i antal, at verden snart ville være dækket med efterkommerne af et enkelt par, hvis ikke nogle af dem gik til.

CHARLES DARWIN, *Arternes oprindelse* (1859)

Udstillingen *CONTOURS DE L'HOMME: Une exposition de l'oeuvre de Gabrielle Hoffmann* – hvor lød det bare meget mere imponerende på fransk end på engelsk, tænkte hun – skulle blot vises i en enkelt uge på Galerie d'Art Contemporain Guy Bertrand, et lille udstillingssted med hvidskurede vægge, som tidligere havde huset et Citroën-værksted og lå i en lille sidegade lige rundt om hjørnet fra MAMCO, Genèves største galleri for moderne kunst.

Ved et tilfælde var Gabrielle fem måneder tidligere kommet til at sidde ved siden af galleriets ejer, Guy Bertrand, til en julevelgørenhedsauktion på Mandarin Oriental Hotel – et arrangement, som Alex pure havde nægtet at deltage i – og dagen efter var han mødt op i hendes atelier for at se, hvad hun arbejdede med. Efter ti minutters overstrømmende smiger havde han tilbudt hende en udstilling på galleriet mod til gengæld at modtage halvdelen af indtægten i forbindelse med et eventuelt salg af værkerne, samtidig med at hun selv skulle betale alle udgifterne i forbindelse med udstillingen. Naturligvis havde hun straks været klar over, at det snarere var Alex' penge end hendes talent, der var hovedattraktionen for Bertrand. I løbet af de seneste par år havde hun bemærket, hvordan rigdom var som et usynligt magnetisk kraftfelt, som trak i folk og rykkede dem ud af deres normale adfærdsmønstre. Men hun havde også lært at leve med det. Man kunne blive skør af at prøve at gennemskue, hvilke menneskers handlinger der var ægte, og hvilke der var falske. Desuden ville hun gerne udstille sine værker – ja, hun havde reelt brændende ønsket at få chancen, erkendte hun, mere brændende end hun nogensinde havde ønsket noget andet i livet, bortset fra at få et barn.

Bertrand havde opfordret hende til at holde en fest i forbindelse med ferniseringen. Det ville øge interessen, sagde han, og skabe lidt mere opmærksomhed. Gabrielle havde haft sine betænkeligheder. Hun vidste, at hendes mand ville synke ned i elendighed i dagevis ved udsigten til at skulle deltage i et arrangement af den slags. Men til sidst havde de indgået et kompromis. Da dørene i fred og ro blev åbnet klokken elleve om formiddagen, havde to unge piger i hvide bluser og sorte miniskørter stået klar for at tilbyde høje glas med Pol Roger-champagne og tallerkener med kanapéer til alle, som krydsede dørtærsklen. Gabrielle havde været bange for, at der ikke ville komme nogen, men hendes bange anelser blev gjort til skamme, og masser af mennesker dukkede op. Både galleriets faste kunder, som havde modtaget en mail med en invitation til ferniseringen, tilfældige forbipasserende, som blev lokket indenfor ved udsigten til en gratis drink, og hendes egne venner og bekendte, som hun i ugevis havde sendt mails og ringet til … foruden en række mennesker, hun havde fundet i gamle adressebøger og ikke havde set i årevis. Alle var dukket op. Resultatet var, at da klokken var tolv, var en større fest med over hundrede gæster i gang og bredte sig ud på fortovet, hvor rygerne forsamlede sig.

Halvvejs gennem det andet glas champagne gik det op for Gabrielle, at hun rent faktisk hyggede sig. Hendes *oeuvre* bestod af 27 værker – alle de værker, hun havde færdiggjort i løbet af de sidste tre år, med undtagelse af hendes allerførste selvportræt, som Alex havde spurgt, om de ikke godt kunne beholde, og som nu stod på sofabordet i deres stue. Og sandheden var, at da først værkerne var blevet stillet op og ordentligt belyst – specielt værkerne med tegninger på glas – fremstod de rent faktisk som en solid og professionel værkserie, eller i det mindste virkede de lige så imponerende som værkerne på de fleste andre ferniseringer, hun havde været indbudt til. Ingen havde leet. Folk havde studeret værkerne omhyggeligt og fremsat eftertænksomme bemærkninger, hovedsagelig komplimenter. En oprigtig ung anmelder fra Genèves *Tribune* havde oven i købet sammenlignet enkeltheden i hendes streg med Giacomettis gengivelse af hovedets topografi. Hendes eneste tilbageværende bekymring gik på, at der endnu ikke var blevet solgt noget, hvilket hun forklarede med de svimlende priser, som Bertrand havde insisteret på at sætte på værkerne – fra 4.500 schweizerfranc, hvilket svarede til cirka 5.000 dollars, for CT-skanningerne af de mindste dyrehoveder, op til 18.000 for det store MR-portræt *The Invisible Man*. Hvis der stadig ikke var blevet solgt nogen af værkerne, når dagen var gået, ville hun føle det som en ydmygelse.

Hun prøvede at lade være med at tænke på det og koncentrerede sig i stedet om det, som manden foran hende sagde. Det var svært at høre ham ordentligt på grund af støjen, og hun var nødt til at afbryde ham. Hun lagde en hånd på hans arm. »Undskyld, hvad var det, du sagde, dit navn var?«

»Bob Walton. Jeg arbejdede engang sammen med Alex i CERN. Jeg sagde netop, at jeg tror, I mødte hinanden første gang til en fest hos mig.«

»Åh gud,« sagde hun, »ja, det er også rigtigt! Hvordan *har* du det?« Hun gav ham hånden og så ordentligt på ham for første gang. Høj, slank, nydelig og grå – nærmest asketisk, sagde hun til sig selv. Enten det eller bare kedelig. Han kunne have været munk ... nej, han virkede ældre end en munk og udstrålede en vis autoritet. Abbed, måske. »Faktisk deltog jeg kun i festen, fordi jeg fulgtes med nogle venner,« sagde hun. »Jeg tror egentlig ikke, at vi nogensinde er blevet formelt præsenteret for hinanden, er vi?«

»Det tror jeg ikke, nej.«

»Men ... tak, under alle omstændigheder. Du ændrede mit liv.«

Han smilede ikke. »Jeg har ikke set Alex i årevis. Han kommer vel til ferniseringen, går jeg ud fra?«

»Det håber jeg sandelig.« Endnu en gang flakkede hendes blik hen mod døren i håb om at se Alex komme ind. Indtil videre havde hendes mand ikke gjort andet end at sende en fåmælt livvagt, som nu havde placeret sig ved indgangen som en anden udsmider på en natklub og af og til tilsyneladende sagde noget ned i sit ærme. »Godt, hvad bringer dig herhen? Er du en af galleriets faste kunder, eller kom du bare tilfældigt forbi?«

»Ingen af delene. Alex har inviteret mig.«

»*Alex?*« Hun skyndte sig at sænke stemmen igen. »Undskyld. Jeg vidste ikke, at Alex havde sendt invitationer til nogen. Den slags plejer han ikke at interessere sig for.«

»Jeg var også selv en smule overrasket. Specielt eftersom vi, da vi mødte hinanden sidst, havde lidt af en uoverensstemmelse. Og nu er jeg kommet for at slutte fred, men så er han her ikke. Nå, det er der ikke noget at gøre ved. Jeg kan vældig godt lide dine værker.«

»Mange tak.« Hun prøvede at vænne sig til tanken om, at Alex havde inviteret en gæst uden at fortælle hende noget om det. »Måske får du lyst til at købe et af dem?«

»Jeg er bange for, at prisniveauet ligger en del over, hvad en ansat i CERN har råd til.« For første gang sendte han hende et smil, der kun føltes endnu varmere, fordi han ikke ligefrem strøede om sig med dem. Som et solstrejf i et gråt landskab. Han stak en hånd ned i brystlommen. »Ring til mig, hvis du nogensinde får lyst til at skabe kunst på basis af partikelfysik.« Han gav hende sit kort. Hun læste:

Professor Robert WALTON
Datachef
CERN – Det Europæiske Center for Atomforskning
1211 Genève – Schweiz

»Det lyder imponerende.« Hun stak kortet i lommen. »Mange tak. Det er slet ikke umuligt, at jeg kunne få lyst til det. Godt, fortæl mig om dig og Alex ...«

»Åh, *skat*, hvor er du bare dygtig!« lød en kvindes stemme bag hende. Hun mærkede et klem om albuen, og da hun vendte sig, så hun lige ind i Jenny Brinkerhofs brede, blege ansigt og store, grå øjne. Hun var endnu en engelsk kvinde midt i trediverne, der var gift med en direktør for en hedgefond. (Genève var begyndt at myldre med dem, havde Gabrielle bemærket: økonomiske migranter fra London, der flygtede fra Storbritanniens nye skatteprocent på halvtreds. Det føltes, som om ingen af dem kunne finde ud af at tale om andet end besværet med at finde ordentlige skoler til deres børn).

»Jen,« sagde hun. »Hvor sødt af dig at komme.«

»Hvor var det sødt af dig at *invitere* mig.«

De gav hinanden et kindkys, og Gabrielle vendte sig for at præsentere hende for Walton, men han var allerede rykket videre og stod og talte med manden fra *Tribune*. Det var det, der var problemet med receptioner: at man hele tiden blev fanget sammen med en, man ikke havde lyst til at snakke med, mens en anden, som man meget hellere ville snakke med, stod så forjættende tæt på. Hun spekulerede på, hvor længe der ville gå, før Jen nævnte sine børn.

»Åh, hvor jeg misunder dig, at du har så meget *rum* i dit liv, at du kan lave det her. Jeg mener, hvis der er noget, man bare er nødt til at vinke farvel til, når man har tre børn, er det den kreative gnist ...«

Over skulderen på hende fik Gabrielle øje på en skikkelse, som i det samme kom ind på galleriet og ikke helt passede ind i stilen. Fremmed og alligevel underligt bekendt. »Hav mig lige undskyldt et øjeblik, Jen, okay?« Hun forlod hende og gik hen til døren. »Inspektør Leclerc?«

»Madame Hoffmann,« sagde han og gav hende høfligt hånden.

Hun bemærkede, at han stadig var klædt i det samme tøj, som han havde haft på klokken fire om natten. Mørk vindjakke, hvid skjorte – nu tydeligt nusset og grå i halsen – og sort slips, som han håbløst umoderne havde bundet i en alt for tyk knude på samme måde, som hendes far altid havde gjort. Skægstubbene i hans ansigt bredte sig op over kinderne som en sølvfarvet svampevækst, der sluttede under de mørke rande under hans øjne. Han virkede fuldstændig malplaceret. En af de unge piger nærmede sig med en bakke med champagneglas, og Gabrielle var overbevist om, at han ville takke nej – var det ikke, hvad politifolk gjorde, når de var på arbejde: sagde nej til alkohol? – men Leclerc lyste bare op og sagde: »Herligt, tusind tak!« Han holdt forsigtigt om glassets stilk, som om han var bange for at brække den. »Virkelig udsøgt champagne,« sagde han, da han havde taget en slurk og smækkede med læberne. »Hvad taler vi om? Firs franc flasken?«

»Åh, det aner jeg ikke. Det er min mands sekretær, der har bestilt den.«

Fotografen fra *Tribune* kom hen og tog et billede af dem, mens de stod side om side. Leclercs vindjakke lugtede jordslået. Han ventede, indtil fotografen var gået, før han sagde: »Godt, jeg kan fortælle, at teknikerne fandt et par gode fingeraftryk på Deres mobiltelefon og knivene i køkkenet. Desværre har vi dog ingen fingeraftryk i databasen, der matcher. Det lader ikke til, at den ubudne gæst har en kriminel fortid, i det mindste ikke i Schweiz. Vi har intet kunnet finde om ham! Nu er vi ved at tjekke fingeraftrykkene via Interpol.« Han snuppede en kanapé på en bakke, som i det samme blev båret forbi, og slugte den i én mundfuld. »Og Deres mand? Er han her også? Jeg kan ikke se ham nogen steder.«

»Nej, ikke endnu. Hvorfor? Vil De gerne tale med ham?«

»Nej, jeg er kommet for at se Deres værker.«

Guy Bertrand nærmede sig diskret, tydeligvis nysgerrig. Hun havde fortalt ham om indbruddet. »Er alt i orden?« spurgte han, og Gabrielle tog sig selv i at præsentere politimanden for galleriets ejer. Bertrand var en tætbygget ung mand, som fra top til tå var klædt i sort silke – Armani T-shirt, jakke, bukser, holistiske zen-slippers. Han og Leclerc betragtede hinanden med gensidig vantro. De kunne lige så godt have tilhørt to forskellige arter.

»Kriminalinspektør,« gentog Bertrand med undren i stemmen. »Jeg tror, De vil være interesseret i *The Invisible Man*.«

»*The Invisible Man*?«

»Lad mig vise Dem værket,« sagde Gabrielle, taknemmelig for at få en chance for at adskille de to mænd. Hun førte Leclerc hen til det største værk på udstillingen. I en stor glasmontre, som var oplyst nedefra, svævede en nøgen mand i naturlig størrelse – tilsyneladende lavet af florlet lyseblåt stof – frit i luften. Effekten var spøgelsesagtig og uhyggelig. »Det her er Jim, den usynlige mand.«

»Og hvem er Jim?«

»Han var morder.« Leclerc drejede hovedet skarpt og så på hende. »James Duke Johnson,« fortsatte hun, begejstret over at have fremkaldt politimandens overraskede reaktion. »Han blev henrettet i Florida i 1994. Før han døde, overtalte fængselspræsten ham til at donere sin krop til videnskaben.«

»Også til at blive udstillet offentligt?«

»Det tvivler jeg på. Er De chokeret?«

»Ja, det indrømmer jeg.«

»Godt. Det er præcis den effekt, jeg er ude på at fremkalde.«

Leclerc brummede og stillede champagneglasset fra sig. Han trådte tættere på glasmontren, støttede hænderne i siden og betragtede værket grundigt. Hans mave, der hang ud over bæltet, mindede hende om et af Dalís smeltede ure. »Og hvordan har De skabt dette indtryk af, at han svæver?« spurgte han.

»Det er en forretningshemmelighed,« lo hun. »Nej, jeg vil gerne fortælle Dem det. Det er ganske enkelt. Jeg har taget en række billeder fra en MR-skanning og overført dem til refleksfrit glas – to millimeter tykke Mirogard-glasplader, som er det klareste glas, der findes. I stedet for at benytte blæk bruger jeg undertiden et tandlægebor til at optegne stregerne. Selv i dagslys kan man dårligt se den rille, der opstår, men hvis man retter kunstlys mod glaspladen fra en bestemt vinkel ... ja, så opnår man denne effekt.«

»Utroligt. Hvad synes Deres mand om Deres værker?«

»Han synes, jeg er sygeligt besat. Men på den anden side har han selv sine små besættelser.« Hun tømte sit glas. Det føltes, som om alt omkring hende blev behageligt forstærket – farver, lyde, sanseindtryk. »De må synes, at vi er et underligt par.«

»Tro mig, *madame*, mit arbejde bringer mig i kontakt med mennesker, der er mere mærkelige, end De har fantasi til at forestille Dem.« Pludselig så han direkte på hende med sine blodskudte øjne. »Vil De have noget imod, at jeg stiller Dem et par spørgsmål?«

»Overhovedet ikke.«

»Hvornår mødte De dr. Hoffmann første gang?«

»Det har jeg lige netop talt med en af de andre gæster om.« Hun kunne stadig se Alex fuldkommen tydeligt for sig. Han havde stået og talt med Hugo Quarry – den forbandede Quarry havde altid været med i billedet, helt fra i begyndelsen – og det var hende, der havde måttet foretage det første træk, men hun havde været tilstrækkeligt beruset til at være ligeglad. »Til en fest i Saint-Genis-Pouilly for omkring otte år siden.«

»Saint-Genis-Pouilly,« gentog Leclerc. »Et kvarter, hvor der bor mange videnskabsfolk fra CERN, mener jeg.«

»Ja, det var i hvert fald tilfældet dengang. Kan De se den høje, gråhårede mand derhenne? Walton hedder han. Det var ham, der holdt festen. Bagefter tog jeg med Alex hjem til hans lejlighed, og jeg kan huske, at møblementet stort set ikke bestod af andet end computere. Der var så varmt i lejligheden, at den en dag dukkede op på en infrarød skærm i en politihelikopter, hvorefter narkopolitiet rykkede ud for at gennemføre en razzia. De troede, han dyrkede cannabis.«

Mindet fik hende til at smile, og også Leclerc smilede ... dog blot for et syns skyld, havde hun en mistanke om, og for at få hende til at blive ved med at fortælle. Hun spekulerede på, hvad han fiskede efter.

»Var De selv ansat i CERN?«

»Nej, for pokker, jeg arbejdede som sekretær i FN ... en typisk forhenværende kunststuderende med dårlige udsigter til at få et job, men med gode franskkundskaber. Det var mig i en nøddeskal.« Hun var klar over, at hun talte alt for hurtigt og lo alt for meget. Han ville sikkert tro, at hun var beruset.

»Men dr. Hoffmann arbejdede stadig i CERN, da De lærte ham at kende?«

»Han var på vej til at forlade virksomheden for at etablere eget firma sammen med sin partner, en mand ved navn Hugo Quarry. Vi havde underligt nok alle tre mødt hinanden første gang til festen. Er det vigtigt?«

»Og ved De, hvorfor han nærmere bestemt rejste fra CERN?«

»Det må De hellere spørge ham selv om. Eller Hugo.«

»Det vil jeg gøre. Og denne mr. Quarry, han er amerikaner, ikke sandt?«

Hun lo. »Nej, han er englænder. *Meget* engelsk.«

»Jeg går ud fra, at en af grundene til, at dr. Hoffmann forlod CERN, var, at han gerne ville tjene flere penge?«

»Nej, egentlig ikke. Penge interesserede ham ikke. Ikke dengang, i det mindste. Han fortalte, at han lettere ville kunne forske i det, der interesserede ham, hvis han havde sit eget firma.«

»Og hvad var det?«

»Kunstig intelligens. Men igen er De nødt til at spørge ham selv om de nærmere detaljer. Jeg er bange for, at den slags går helt hen over hovedet på mig.«

Leclerc tav et øjeblik.

»Ved De, om han har søgt psykiatrisk hjælp?«

Spørgsmålet overrumplede hende. »Ikke hvad jeg ved af. Hvorfor spørger De?«

»Det skyldes blot, at jeg har hørt fra en medarbejder i CERN, at han blev ramt af et nervøst sammenbrud, da han var ansat i virksomheden, og at det var grunden til, at han rejste. Jeg spekulerer på, om han har fået et nyt sammenbrud.«

Det gik op for hende, at hun stirrede måbende på ham, og hun skyndte sig at lukke munden.

Han betragtede hende intenst og sagde: »Undskyld. Har jeg sagt noget, jeg ikke burde have sagt? Vidste De ikke noget om det?«

Hun genvandt fatningen så meget, at hun kunne lyve. »Jo, naturligvis gjorde jeg det ... eller jeg vidste da lidt om det.« Hun var klar over, hvor lidt overbevisende hun lød. Men hvad var alternativet? Skulle hun indrømme, at hendes mand i store træk var som et mysterium for hende – at en betragtelig andel af det, hans hoved hver eneste dag var fyldt med, altid havde været et uindtageligt territorium for hende, og at denne ukendte side af ham var det, der i begyndelsen havde gjort, at hun følte sig tiltrukket af ham – og som lige siden havde skræmt hende? »Så De har været ved at se nærmere på Alex' fortid?« spurgte hun med skrøbelig stemme. »Burde De ikke hellere prøve at finde den mand, der overfaldt ham?«

»Jeg er nødt til at efterforske alle sagens aspekter, *madame*,« svarede Leclerc skarpt. »Det kan ikke udelukkes, at gerningsmanden har kendt Deres mand engang eller har et horn i siden på ham. Jeg spurgte blot en bekendt i CERN – uden for referat og med største diskretion, lover jeg Dem – om, hvorfor han rejste.«

»Og denne person fortalte, at han havde fået et nervesammenbrud, og nu tror De, at hele denne historie om den mystiske overfaldsmand er noget, Alex finder på?«

»Nej, jeg prøver ganske enkelt bare at forstå omstændighederne.« Han tømte sit glas i en enkelt mundfuld. »Undskyld ... jeg må hellere lade Dem koncentrere Dem om Deres gæster.«

»Har De ikke lyst til et glas champagne mere?«

»Nej, tak.« Han pressede fingrene mod læberne og undertrykte et bøvs. »Jeg må hellere komme videre. Mange tak.« Han bukkede let på en underligt gammeldags måde. »Det har været særdeles interessant at se Deres værker.« Han standsede og stirrede endnu en gang på den henrettede morder i glasmontren. »Hvad var det nærmere bestemt, han havde gjort, denne stakkels mand?«

»Han myrdede en gammel mand, som havde grebet ham på fersk gerning, da han ville stjæle hans varmetæppe. Han skød ham og stak en kniv i ham. Han sad på dødsgangen i tolv år. Da hans sidste appel om at få dødsdommen omstødt var blevet afvist, blev han henrettet med en dødbringende indsprøjtning.«

»Barbarisk,« mumlede Leclerc, men Gabrielle var ikke helt klar over, om han tænkte på forbrydelsen, straffen eller kunstværket.

Bagefter sad Leclerc i sin bil på den modsatte side af gaden med sin notesbog på knæet og nedskrev så meget, han kunne huske af det, han lige havde fået at vide. Gennem vinduerne i galleriet kunne han se gæsterne myldre rundt om Gabrielle, og af og til gav en blitz hendes lille, mørke skikkelse et strejf af glamour. Han kunne faktisk helt godt lide hende, hvilket var mere, end han kunne sige om hendes udstilling. Tre tusind franc for et par stykker glas, som hun havde ridset et hestekranium i? Han spilede kinderne ud og tømte lungerne for luft. Tak skæbne, man kunne jo købe en nogenlunde frisk arbejdshest – vel at mærke en *hel* hest og ikke kun hovedet – for halvdelen af det beløb.

Han gjorde sig færdig med notaterne og bladrede lidt frem og tilbage i bogen, som om han ved at følge sine tilfældige associationer måske kunne finde et spor, som hidtil havde undsluppet hans opmærksomhed. Hans bekendte i CERN havde kastet et hurtigt blik på Hoffmanns personalemappe, og Leclerc havde noteret hovedpunkterne: at Hoffmann i en alder af 27 havde sluttet sig til medarbejderstaben omkring partikelacceleratoren som en af de få amerikanere, der på daværende tidspunkt var involveret i projektet; at hans chef havde anset ham for at være en af de allerdygtigste matematikere i virksomheden; at han var blevet overflyttet fra arbejdet med at konstruere den nye partikelaccelerator, The Large Hadron Collider, for i stedet at arbejde med udviklingen af den software og de computersystemer, der skulle bruges til at analysere de milliarder af data, der var resultatet af eksperimenterne; at han efter en længerevarende periode med overarbejde var begyndt at opføre sig så utilregneligt, at hans kolleger havde klaget over ham, og at sikkerhedsafdelingen havde bedt ham om at forlade virksomheden – og at hans kontrakt efter en lang sygemelding var blevet ophævet.

Leclerc var temmelig sikker på, at Gabrielle Hoffmann ikke havde vidst noget om sin mands sammenbrud. Det var endnu en tiltalende egenskab ved hende, at hun så åbenlyst ikke var i stand til at lyve. Det lod med andre ord til, at Hoffmann var et mysterium for alle – for sine videnskabelige kolleger, for sine kolleger i finansverdenen og selv for sin kone. Han tegnede en cirkel om navnet Hugo Quarry.

Hans tanker blev afbrudt af støjen fra en kraftig bilmotor, og da han kiggede over på den anden side af gaden, så han en stor, koksgrå Mercedes med tændte forlygter holde ind til kantstenen uden for galleriet. Selv før bilen var standset helt, sprang en tætbygget skikkelse i mørkt jakkesæt ud fra passagersædet, kastede et hurtigt blik op og ned ad gaden og åbnede bagdøren. Gæsterne, der stod på fortovet med deres drinks og cigaretter, vendte sig dovent for at se, hvem det var, der steg ud af bilen, men så rettede de uinteresseret blikket væk igen, mens den nyankomne hurtigt blev eskorteret ind ad døren.

9

Selv når vi er helt alene, tænker vi ofte med velbehag eller smerte på, hvad andre mener om os – på vores forestilling om deres billigelse eller misbilligelse, og alt dette udspringer af evnen til at udvise medfølelse, et grundlæggende element i de sociale instinkter. Et menneske, som ikke havde sådanne følelser, ville være et unaturligt uhyre.

CHARLES DARWIN, *Menneskets afstamning* (1871)

Hoffmann havde ikke haft held til at opretholde sin ikke-eksisterende profil i offentligheden uden visse anstrengelser. En dag på et tidligt tidspunkt i historien om Hoffmann Investment Technologies, da firmaet stadig kun havde omkring to milliarder i aktiver under forvaltning, havde han inviteret partnerne i Schweiz' ældste pr-firma til morgenmad på Hotel Prèsident Wilson og tilbudt dem en aftale: et årligt honorar på 200.000 schweizerfranc hvis de til gengæld sørgede for, at hans navn blev holdt ude af aviserne. Han havde kun stillet én betingelse: Hvis han blev nævnt mere end tyve gange i løbet af et år, skulle *de* betale *ham*. Efter en længere diskussion accepterede firmaet hans betingelser og vendte alle de råd, de normalt gav deres kunder, hundrede og firs grader. Hoffmann måtte ikke yde nogen form for støtte til kendte velgørende organisationer, måtte ikke deltage i gallamiddage eller prisuddelinger i branchen, måtte ikke sætte sig i forbindelse med journalister, måtte ikke optræde på nogen avisers liste over velhavere, måtte ikke støtte noget politisk parti, måtte ikke støtte nogen uddannelsesinstitutioner økonomisk og måtte ikke holde nogen form for taler eller forelæsninger. Når der af og til dukkede en nysgerrig journalist op, blev vedkommende sendt videre til hedgefondens største investorer, som altid kun var lykkelige for at tage æren for fondens succes, eller også blev de – for de allermest vedholdende journalisters vedkommende – ekspederet videre til Quarry. Pr-firmaet havde altid fået lov til at beholde det fulde honorar, og Hoffmann havde bevaret sin anonymitet.

Det var derfor en usædvanlig oplevelse for ham – og helt ærligt lidt af en prøvelse – at deltage i ferniseringen på sin kones første udstilling. Fra det øjeblik, han steg ud af bilen, krydsede det tætpakkede fortov og trådte ind i støjen på galleriet, ville han ønske, at han kunne vende om på hælen og flygte. Folk, som han havde en mistanke om, at han havde mødt før, Gabrielles venner, dukkede op ud af det blå og henvendte sig til ham, men selvom hans hjerne var i stand til at jonglere med regnestykker med op til fem decimaler, kunne han ganske enkelt ikke huske andre menneskers ansigter. Det var, som om vrangen var blevet vendt ud på hele hans personlighed for at kompensere for hans specielle evner. Han hørte, hvad andre mennesker sagde – de sædvanlige banale og ligegyldige bemærkninger – men på en eller anden måde trængte det bare ikke ind. Han var udmærket klar over, at han bare mumlede et eller andet som svar, som enten var upassende eller direkte sært. Da han blev tilbudt et glas champagne, valgte han vand i stedet, og det var i det øjeblik, han fik øje på Bob Walton, der stod i den anden ende af lokalet og stirrede på ham.

Walton, af alle mennesker!

Før Hoffmann kunne nå at gøre noget for at undvige sin tidligere kollega, begyndte Walton at mase sig gennem trængslen med fremstrakt hånd, fast besluttet på at komme hen og tale med ham. »Alex,« sagde han, »hvor er det længe siden.«

»Bob.« Han gav ham køligt hånden. »Jeg tror ikke, jeg har set dig, siden jeg tilbød dig et job, og du sagde til mig, at jeg var fanden, der var kommet for at stjæle din sjæl.«

»Jeg tror ikke, jeg *helt* formulerede det på den måde.«

»Ikke det? Jeg synes ellers at kunne genkalde mig, at du gjorde det allerhelvedes klart, hvad du mente om videnskabsfolk, der gik over på den mørke side og blev *quanter*.«

»Gjorde jeg virkelig? Det må du undskylde.« Walton pegede rundt i lokalet med sit glas i hånden. »Under alle omstændigheder er jeg glad for, at det hele er endt så lykkeligt for dig. Og det mener jeg oprigtigt, Alex.«

Han sagde det med så meget varme i stemmen, at Hoffmann fortrød sin fjendtlighed. Da han netop var flyttet til Genève fra Princeton og ikke kendte et øje og ikke ejede andet end to kufferter og en engelsk-fransk ordbog, havde Walton været hans afdelingschef i CERN. Han og hans kone havde taget ham under deres beskyttende vinger. De havde inviteret ham til frokost om søndagen, havde hjulpet ham med at finde en lejlighed, havde givet ham et lift på arbejde om morgenen og havde oven i købet prøvet at smede ham sammen med en kæreste.

»Hvordan går det med forsøget på at finde Gudspartiklen?« spurgte Hoffmann og bestræbte sig på at lyde venlig.

»Åh, vi nærmer os. Og hvad med dig? Hvordan går det med at finde den autonome maskinlærings hellige gral?«

»Det samme. Vi nærmer os.«

»Virkelig?« Walton løftede øjenbrynene og så overrasket på ham. »Så du er stadig i fuld gang med projektet?«

»Naturligvis.«

»Hold da helt op. Det er modigt. Hvad er der sket med dit hoved?«

»Ikke noget. Et tåbeligt uheld.« Han rettede blikket i retning af Gabrielle. »Jeg tror, jeg hellere må gå hen og hilse på min kone ...«

»Selvfølgelig. Undskyld.« Walton gav ham hånden igen. »Godt, det har været hyggeligt at tale med dig igen, Alex. Vi bør mødes ordentligt engang. Du har min mailadresse.«

»Det har jeg faktisk ikke,« råbte Hoffmann efter ham.

Walton vendte sig. »Jo du har. Du sendte en invitation til mig.«

»En invitation til hvad?«

»Ferniseringen.«

»Jeg har ikke sendt nogen invitationer.«

»Det tror jeg nu, du må sande, at du har. Vent et øjeblik ...«

Det var så typisk for Waltons akademiske pedanteri, tænkte Hoffmann, at han insisterede på en så ubetydelig detalje, selvom han tog fejl. Men til sin overraskelse rakte Walton ham i det samme sin BlackBerry og viste ham invitationen, der tydeligvis var afsendt fra Hoffmanns mailadresse.

»Åh, okay,« sagde Hoffmann tøvende, for han hadede at indrømme en fejl, »det må du undskylde. Jeg må have svedt det ud igen. Vi ses.«

Han skyndte sig at vende ryggen til Walton for at skjule sin overraskelse og begyndte at lede efter Gabrielle. Da det omsider lykkedes ham at trænge gennem mængden hen til hende, sagde hun bare – temmelig mut, forekom det ham: »Jeg var begyndt at tro, at du aldrig ville dukke op.«

»Jeg kom så hurtigt, jeg kunne.« Han kyssede hende på munden og kunne smage den sure champagne i hendes ånde.

»Dr. Hoffmann,« råbte en mand, »se herhen,« og i det samme lynede en fotografs blitz mindre end en meter fra ham.

Instinktivt trak Hoffmann hovedet tilbage, som om en eller anden havde smidt et glas syre i hovedet på ham. Bag sit falske smil sagde han: »Hvad helvede laver Bob Walton her?«

»Hvordan skulle jeg vide det? Det er jo dig, der har inviteret ham.«

»Ja, det har han lige vist mig. Men skal jeg fortælle dig noget? Jeg er sikker på, at jeg aldrig har sendt den invitation. Hvorfor skulle jeg? Det var ham, der spændte ben for min forskning i CERN. Jeg har ikke set ham i årevis ...«

Pludselig stod galleriets ejer ved siden af ham. »De må være meget stolt af Deres kone, dr. Hoffmann,« sagde Bertrand.

»Hvabehar?« Hoffmann stod stadig og stirrede på sin tidligere kollega i den anden ende af galleriet. »Åh, ja. Ja, det er jeg også ... meget stolt.« Han gjorde et koncentreret forsøg på at skubbe Walton ud af hovedet og finde på noget passende at sige til Gabrielle. »Har du fået solgt noget?«

»Tak, Alex,« sagde Gabrielle. »Det er ikke alt, der handler om penge, vel?«

»Nej, okay. Det ved jeg da godt. Jeg spurgte bare.«

»Der er masser af tid endnu,« sagde Bertrand. Hans mobil ringede og afspillede to takter af Mozart. Da han læste beskeden, blinkede han overrasket og skyndte sig væk.

Hoffmann var stadig halvblændet af blitzen. Da han prøvede at se på portrætterne, fremstod den midterste del af dem kun som lysende, tomme pletter. Ikke desto mindre anstrengte han sig for at fremsætte en række anerkendende bemærkninger. »Det er fantastisk at se dem sammen, ikke? Man får virkelig et indtryk af en helt anden måde at se verden på. Alt det, der ligger skjult under overfladen.«

»Hvordan går det med hovedet?« spurgte Gabrielle.

»Godt. Jeg har ikke engang tænkt på det, før du nævnte det. Det dér kan jeg rigtig godt lide.« Han pegede på et af værkerne i nærheden. »Det er dig selv, det forestiller, ikke?«

Det havde taget hende en hel dag bare at få taget billederne, kunne han huske. Hun havde siddet på hug i skanneren og lignede et af ofrene for vulkanudbruddet i Pompeji med knæene trukket op foran brystet, hænderne presset ind mod siden af hovedet og åbenstående mund, som om hendes ansigt var stivnet midt i et skrig. Da hun første gang havde vist ham værket i atelieret, havde han været næsten lige så chokeret over synet, som da han så fosteret af deres barn, som værket tydeligvis var inspireret af.

»Leclerc var her for et øjeblik siden,« sagde hun. »Du må have været lige ved at løbe ind i ham.«

»Har de fundet gerningsmanden?«

»Nej, det var ikke derfor, han kom.«

Hendes tonefald gjorde Hoffmann vagtsom. »Hvad ville han så?«

»Han ville udspørge mig om det nervesammenbrud, du tilsyneladende havde, da du arbejdede i CERN.«

Hoffmann var usikker på, om han havde hørt rigtigt. Larmen fra alle de snakkende mennesker blev kastet tilbage fra de hvidskurede vægge og mindede ham om larmen i computerrummet. »Har han talt med CERN?«

»Om dit nervesammenbrud,« gentog hun, lidt højere. »Det sammenbrud, du aldrig har nævnt noget om for mig.«

Han følte sig stakåndet, som om han lige havde fået et hårdt slag i maven. »Jeg vil ikke ligefrem kalde det et nervesammenbrud. Jeg forstår ikke, hvorfor han har blandet CERN ind i det.«

»Hvad vil du så kalde det?«

»Behøver vi virkelig diskutere det lige nu?« Udtrykket i hendes ansigt fortalte ham, at det behøvede de. Han spekulerede på, hvor mange glas champagne hun havde drukket. »Okay, det gør vi velsagtens. Jeg blev deprimeret. Jeg tog orlov. Jeg talte med en psykiater og fik det bedre.«

»Du talte med en psykiater? Du blev behandlet for depression? Og i *otte år* har du ikke nævnt det for mig med et eneste ord?«

Et par, der stod i nærheden, vendte sig og gloede på dem.

»Du blæser det helt ud af proportioner,« sagde han irritabelt. »Du opfører dig latterligt. Det skete før, jeg overhovedet mødte dig, for guds skyld.« Og så tilføjede han, mere diskret: »Gabby, vi bør ikke ødelægge arrangementet her.«

Et øjeblik troede han, at hun ville protestere. Hun løftede hagen, så den pegede direkte på ham, hvilket altid var et signal om, at et uvejr var på vej. Hendes øjne var glasagtige og blodskudte, og det gik op for ham, at heller ikke hun havde fået ret meget søvn. Men i det samme hørte han en klirrende lyd af metal mod glas.

»Mine damer og herrer,« råbte Bertrand. I hånden holdt han et smalt champagneglas, som han slog på med en gaffel. »Mine damer og herrer!« Det var overraskende effektivt, og hurtigt sænkede stilheden sig i det tætpakkede lokale. Bertrand stillede glasset fra sig. »Nu må I ikke blive bekymrede, venner. Jeg har ikke tænkt mig at holde en tale. Og desuden er symboler jo for kunstnere så meget mere udtryksfulde end ord.«

Han holdt et eller andet i hånden. Hoffmann kunne ikke helt se, hvad det var. Bertrand gik hen til selvportrættet – det portræt, hvor Gabrielle var fanget midt i et tavst skrig – pillede en rød prik af den rulle, han holdt i hånden og placerede den med en resolut bevægelse på soklen med værket. En frydefuld, anerkendende mumlen bredte sig blandt gæsterne.

»Gabrielle,« sagde han og vendte sig smilende mod hende, »tillad mig at ønske dig tillykke med, at du nu officielt kan kalde dig professionel kunstner.«

Gæsterne klappede, og champagneglas blev løftet for at udbringe en skål. Al anspændtheden forlod Gabrielles ansigt. Hun var som forvandlet, og Hoffmann udnyttede øjeblikket til at tage fat om hendes håndled og løfte hendes hånd op over hovedet, som om hun var en bokser, der lige havde vundet en kamp. Der lød flere begejstrede råb. Blitzlys blinkede igen, men denne gang lykkedes det ham at sørge for at bevare smilet i ansigtet. »Flot, Gabby,« hviskede han ud af mundvigen. »Du fortjener det virkelig.«

Hun smilede lykkeligt til ham. »Tak.« Hun løftede sit glas for at skåle med gæsterne. »Tusind tak, alle sammen. Og en speciel tak til køberen af værket!«

»Vent,« sagde Bertrand, »jeg er ikke færdig.«

Ved siden af selvportrættet stod hovedet af en sibirisk tiger, som året før døde i Zoo de Servion. Gabrielle havde fået den døde tiger frosset ned, indtil hun kunne få det afhuggede hoved anbragt i en MR-skanner. Raderingen på glasset blev oplyst nedefra af et blodrødt lys. Bertrand placerede en rød prik under værket. Det var blevet solgt for 4.500 franc.

»Hvis det her fortsætter,« hviskede Hoffmann, »kommer du til at tjene flere penge end mig.«

»Åh, Alex, hold nu op med kun at snakke om penge.« Men hun kunne se, at han var glad, og da Bertrand tog endnu et par skridt og placerede endnu en rød prik, denne gang under *The Invisible Man*, udstillingens store hovedværk til 18.000 franc, klappede hun frydefuldt i hænderne.

Hvis bare, skulle Hoffmann senere komme til at tænke bittert, det var stoppet der, ville det have været en sand triumf. Hvorfor kunne Bertrand ikke se det? Hvorfor kunne han ikke se ud over sin griskhed og have ladet det ende der? I stedet arbejdede han sig omhyggeligt gennem udstillingslokalet og efterlod et udslæt af røde pletter i sit kølvand – det var, som om de hvidskurede vægge var blevet angrebet af et anfald af skoldkopper eller pest, en *epidemi*, der bredte sig til hele galleriet – under hestehovederne, det mumificerede barn fra Berlin Museum für Völkerkunde, bisonkraniet, antilopekiddet, det halve dusin andre selvportrætter og til sidst fosteret. Bertrand standsede ikke, før alle værkerne på udstillingen var solgt.

Effekten på gæsterne var underlig. I begyndelsen jublede de, hver gang en ny rød prik blev placeret, men efter et stykke tid begyndte deres begejstring at aftage, og der sænkede sig lidt efter lidt en stemning af akavethed, så Bertrand placerede de sidste røde prikker i næsten total stilhed. Det var, som om alle var vidne til en practical joke, der i begyndelsen havde været morsom, men som siden fortsatte i alt for lang tid og blev ubehagelig. Der var noget nærmest knusende ved en så overdreven rundhåndethed. Hoffmann kunne næsten ikke holde ud at se på udtrykket i Gabrielles ansigt, mens det forvandlede sig fra glæde til forundring, til manglende forståelse og til sidst til mistænksomhed.

»Det virker umiskendeligt, som om du har en beundrer,« sagde han desperat.

Det var, som om hun ikke hørte ham. »Er alle værkerne blevet købt af den *samme* person?«

»Ja, det er de,« sagde Bertrand. Han strålede som en sol og gned sig i hænderne.

En mumlen af hviskende samtale bredte sig igen. Alle talte med afdæmpede stemmer – med undtagelse af en amerikaner, som højlydt sagde: »Jamen, for pokker, det er jo fuldstændig latterligt.«

»Hvem i alverden er køberen?« spurgte Gabrielle vantro.

»Det kan jeg desværre ikke afsløre.« Bertrand så på Hoffmann. »Jeg kan kun fortælle, at der er tale om en 'anonym samler'.«

Gabrielle fulgte hans blik og så på Hoffmann. Hun slugte en klump, før hun sagde noget. Hendes stemme var helt sagte og spæd. »Er det dig?«

»Nej, selvfølgelig ikke.«

»For hvis det er ...«

»Det er det ikke!«

En klokke kimede, da døren gik op. Hoffmann kastede et blik over skulderen. Gæsterne var begyndt at gå. Walton var en del af den første bølge og knappede jakken, før han fortsatte ud i den kølige vind. Bertrand så, hvad der var ved at ske og nikkede diskret til de unge piger for at få dem til at holde op med at servere flere drinks. Festen havde mistet sit formål, og det lod til, at ingen havde lyst til at være de sidste, der gik. Et par kvinder kom hen til Gabrielle og takkede hende, og hun var nødt til at lade, som om hun troede på, at deres lykønskninger var oprigtige. »Jeg ville gerne have købt noget,« sagde en af dem, »men jeg fik aldrig chancen.«

»Det er helt ekstraordinært.«

»Jeg har aldrig oplevet noget lignende.«

»Du laver snart en ny udstilling, ikke?«

»Jo, det lover jeg.«

Da de var gået, sagde Hoffmann til Bertrand: »Vil du for guds skyld ikke godt fortælle hende, at det ikke er mig.«

»Jeg kan ikke fortælle, hvem det er, for jeg ved det helt ærligt ikke. Så enkelt er det.« Bertrand holdt hænderne ud til siden. Det var tydeligt, at han nød situationen. Mystikken, pengene, nødvendigheden af professionel diskretion. Det var, som om hele hans krop svulmede inde under den dyre, sorte silke. »Min bank har lige sendt mig en mail for at fortælle, at de har modtaget en elektronisk overførsel med reference til udstillingen. Jeg må indrømme, at jeg var overrasket over beløbets størrelse. Men da jeg tog min lommeregner og lagde priserne på alle de udstillede værker sammen, var resultatet 192.000 franc, hvilket er præcis det beløb, der er blevet overført.«

»En elektronisk overførsel?« gentog Hoffmann.

»Ja.«

»Jeg vil gerne bede dig om at føre indbetalingen tilbage,« sagde Gabrielle. »Jeg vil ikke have, at mine værker skal behandles på denne måde.«

En stor nigeriansk mand klædt i nationaldragt – en slags kraftigt vævet sort og lysebrun toga med tilhørende hat – så på Gabrielle og vinkede med sin gigantiske lyserøde håndflade. Han var endnu én af Bertrands protegeer, Nneka Osoba, der for at protestere mod den vestlige verdens imperialisme havde specialiseret sig i at lave stammemasker af industriskrot. »Farvel, Gabrielle!« råbte han. »Flot, flot!«

»Farvel,« råbte hun tilbage og tvang et smil frem i ansigtet. »Tak, fordi du kom.« Dørklokken ringede igen.

Bertrand smilede. »Kære Gabrielle, det lader til, at du ikke har forstået det. Vi befinder os i en juridisk bindende situation. Når hammeren falder tredje gang på en auktion, er genstanden solgt. Det er præcis det samme for os på et galleri. Når et værk er købt, er det væk. Hvis man ikke ønsker at sælge, skal man lade være med at udstille.«

»Jeg er villig til at betale dig det dobbelte beløb,« sagde Hoffmann desperat. »Din kommission er på halvtreds procent, så du har lige tjent næsten 100.000 franc, ikke sandt? Jeg betaler dig 200.000, hvis du giver værkerne tilbage til Gabrielle.«

»Lad være, Alex,« sagde Gabrielle.

»Det er desværre umuligt, dr. Hoffmann.«

»Udmærket, så fordobler jeg beløbet endnu en gang. 400.000.«

Bertrand svajede i sine zen-inspirerede silkeslippers, mens etiske hensyn og griskhed kæmpede en synlig kamp mod hinanden i hans glatte ansigt. »Jamen, jeg ved ganske enkelt ikke, hvad jeg skal sige ...«

»Hold op!« råbte Gabrielle. »Hold op, Alex! Nu! Begge to! Jeg kan ikke holde ud at høre på jer.«

»Gabby ...«

Men hun ignorerede Hoffmanns udstrakte hænder, styrtede hen mod døren og trængte forbi gæsterne, som var ved at forlade galleriet. Hoffmann skyndte sig efter hende og maste sig ind og ud mellem de få tilbageblevne. Han havde det, som om han befandt sig i et mareridt, hvor hun konstant gled væk fra ham. På et tidspunkt strejfede hans fingerspidser hendes ryg. Han kom ud på fortovet lige bag hende, og efter yderligere en række skridt lykkedes det ham omsider at få fat om hendes albue. Han trak hende med ind i en døråbning.

»Hør her, Gabby ...«

»Nej.« Hun slog ud efter ham med den anden hånd.

»Hør på mig!« Han ruskede hende, indtil hun holdt op med at prøve at vride sig fri. Han var en stærk mand, og det var ikke svært for ham at holde hende. »Fald lidt ned. Tak. Godt, hør efter, hvad jeg siger nu. Der foregår et eller andet underligt. Uanset hvem det er, der lige har købt hele din udstilling, er jeg sikker på, at der er tale om den samme, som fik sendt Darwin-bogen til mig. En eller anden prøver at lave numre med mig.«

»Åh, gider du lige, Alex? Lad være med at begynde igen. Det er dig, der har købt det hele ... det ved jeg, at det er.« Hun prøvede at vride sig fri.

»Nej, hør nu efter, siger jeg!« Han ruskede hende igen. Et sted inderst inde var han klar over, at hans frygt gjorde ham aggressiv, og han prøvede at falde lidt ned. »Det er ikke mig. Darwin-bogen blev købt på præcis samme måde og blev betalt via en pengeoverførsel. Jeg lover dig, at hvis vi går tilbage og får monsieur Bertrand til at udlevere køberens kontonummer, er der tale om præcis det samme i begge tilfælde. Men du er nødt til at forstå, at selvom kontoen muligvis står i mit navn, er den ikke min. Jeg kender ikke noget til den. Men jeg skal nok trænge til bunds i det her, det lover jeg. Okay? Det er sådan, det hænger sammen.« Han slap hende. »Det var det, jeg gerne ville sige.«

Hun stirrede på ham og begyndte langsomt at massere sin albue. Hun græd stille, og han var klar over, at det måtte have gjort ondt på hende. »Undskyld.«

Hun så gispende op mod himlen, men efter et stykke tid fik hun sine følelser under kontrol. »Du har ingen anelse om, hvor vigtig den udstilling var for mig, vel?« spurgte hun.

»Selvfølgelig har jeg det ...«

»Men nu er det hele ødelagt, og det er din skyld.«

»Hold nu op, Gabrielle, hvordan kan du sige det?«

»Det *er* din skyld, for enten er det dig, der har købt det hele, fordi du som en anden vanvittig alfahan troede, at du gjorde mig en tjeneste, eller også blev værkerne købt af denne anden person, som du påstår er ude på at lave numre med dig. Uanset hvad er det dig ... igen.«

»Det passer ikke.«

»Og hvem er denne mystiske mand? Det er indlysende, at han ikke har noget med mig at gøre. Du må have en mistanke om, hvem han kan være. En af dine konkurrenter, måske? Eller en kunde? Eller CIA?«

»Lad nu være med at være fjollet.«

»Eller er det Hugo? Det hele er måske et af Hugos barnlige kostskolenumre?«

»Det er ikke Hugo. Så meget er jeg sikker på.«

»Åh nej, selvfølgelig er det ikke ham ... det kan jo umuligt være din forbandede højtelskede Hugo, vel?« Hun græd ikke længere. »Hvad er det præcis, du har forvandlet dig til, Alex? Jeg mener ... Leclerc ville vide, om det var penge, der var grunden til, at du rejste fra CERN, og jeg sagde nej. Men prøver du nogensinde at standse og lytte til dig selv længere? 200.000 franc ... 400.000 franc ... 60 millioner dollars for et hus, vi ikke har brug for ...«

»Jeg kan ikke erindre, at du beklagede dig, da vi købte huset. Du sagde, at du var vild med atelieret.«

»Ja, men jeg sagde det kun for at gøre dig glad! Du tror da vel ikke, at jeg kan lide resten af huset? Det er som at bo på en forbandet ambassade.« Det var, som om en tanke slog ned i hende. »Hvor mange penge har du nu? Det kunne jeg faktisk godt tænke mig at vide.«

»Drop det, Gabrielle.«

»Nej. Fortæl det. Jeg vil vide det. Hvor mange?«

»Det ved jeg ikke. Det kommer an på, hvordan man udregner det.«

»Prøv. Giv mig et tal.«

»I dollars? Et slag på tasken? Jeg ved det virkelig ikke. En milliard. En komma to, måske.«

»En milliard dollars? *Et slag på tasken*?« Et øjeblik var det, som om hendes vantro gjorde hende stum. »Ved du hvad? Glem det.

Det er forbi. For mit vedkommende er der ikke noget, der betyder noget lige nu ud over at komme langt væk fra den her forbandede by, hvor det eneste, man interesserer sig for, er *penge.*«

Hun vendte ryggen til ham.

»Hvad er forbi?« Han tog fat om hendes arm igen, men uden overbevisning eller styrke, og denne gang snurrede hun rundt på hælen og stak ham en lussing. Det var kun en lille lussing – en advarsel, en markering – men han slap hende øjeblikkeligt. Det var aldrig sket mellem dem før.

»Du vover,« spyttede hun og rettede en anklagende finger mod ham, »*nogensinde* at tage fat om mig på den måde igen.«

Og det var det. Hun var væk. Hun spankulerede hen for enden af gaden, drejede om hjørnet og efterlod Hoffmann med hånden på kinden – ude af stand til at forstå den katastrofe, der pludselig var kommet væltende ind over ham.

Leclerc havde siddet bekvemmeligt i sin bil og set det hele. Begivenhederne havde udfoldet sig direkte for øjnene af ham, som om han sad i en drive-in-biograf. Mens han fortsatte med at følge med, vendte Hoffmann sig langsomt og begav sig tilbage mod galleriet. En af de to livvagter, der stod med korslagte arme udenfor, vekslede et par ord med ham, og Hoffmann slog træt ud med armen – tilsyneladende et tegn til, at manden skulle følge efter Gabrielle Hoffmann. Manden forsvandt hen ad gaden. Hoffmann gik indenfor, fulgt af sin egen livvagt. Det var let at se, hvad der skete indenfor. Vinduet var stort, og galleriet var næsten tomt. Hoffmann gik direkte hen til galleriejeren, monsieur Bertrand, og begyndte tydeligvis at skælde ham ud. Han tog sin mobiltelefon frem og holdt den op foran den anden mands ansigt. Bertrand løftede hænderne for at vifte ham væk, men så tog Hoffmann hårdt fat i hans jakke og skubbede ham tilbage mod væggen.

»Tak skæbne, hvad nu?« mumlede Leclerc. Han kunne se Bertrand kæmpe for at gøre sig fri, mens Hoffmann holdt ham ud i udstrakt arm, før han endnu en gang skubbede ham tilbage – denne gang endnu hårdere. Leclerc bandede stille, åbnede døren og kæmpede sig ud af bilen. Han var stiv i knæene, og da han begav sig hen over vejen, skar han ansigt af smerte og spekulerede endnu en gang på sin hårde skæbne. At han stadig behøvede at beskæftige sig med sager som denne, selvom han nu var tættere på at være tres end halvtreds.

Da han kom ind på galleriet, havde Hoffmanns livvagt plantet sig solidt mellem Hoffmann og galleriejeren. Bertrand glattede sin jakke og råbte en række fornærmelser efter Hoffmann, som gav igen af samme skuffe. Bag dem stirrede den henrettede morder stift ud af glasmontren.

»Mine herrer, mine herrer,« sagde Leclerc, »så er det nok, tak.« Han viste sit politiskilt til livvagten, som først så på skiltet og derefter på Leclerc, hvorefter han rullede diskret med øjnene. »Tak. Dr. Hoffmann, hvad er det for en opførsel? Det vil pine mig at være nødt til at anholde Dem efter alt det, De har været igennem her i dag, men om nødvendigt vil jeg ikke tøve med at gøre det. Hvad er det, der foregår?«

»Min kone er helt ude af den,« sagde Hoffmann, »fordi denne mand har opført sig på den mest ufatteligt uintelligente måde ...«

»Ja, ja,« afbrød Bertrand ham, »ufatteligt uintelligent! Jeg solgte alle hendes værker på hendes første udstillings første åbningsdag, og nu overfalder hendes mand mig af netop denne grund!«

»Jeg er udelukkende interesseret i at få oplyst nummeret på køberens bankkonto,« svarede Hoffmann med en stemme, der i Leclercs ører lød faretruende tæt på at være hysterisk.

»Og jeg *har* allerede sagt, at det er aldeles udelukket. Vi taler om udlevering af fortrolige oplysninger.«

Leclerc så på Hoffmann. »Hvorfor er kontonummeret så vigtigt for Dem?«

»Det er det,« sagde Hoffmann og kæmpede for at holde stemmen rolig, »fordi en eller anden tydeligvis er ude på at få mig ned med nakken. Jeg har nu fået oplyst nummeret på den konto, der blev benyttet til at betale for den bog, jeg modtog i går, tilsyneladende for på en eller anden måde at skræmme mig ... jeg har nummeret liggende lige her på mobilen. Og nu tror jeg, at den samme bankkonto, som tilsyneladende er registreret i mit navn, er blevet benyttet til at sabotere min kones udstilling.«

»Sabotere!« fnyste Bertrand. »Her omtaler vi det normalt som *salg*.«

»Men der er ikke tale om salg af et enkelt værk, vel? Samtlige værker blev solgt på én gang. Er det nogensinde sket før?«

»Ach!« Bertrand slog afvisende ud med hånden.

Leclerc så på dem og sukkede. »Vær så venlig, monsieur Bertrand, at vise mig kontonummeret.«

»Det nægter jeg. Hvorfor skulle jeg gøre det?«

»Fordi jeg, hvis De fortsat nægter at gøre det, vil anholde Dem for at lægge hindringer i vejen for politiets efterforskning.«

»Det ville De aldrig vove!«

Leclerc stirrede på ham, indtil Bertrand slog blikket ned. Uanset hvor gammel han efterhånden var blevet, kunne han tackle alle denne verdens Guy Bertrand'er i søvne.

Langt om længe mumlede Bertrand: »Udmærket, jeg har det inde på kontoret.«

»Dr. Hoffmann ... hvis jeg må låne Deres mobil.«

Hoffmann viste ham mailen på skærmen. »Her er meddelelsen med kontonummeret, som jeg har modtaget fra antikvariatet.«

Leclerc tog imod telefonen. »Bliv venligst her.« Han fulgte efter Bertrand ind på det lille bagkontor, der fremstod som ét stort virvar af gamle kataloger, stablede rammer og værktøj. I luften hang en tung lugt af kaffe og lim. En computer stod på et skrammet og vakkelvornt bord med hjul under. Ved siden af den var en bunke breve og kvitteringer spiddet på et metalspyd. Bertrand flyttede lidt rundt med musen og klikkede. »Her er mailen fra banken.« Han rejste sig modvilligt for at overlade pladsen til Leclerc. »Jeg vil i øvrigt gerne fortælle, at jeg ikke tager Deres trusler om at anholde mig alvorligt. Men jeg samarbejder som enhver anden god og lovlydig schweizisk borger.«

»Deres samarbejdsvilje er noteret, *monsieur*,« sagde Leclerc. »Mange tak.« Han satte sig ved bordet og førte ansigtet hen mod skærmen. Han holdt Hoffmanns mobiltelefon ved siden af skærmen og sammenlignede omhyggeligt de to kontonumre, der bestod af en identisk blanding af bogstaver og tal. Kontohaverens navn var angivet som A.J. Hoffmann. Han tog sin notesbog frem og skrev kontonummeret i den. »Og De har ikke modtaget yderligere meddelelser efter denne?«

»Nej.«

Da de var kommet tilbage til galleriet, gav Leclerc Hoffmann telefonen tilbage. »De har ret. Der er tale om det samme kontonummer. Selvom jeg må indrømme, at jeg ikke forstår, hvad det har med overfaldet på Dem at gøre.«

»Åh, der er en helt klar forbindelse,« sagde Hoffmann. »Det prøvede jeg allerede at fortælle Dem i morges. For helvede, De ville ikke holde i fem minutter i mit firma. De ville ikke engang blive lukket ind ad den forbandede dør. Og hvorfor helvede lusker De rundt og stiller spørgsmål om min ansættelse i CERN? De burde bruge tiden på at finde gerningsmanden i stedet for at stikke næsen i *mit* liv.«

Hoffmanns ansigt var hærget, og hans øjne var røde og ømme, som om han havde gnedet sig i dem. Kombineret med de daggamle skægstubbe lignede han en flygtning.

»Jeg giver kontonummeret videre til afdelingen for økonomisk kriminalitet og beder medarbejderne om at se nærmere på det,« sagde Leclerc stille. »I det mindste er bankkonti noget, som vi

schweizere har temmelig god forstand på, og det er ulovligt at udgive sig for at være en anden. Jeg skal nok give Dem besked, hvis der dukker noget op. I mellemtiden vil jeg på det kraftigste opfordre Dem til at tage hjem, blive tilset af en læge og få noget søvn.«
Og slutte fred med Deres kone, havde han lyst til at tilføje, men han følte ikke, at han kunne tillade sig at gøre det.

10

Og igen ... er den enkelte arts instinkt godt for arten selv, og der er ... aldrig udviklet et instinkt, der udelukkende er til gavn for andre arter.

CHARLES DARWIN, *Arternes oprindelse* (1859)

Hoffmann prøvede at ringe til Gabrielle fra bagsædet i Mercedesen, men fik kun fat i hendes telefonsvarer. Hendes velkendte, friske stemme fik hans hals til at snøre sig sammen. »Hej, du har ringet til Gabby, og du vover at smide røret på uden at lægge en besked.«

Han havde en frygtelig forudanelse om, at hun var uigenkaldeligt væk. Selvom de kunne lappe deres forhold sammen igen, eksisterede den person, hun havde været indtil i dag, ikke længere. Det var som at lytte til en optagelse af en, der lige var død.

Der lød et bip. Efter en lang pause, som han vidste ville lyde underlig, når hun aflyttede beskeden – og som han måtte kæmpe for at afslutte – sagde han omsider: »Vil du ikke godt ringe til mig? Vi er nødt til at tale sammen.« Han kunne ikke finde på mere at sige. »Ja, okay. Det var det hele. Hej.«

Han afbrød forbindelsen og stirrede i et stykke tid på mobilen, mens han vejede den i hånden, og ville ønske, at han kunne tvinge den til at ringe. Han ville ønske, at han havde sagt noget andet, eller at han på en eller anden måde kunne række en hånd ud mod hende. Han lænede sig frem mod livvagten. »Ved du, om din kollega er sammen med min kone?«

Paccard fortsatte med at rette blikket stift frem for sig og svarede over skulderen. »Nej, *monsieur*. Da han nåede hen for enden af gaden, var hun allerede væk.«

Hoffmann sukkede. »Er der da ingen i den her forbandede by, der kan finde ud af at udføre en helt enkelt opgave uden at klokke i det?« Han kastede sig tilbage mod sædet, lagde armene over kors og stirrede ud ad vinduet. Der var én ting, han var sikker på: Han havde *ikke* købt alle værkerne på Gabrielles udstilling. Han havde ikke haft muligheden for at gøre det. Det ville dog ikke blive så let at overbevise hende om det. For sit indre øre hørte han hendes stemme igen. *En milliard dollars? Et slag på tasken? Ved du hvad? Glem det. Det er forbi.*

På den anden side af Rhône-flodens metalgrå vandmasser kunne han se finansdistriktet – BNP Paribas, Goldman Sachs, Barclays Private Wealth – der bredte sig ud over den nordlige side af bredden og en del af øen i floden. En billion dollars i aktiver blev forvaltet fra Genève, hvoraf Hoffmann Investment Technologies blot håndterede én enkelt procent, og ud af denne ene procent udgjorde hans personlige andel mindre end en tiendedel. Hvorfor tog hun så voldsomt på vej over en milliard, som jo overhovedet ikke var noget at regne, når man så tingene i et større perspektiv? Dollars, euro, franc – det var blot de enheder, han målte sit eksperiments succes eller fiasko med, akkurat ligesom han i CERN havde brugt teraelektronvolt, nanosekunder og mikrojoule. Imidlertid var der én stor forskel på de to områder, følte han sig nødsaget til at indrømme – et problem, han aldrig helt havde konfronteret eller løst. Man kunne ikke *købe* noget med et nanosekund eller en mikrojoule, hvorimod penge var en form for giftigt biprodukt af hans nuværende forskning. Somme tider havde han det, som om pengene lidt efter lidt forgiftede ham, akkurat ligesom Marie Curie blev dræbt af strålingsskader.

I begyndelsen havde han ignoreret sin formue ved enten at lade den glide ind i firmaet eller parkere den på en bankkonto. Men han hadede tanken om at udvikle sig til en excentriker som Etienne Mussard, der på grund af presset fra sin forretningsmæssige succes havde forvandlet sig til en misantrop, så på det seneste havde Hoffmann taget ved lære af Quarry og prøvet at *bruge* sine penge. Men det havde blot ført til det overdådige palæ i Cologny – proppet med kostbare samlinger af bøger og antikviteter, som han ikke havde brug for, men som krævede både advokater og sikkerhedsanlæg at beskytte; nærmest som en faraos begravelseskammer. Den sidste mulighed var velsagtens bare at forære det hele væk – i det mindste ville Gabrielle bifalde en sådan beslutning – men selv filantropi kunne korrumpere. Det ville være et fuldtidsjob at distribuere hundreder af millioner dollars på en ansvarlig måde. Af og til havde han fantaseret om, at hans afkast kunne konverteres til papirpenge, som han bare kunne lade brænde døgnet rundt, så blå og gule flammer ville oplyse nattehimlen over Genève, akkurat ligesom når man på olieraffinaderier afbrændte overskydende gas.

Mercedesen krydsede floden.

Han kunne ikke lide tanken om, at Gabrielle gik alene rundt i gaderne. Det var hendes impulsivitet, der bekymrede ham. Når hun først var vred, var hun i stand til at gøre hvad som helst. Hun kunne forsvinde i et par dage, flyve hjem til sin mor i England, der så ville fylde hende med vrøvl. *Ved du hvad? Glem det. Det er forbi.* Hvad mente hun med det? Hvad var forbi? Udstillingen? Hendes karriere som kunstner? Deres samtale? Deres ægteskab? Panikken bredte sig i ham igen. Livet uden Gabrielle ville være som et vakuum, han ikke kunne leve i. Han pressede panden ind mod det kolde glas, og et svimlende øjeblik, mens han stirrede ned i det mørke, grumsede vand, forestillede han sig, at han blev suget ned i intetheden ligesom en passager, der blev slynget ud af et fly mange kilometer over Jordens overflade.

Bilen drejede ind på Quai du Mont-Blanc. Byen, som smøg sig

rundt om den mørke sø, virkede dyster og trist, som om den var skabt af det samme materiale som Jura-bjergene i det fjerne. Der var ikke meget af den dyriske stål og glas-agtige overdådighed, man fandt på Manhattan eller i Londons finansdistrikt, hvor skyskrabere rejste sig og blev revet ned igen, og hvor op- og nedgangstider afløste hinanden, mens solide Genève, der aldrig stak hovedet alt for langt frem, forblev sig selv til evig tid. Hotel Beau-Rivage, som lå perfekt placeret cirka midt på den brede allé langs søen, fremstod med sine mursten som selve legemliggørelsen af disse værdier. Der var ikke sket noget spændende på hotellet siden 1898, hvor kejserinden af Østrig efter en frokost forlod hotellet og blev stukket ned af en italiensk anarkist. Der var én detalje ved mordet på hende, som Hoffmann aldrig havde kunnet glemme. Hun havde ikke været klar over, hvad der var sket, før hendes korset blev taget af, og på daværende tidspunkt var hun næsten allerede forblødt. I Genève var selv snigmord diskrete.

Mercedesen trak ind til siden på den modsatte side af gaden, og Paccard løftede bydende en hånd for at standse trafikken, hvorefter han førte Hoffmann over fodgængerovergangen, op ad trappen og ind i den forlorne Habsburger-storhed. Hvis hotellets concierge følte nogen form for personlig bekymring, da han fik øje på Hoffmann, lod han ikke den mindste antydning af sine følelser påvirke sit smil, da han tog over fra Paccard og førte *le cher doctor* op ad trappen til spisesalonen.

På den anden side af de høje døre var stemningen som i en salon fra 1800-tallet. Malerier, antikviteter, guldstole og tunge, draperede gardiner; kejserinden ville have følt sig hjemme. Quarry havde reserveret et langt bord ved de høje vinduer og sad med ryggen til søen og holdt øje med indgangen. Som en ægte engelsk gentleman havde han stukket en serviet ned bag skjortekraven, men da Hoffmann dukkede op, skyndte han sig at fjerne den og lægge den på stolen. Han rejste sig og kom sin partner i møde midt i restauranten.

»Professor,« sagde han muntert, så de andre kunne høre ham, hvorefter han diskret trak ham en smule til side. »Hvor helvede har du været?«

Hoffmann begyndte at svare, men Quarry afbrød ham uden at høre på ham. Hans øjne strålede ved udsigten til at få aftalen i hus.

»Nå, pyt nu med det. Det betyder ikke noget. Det vigtigste er, at alt tyder på, at de er med – de fleste af dem, i det mindste – og min fornemmelse siger mig, at vi sikkert snarere lander på en milliard end på syv hundrede og halvtreds millioner. Så lige nu er det eneste, jeg har brug for fra dig, maestro, tres minutters teknisk beroligelse. Og helst med så lidt brug af aggression som muligt, hvis du tror, du kan klare det.« Han nikkede hen mod bordet. »Kom og slut dig til os. Du er gået glip af restaurantens *grenouille de Vallorbe*, men deres *filet mignon de veau* skulle være guddommelig.«

Hoffmann stod bare som forstenet og sagde med stemmen fuld af mistro: »Har du lige købt alle Gabrielles kunstværker?«

»Hvad?« Quarry standsede, vendte sig og så forvirret på ham.

»En eller anden har lige købt samtlige værker på udstillingen og betalt dem med en overførsel fra en konto, der er registreret i mit navn. Jeg tænkte, det måske kunne være dig.«

»Jeg har ikke engang set udstillingen! Og hvorfor skulle jeg have en konto i dit navn? For det første ville det være allerhelvedes ulovligt.« Han kastede et blik over skulderen og så på investorerne, før han rettede blikket tilbage mod Hoffmann. Han virkede fuldkommen perpleks. »Ved du hvad? Er det ikke noget, vi kan tale om senere?«

»Så du er helt sikker på, at det ikke er dig, der har købt dem? Ikke engang i et forsøg på at være morsom? Du kan bare sige det, hvis det var dig.«

»Det er ikke lige min form for humor, du gamle. Beklager.«

»Det var også det, jeg tænkte.« Hoffmanns blik flakkede rundt i lokalet. Investorerne, tjenerne, de to udgange, de høje vinduer og balkonen udenfor. »En eller anden er ude efter mig, Hugo, og prøver at knuse mig lidt efter lidt. Det er faktisk begyndt at gå mig på.«

»Ja, det kan jeg se, Alexi. Hvordan går det med hovedet?«

Hoffmann førte en hånd om i baghovedet og lod fingrene glide hen over de hårde og fremmede knuder på stingene. Det gik op for ham, at han havde en dundrende hovedpine. »Jeg er begyndt at få ondt igen.«

»Okay,« sagde Quarry langsomt. Under andre omstændigheder ville Hoffmann have moret sig over, hvordan Quarry selv i skyggen af en potentiel katastrofe holdt så stædigt fast i sine stive engelske manerer. »Godt, hvad er det, du siger? Fortæller du mig, at du måske er nødt til at tage tilbage til hospitalet?«

»Nej, jeg sætter mig bare.«

»Og får lidt at spise, måske?« sagde Quarry håbefuldt. »Du har ikke spist noget hele dagen, vel? Der er ikke noget at sige til, at du har det underligt.« Han holdt om Hoffmanns arm og førte ham hen til bordet. »Godt. Sæt dig her over for mig, så jeg kan holde øje med dig, og måske kan vi alle rotere lidt rundt senere. Der er i øvrigt godt nyt fra Wall Street,« tilføjede han lavmælt. »Det ser ud til, at Dow-indekset vil åbne i et stort minus.«

Hoffmann bemærkede, at en tjener trak en stol ud til ham mellem den parisiske advokat François de Gombart-Tonnelle og Etienne Mussard. Quarry var flankeret af deres respektive partnere, Elmira Gulzhan og Clarisse Mussard. Kineserne havde fået lov til at passe sig selv i den ene ende af bordet, mens de amerikanske bankfolk, Klein og Easterbrook, sad i den anden. Ind imellem sad Herxheimer, Mould, Łukasiński samt diverse advokater og rådgivere og udstrålede den gemytlighed, der var så typisk for mænd, der fortsatte med at opkræve en lukrativ timetakst, mens de nød et gratis måltid mad. En kraftig stofserviet blev rystet og bredt ud over Hoffmanns skød. Restaurantens kyper tilbød ham valget mellem hvid- eller rødvin – en Louis Jadot Montrachet Grand Cru fra

2006 eller en Latour fra 1995 – men han takkede nej til begge og bad om helt almindeligt postevand.

De Gombart-Tonnelle sagde: »Vi sad netop og diskuterede skatteprocenter, Alex.« Med sine lange fingre brækkede han et lille stykke af et kuvertbrød og kom det i munden. »Vi talte om, hvordan det fremstår, som om Europa prøver at følge i Sovjetunionens fodspor. Fyrre procent i Frankrig, femogfyrre i Tyskland, syvogfyrre i Spanien og halvtreds i Storbritannien ...«

»Halvtreds procent!« indskød Quarry. »Jeg mener, misforstå mig ikke, jeg er lige så patriotisk som alle andre, men har jeg virkelig lyst til at indgå i et fifty/fifty-partnerskab med Hendes Majestæts Regering? Nej, det tvivler jeg på.«

»Der findes ikke noget demokrati længere,« sagde Elmira Gulzhan. »Staten har mere kontrol end nogensinde. Al vores frihed forsvinder, men ingen lader til at protestere. Det er det, der i mine øjne er så deprimerende ved det her land.«

De Gombart-Tonnelle var ikke færdig med at tale. »... selv i Genève er skatteprocenten på fireogfyrre procent.«

»Kom ikke her og fortæl, at I betaler fireogfyrre procent,« sagde Iain Mould.

Quarry smilede, som om han lige var blevet stillet et spørgsmål af et barn. »I teorien, ja, skal man betale fireogfyrre procent af sin løn. Men hvis man modtager sin løn i form af udbytte og har registreret sit firma i udlandet, er fire femtedele af udbyttet helt legalt skattefrit, hvilket reelt vil sige, at vi taler om en marginal procentsats på otte komma otte. Er det ikke korrekt, Amschel?«

Herxheimer, der reelt boede i Zermatt, men som i kraft af en særlig evne til teleportation havde adresse på Guernsey, gav ham ret i, at det forholdt sig som beskrevet.

»Otte komma otte,« gentog Mould og så nærmest syg ud. »Utroligt.«

»Jeg flytter til Genève,« råbte Easterbrook hen over bordet.

»Ja, men prøv at fortælle det til Uncle Sam,« sagde Klein dystert. »De amerikanske skattemyndigheder vil forfølge dig til verdens ende, så længe du stadig har et amerikansk pas. Og har du nogensinde prøvet at slippe af med dit amerikanske statsborgerskab? Det *kan* man ikke. Det er ligesom at være en af de jøder, der prøvede at flygte til Israel fra Sovjetunionen i halvfjerdserne.«

»Ingen frihed,« gentog Elmira Gulzhan, »som jeg sagde. Staten tager alt fra os, og hvis vi vover at protestere, bliver vi anholdt for at være politisk ukorrekte.«

Hoffmann stirrede på dugen, mens diskussionen fortsatte med at drive frem og tilbage i luften omkring ham. Han var kommet i tanker om grunden til, at han ikke brød sig om rige mennesker: deres selvmedlidenhed. Forfølgelse var fællesnævneren for de fleste velhavende menneskers samtaler, akkurat ligesom sport eller vejret var det for alle andre. Han foragtede dem.

»Jeg foragter jer,« sagde han, men ingen hørte efter – så opslugt var de af ulighederne ved de høje skatteprocenter og den forbryderiske holdning, der kendetegnede alle offentligt ansatte. Og så tænkte han: Måske er jeg blevet en af dem. Er det derfor, jeg er så paranoid? Han undersøgte sine håndflader under bordet og derefter den anden side af hænderne, som om han nærmest forventede, at han var begyndt at få pels.

I det samme blev dørene åbnet, og ind kom otte tjenere i kjole og hvidt på en lang række. I hænderne bar hver to tallerkener med elegante varmelåg af sølv. De tog opstilling mellem de gæster, som de på forhånd havde fået besked på at servere for, placerede tallerkenerne foran dem, tog fat om de to varmelåg med de hvide handsker, og på et signal fra overtjeneren løftede de lågene af. Hovedretten var kalvekød med morkler og asparges og blev serveret for alle andre end Elmira Gulzhan, som fik et stykke grillet fisk, og Etienne Mussard, der fik en burger med pomfritter.

»Jeg spiser ikke kalvekød,« sagde Elmira og lænede sig fortroligt hen over bordet mod Hoffmann, hvorved hun tilbød ham et kort glimt af sine lysebrune bryster. »De stakkels kalve lider noget så skrækkeligt.«

»Åh, jeg foretrækker rent faktisk mad, som har lidt,« sagde Quarry muntert, mens han atter stak servietten ned bag skjortekraven og tog kniv og gaffel i hænderne. »Jeg tror, at frygt frigiver et helt specielt delikat kemisk stof, som sendes ud i kødet fra nervesystemet. Kalvekoteletter, hummer, pâte de foie gras – jo mere ubehagelig døden har været, jo bedre. Det er min filosofi: Ingen smerte, ingen gevinst.«

Elmira slog ud efter ham med snippen på sin serviet. »Hugo, du er *grusom*. Er han ikke, Alex?«

»Jo, det er han,« svarede Hoffmann. Han skubbede maden rundt på tallerkenen med gaflen. Han havde ingen appetit. Over skulderen på Quarry kunne han i den modsatte ende af søen se vandstrålen rejse sig mod den grå himmel som lyskeglen fra en projektør.

Łukasiński begyndte at tale hen over bordet for at stille nogle tekniske spørgsmål om den nye fond, og Quarry lagde bestikket fra sig for at besvare dem. Alle de investerede penge ville være underlagt en spærret periode på et år, hvorefter der ville være fire årlige indfrielsesdage. 31. maj, 31. august, 30. november og 28. februar. Alle indfrielser krævede en forudgående opsigelsesperiode på femogfyrre dage. Fondens struktur ville fortsætte som hidtil. Alle investorer blev en del af et aktieselskab med begrænset ansvar, som af skattemæssige årsager var registreret på Cayman Islands, og som havde engageret Hoffmann Investment Technologies til at forvalte aktiverne.

»Hvor hurtigt skal I have svar fra os?« spurgte Herxheimer.

»Vi ønsker at lukke fonden igen inden udgangen af måneden,« svarede Quarry.

»Tre uger, med andre ord?«

»Ja, det er korrekt.«

Pludselig var stemningen omkring bordet blevet alvorlig, og alle de små sidesamtaler var gået i stå. Alle lyttede.

»Godt, I kan få mit svar med det samme,« sagde Easterbrook og pegede på Hoffmann med sin gaffel. »Ved du, hvad jeg godt kan lide ved dig, Hoffmann?«

»Nej, Bill. Hvad?«

»Du prøver ikke at lokke nogen med salgstaler. Du lader tallene tale for sig selv. Jeg traf min beslutning i det øjeblik, mit fly landede. Der er nødt til at blive udvist rettidig omhu og alt det pis og bla, bla, bla, men jeg vil anbefale, at AmCor fordobler sin aktiepost.«

Quarry kastede et hurtigt blik på Hoffmann på den anden side af bordet, mens han spilede sine blå øjne op og vædede læberne med tungespidsen. »Det er en milliard dollars, Bill,« sagde han stille.

»Ja, jeg ved godt, at det er en milliard dollars, Hugo. Og det var mange penge engang.«

De andre om bordet lo. Det var et øjeblik, de alle skulle komme til at huske. Det var en anekdote, som de i løbet af de næste mange år skulle komme til at nyde at genfortælle på lystyachterne i havnene i Antibes og Palm Beach. Den dag, da gamle Bill Easterbrook over en frokost trak en milliard op af lommen og sagde, at det engang havde været mange penge. Udtrykket i Easterbrooks ansigt afslørede, at han vidste, hvad de tænkte. Det var hele grunden til, at han havde gjort det.

»Bill, det er meget generøst af dig,« sagde Quarry hæst. »Alex og jeg er ganske overvældede.« Hans blik flakkede over mod den anden side af bordet.

»Ja, helt overvældede,« gentog Hoffmann.

»Winter Bay er også med,« sagde Klein. »Jeg kan dog endnu ikke fortælle nærmere om beløbets størrelse – jeg er ikke sikkerhedsgodkendt på samme niveau som Bill – men jeg kan godt afsløre, at der bliver tale om en anseelig sum.«

»Det samme her,« sagde Łukasiński.

»Jeg vil tage en snak med min far,« sagde Elmira, »men han vil gøre, som jeg beder ham om.«

»Vil det sige, at jeg kan tage stemningen om bordet som udtryk for, at alle planlægger at øge deres investeringer?« sagde Quarry. Mumlende bekræftelser lød rundt om bordet. »Godt, det lyder lovende. Må jeg ikke prøve at stille spørgsmålet på en anden måde? Er der nogen, der *ikke* har planer om at øge deres investering?« Gæsterne så rundt på hinanden, og indtil flere trak på skuldrene. »Heller ikke du, Etienne?«

Mussard så muggent op fra sin burger. »Nej, nej. Det tror jeg ikke, hvorfor skulle jeg ikke gøre det? Man hvis du ikke har noget imod det, vil jeg helst ikke diskutere det i fuld offentlighed. Jeg foretrækker at gøre tingene på den sædvanlige schweiziske måde.«

»Med lyset slukket og tøjet på, mener du?« Quarry rejste sig, mens en bølge af latter bredte sig om bordet. »Mine venner, jeg ved godt, at vi endnu ikke er færdige med at spise, men hvis der nogensinde har været et tidspunkt, hvor det var passende at udbringe en spontan skål på russisk maner – tilgiv mig Mieczyslaw – tror jeg, det må være nu.« Han rømmede sig. Det virkede, som om han var lige ved at græde. »Kære gæster, vi føler os meget beærede over jeres tilstedeværelse, venskab og tillid. Jeg tror oprigtigt, at vi lige her og nu sammen oplever fødslen af en helt ny kraft inden for global forvaltning af aktiver, et produkt af foreningen af topmoderne videnskab og aggressive investeringsstrategier – eller, hvis I foretrækker, af Gud og mammon.« Mere latter. »Og ved denne lykkelige begivenhed føles det i mine øjne kun passende, at vi alle rejser os og løfter glasset for at udbringe en skål for det geni, som har gjort det hele muligt ... nej, nej, nej ... ikke for *mig*!« Hans øjne strålede, da han så ned på Hoffmann. »Lad os udbringe en skål for VIXAL-4's skaber ... for Alex!«

Ledsaget af en højlydt skramlen af stoleben, et kor af stemmer og en klirren af klinkende glas rejste investorerne sig og udbragte en skål for Hoffmann. De så alle hengivent på ham – selv Mussard formåede at tvinge en lille krusning frem om læberne – og da de havde sat sig igen, fortsatte de med at nikke og smile til ham, indtil det til hans forfærdelse gik op for ham, at de forventede en reaktion fra hans side.

»Åh nej,« sagde han.

Quarry pressede ham blidt. »Kom nu, Alexi. Bare et par ord, og bagefter behøver du ikke at tænke på at gøre det igen de næste otte år.«

»Nej, jeg kan virkelig ikke.«

Et kor af muntre opfordringer lød, og det gik op for Hoffmann, at han rent faktisk begyndte at rejse sig fra stolen. Hans serviet gled ned fra skødet og landede på tæppet. Han holdt om stolen med den ene hånd for at støtte sig til den, mens han prøvede at tænke på, hvad han kunne sige. Næsten fraværende rettede han blikket ud ad vinduet og betragtede udsigten, som – fordi han nu stod op – var blevet udvidet til ikke kun at omfatte den modsatte bred, det høje springvand og søens blæksorte vand, men også promenaden direkte foran hotellet, hvor kejserinden var blevet stukket ned. På netop dette stykke er Quai du Mont-Blanc ekstra bred og løber igennem en lille park med lindetræer, bænke, små veltrimmede græsplæner, snørklede belle époque-lamper og mørkegrønne planteskulpturer. En halvcirkelformet dæmning med en balustrade af sten strækker sig ud i vandet og fører ned til en mole og et færgeleje. Netop denne eftermiddag stod omkring et lille dusin mennesker i kø for at købe billet til færgen. En ung kvinde med en rød baseballkasket på hovedet kørte forbi på rulleskøjter. To mænd i cowboybukser gik tur med en stor, sort puddel. Til sidst hvilede Hoffmanns blik på et skeletagtigt genfærd i en brun læderfrakke under et af de lysegrønne lindetræer. Hans ansigt var hærget og blegt, som om han lige havde kastet op eller været besvimet. Hans øjenhuler fremstod som to mørke grotter under hans fremtrædende pande, og hans hår var redt tilbage og samlet i en stram, grå hestehale. Han stirrede direkte op på det vindue, som Hoffmann kiggede ud ad.

Hoffmann stivnede. I adskillige lange sekunder var han ude af stand til at røre sig ud af stedet, men så tog han et ufrivilligt skridt tilbage og væltede sin stol. Quarry stirrede forfærdet på ham og udbrød: »Åh gud, besvimer du?« og begyndte at rejse sig, men Hoffmann holdt en hånd op for at bremse ham. Han tog endnu et skridt væk fra bordet, men hans ben blev viklet ind i benene på den væltede stol. Han mistede balancen og var lige ved at falde, men så var det, som om det anfald, han var blevet ramt af, var ovre, for pludselig sparkede han stolen væk, vendte sig om og spurtede hen mod døren.

Hoffmann var knap bevidst om de mange overraskede udbrud bag sig eller om Quarry, der kaldte på ham. Han løb gennem den spejlklædte korridor, fortsatte ned ad den brede trappe og holdt om gelænderet, så han kunne komme hurtigere rundt i svingene på reposen. For enden af trappen sprang han ned over de sidste trin, spurtede forbi sin livvagt – som stod og talte med hotellets concierge – og videre ud på promenaden.

11

Men kampen vil altid være hårdest mellem medlemmer af samme art, da de ofte lever de samme steder, æder den samme føde og er udsat for de samme farer.

CHARLES DARWIN, *Arternes oprindelse* (1859)

På den anden side af den brede vej var der ingen at se på fortovet under lindetræerne. Hoffmann standsede mellem rækkerne af kufferter uden for hotellet, kastede et blik til begge sider og bandede. Dørmanden spurgte, om han ledte efter en taxa. Hoffmann ignorerede ham, forlod indgangen til hotellet og gik hen til det nærmeste hjørne. Foran ham hang et skilt, HSBC Private Bank, og på hans venstre side løb en snæver, ensrettet gade, Rue Docteur-Alfred-Vincent, hen langs den ene side af Beau-Rivage. Af mangel på bedre muligheder småløb han omkring halvtreds meter hen ad sidegaden og kom forbi et stillads, nogle parkerede motorcykler og en lille kirke. For enden var der et vejkryds. Han standsede igen.

Ved det næste gadehjørne var en skikkelse i en brun frakke på vej over gaden. Da manden var kommet over på den anden side, standsede han og så tilbage i retning af Hoffmann. Det *var* ham, ingen tvivl om det. En hvid varevogn passerede mellem dem, og så forsvandt manden humpende ned ad en sidegade.

Hoffmann satte i løb. En voldsom og selvretfærdig energi strømmede gennem hans krop og drev hans ben frem med lange, taktfaste skridt, og han spurtede hen mod det sted, hvor han sidst havde set manden. En ny ensrettet gade, og igen var manden forsvundet ud af syne. Han løb ned til det næste gadehjørne. Gaderne var smalle og stille. Der var masser af parkerede biler, men ingen nævneværdig trafik. Overalt lå der små forretninger – en frisørsalon, et apotek, en bar – og der var en del mennesker, som var ude for at ordne et ærinde i frokostpausen. Han kastede opgivende et blik til begge sider, før han drejede til højre, satte i løb igen, drejede til venstre og arbejdede sig gennem labyrinten af snævre sidegader. Han havde ikke lyst til at opgive jagten, selvom han følte sig mere og mere overbevist om, at manden var sluppet væk. Kvarteret skiftede karakter, men i begyndelsen var han ikke for alvor bevidst om det. Bygningerne blev mere slidte og misligholdte. Flere af dem var faldefærdige og overmalet med graffiti, og så var det pludselig, som om han befandt sig i en helt anden by. En sort teenagepige klædt i en stram bluse og et hvidt plasticagtigt miniskørt råbte efter ham fra den anden side af gaden. Hun stod uden for en forretning med et lilla neonskilt, VIDEO CLUB XXX. Længere fremme var der yderligere tre kvinder, alle sorte og tydeligvis ludere, som slentrede frem og tilbage på fortovet, mens deres alfonser stod og røg i en døråbning eller holdt øje med dem fra gadehjørnet. Unge, små og slanke mænd med olivenfarvet hud og kortklippet sort hår. Nordafrikanere eller måske albanere.

Hoffmann sagtnede farten og prøvede at orientere sig. Det gik op for ham, at han måtte have løbet næsten hele vejen til Cornavin-banegården, direkte ind i luderkvarteret. Til sidst standsede han uden for en natklub, hvor facaden var overklistret med afskallede plakater fra Le Black Kat (XXX, FILM, PIGER, SEX). Han lavede en grimasse, da han mærkede en skarp og stikkende følelse i siden af kroppen. Han støttede hænderne i siden og lænede sig ud over kantstenen, mens han prøvede at få vejret. En asiatisk prostitueret holdt øje med ham fra vinduet i en forretning ikke mere end tre meter væk. Hun var klædt i sort korset og nylonstrømper og sad på en rød damaskbetrukket stol med det ene ben lagt forførende over det andet. Hun rettede sig op på stolen, smilede og vinkede til ham, men så fik en usynlig mekanisme pludselig et gardin til at blive trukket for i vinduet.

Han rettede sig op, pinligt bevidst om at både pigerne og deres alfonser holdt øje med ham. En mand med et rotteagtigt ansigt og koparret hud – han så ud til at være en smule ældre end de andre – stirrede på ham, mens han talte i en mobiltelefon. Hoffmann vendte om og gik tilbage i den retning, han var kommet fra, mens han omhyggeligt kastede et blik ind i baggårdene og gyderne på begge sider for det tilfældes skyld, at manden skjulte sig for ham. Han kom forbi endnu en pornobutik, *Je Vous Aime*, standsede og gik lidt tilbage. I vinduet var der gjort et halvhjertet forsøg på at udstille butikkens varer. Massageapparater, parykker, erotisk undertøj. Et par sorte bundløse trusser var hængt op på en plade og lignede en død flagermus. Døren stod åben, men et gardin af spraglede plasticstrimler gjorde det umuligt for ham at se ind. Han tænkte på håndjernene og mundkneblen, som overfaldsmanden havde efterladt i huset. Leclerc havde sagt, at de sikkert stammede fra en pornobutik.

Pludselig lød et signal fra hans mobil. Han havde modtaget en sms. 'Rue de Berne 91, chambre 68.'

Han stirrede på beskeden i adskillige sekunder. Han var lige gået forbi Rue de Berne, var han ikke? Han vendte sig om, og der lå den, lige bag ham. Så tæt på, at han tydeligt kunne læse navnet på det blå gadeskilt. Han tjekkede beskeden igen. Afsenderen var ukendt, og nummeret var hemmeligt. Han kastede et blik rundt for at se, om nogen holdt øje med ham. Plasticstrimlerne i døråbningen blafrede og blev trukket til side. En fed, skaldet mand med seler over en beskidt vest dukkede op.

»*Que voulez-vous, monsieur?*«

»*Rien.*«

Hoffmann gik tilbage til Rue de Berne. Gaden var lang og forfalden, men i det mindste var den mere trafikeret. Der var to vejbaner og sporvognskabler spændt ud mellem bygningerne, hvilket fik ham til at føle sig mere tryg. På hjørnet lå en butik med frugt og grønt, som havde en masse varer stående på fortovet, og ved siden af lå en lille café med et par tomme aluminiumsborde og stole udenfor samt en tobaksforretning, der reklamerede for '*Cartes telephoniques, Videos X, DVDs, Revues X USA*'. Han tjekkede husnumrene. De steg på hans venstre side. Han fortsatte, mens han holdt øje med numrene, og i løbet af blot et halvt minut føltes det som at emigrere fra Nordeuropa til den sydlige del af Middelhavet. Libanesiske og marokkanske restauranter, slyngede arabiske bogstaver på butiksfacaderne og høj arabisk musik fra højttalere. I luften hang en fedtet lugt af kebab, som fik det til at vende sig i hans mave. Kun den absurde mangel på affald på fortovet afslørede, at han befandt sig i Schweiz.

Han fandt nummer 91 på den nordlige side af Rue de Berne over for en butik med afrikansk tøj. En forfalden syvetagers bygning, måske hundrede år gammel, med afskallet gul stuk og grønne metalskodder for vinduerne. Bygningen var fire fag bred, og hotellets navn stod skrevet ned over facaden, næsten fra top til bund, i form af en række individuelle bogstaver, der hang ud over fortovet: HOTEL DIODATI. De fleste af skodderne var lukkede, men i et par af vinduerne kunne han se de halvåbne persienner, der nærmest lignede søvnige øjne, men han kunne ikke se ind på selve værelserne på grund af et gråhvidt slør af kraftige, blomstermønstrede gardisettegardiner. I bunden af bygningen var der en gammel, solid trædør, som af uforklarlige årsager fik Hoffmann til at tænke på Venedig. Døren var helt sikkert ældre end bygningen og omhyggeligt udskåret med symboler, der lignede noget fra en frimurerloge. Mens han kiggede på døren, blev den åbnet indad, og ud af bygningens mørke indre kom en mand klædt i cowboybukser, tennissko og en trøje med hætten trukket op over hovedet.

Det var umuligt at se hans ansigt. Han stak hænderne i lommen, trak skuldrene op om ørerne og forsvandt hen ad gaden. Et lille minut efter gik døren op igen. Denne gang var det en kvinde, ung og slank, med pjusket, orangefarvet hår og en kort sort og hvidternet nederdel. Hun bar en taske på den ene skulder. Hun standsede på dørtrinnet og åbnede tasken, rodede lidt i den og fandt et par solbriller, som hun tog på, før hun fortsatte hen ad gaden i den modsatte retning.

Det var ikke sådan, at der var et bestemt øjeblik, hvor Hoffmann besluttede sig for at gå ind i bygningen. Han holdt blot øje med den i et stykke tid, før han gik over gaden og blev stående lidt uden for døren, før han til sidst skubbede den op og kastede et blik indenfor. Luften i bygningen virkede gammel og indelukket, og det blev snarere understreget end sløret af en røgelsespind, der brændte et eller andet sted. Der var en lille vestibule med en ubemandet skranke samt et område med en sort og rød sofa med træben og matchende lænestole. I halvmørket lyste et lille akvarium, men der så ikke ud til at være nogen fisk i det.

Hoffmann gik ind over dørtrinnet. Han tænkte, at hvis nogen undrede sig over hans tilstedeværelse, kunne han altid bare sige, at han gerne ville leje et værelse. Han havde penge i lommen og kunne betale for det. Hotellet udlejede sikkert værelserne på timebasis. Den tykke dør klikkede i bag ham og lukkede lydene fra gaden ude. På etagen ovenover var der nogen, der bevægede sig rundt, og der blev spillet musik. En dunkende basrytme fik de tynde skillevægge til at vibrere. Han fortsatte hen over det flossede linoleumsgulv i den tomme vestibule og gik hen ad en smal gang mod en lille elevator. Han trykkede på knappen, og dørene gled op med det samme, som om elevatoren havde ventet på ham.

Elevatoren var mikroskopisk og beklædt med ridsede, grå metalplader, der fik ham til at tænke på et gammelt arkivskab, og der var lige akkurat plads nok til to mennesker. Da dørene gled i, var han lige ved at blive overmandet af klaustrofobi. Knapperne på væggen gav ham muligheden for at vælge mellem syv etager. Han trykkede på knappen til sjette. En fjern motor hvinede, elevatoren rystede og begyndte langsomt at sætte sig i bevægelse. Det var ikke så meget en følelse af fare, han mærkede, snarere en følelse af uvirkelighed – som om han befandt sig i en tilbagevendende drøm fra barndommen, som han ikke helt kunne huske. En drøm, hvor der ikke var andre muligheder end at fortsætte, indtil han fandt udgangen.

Det føltes, som om elevatoren kørte i en evighed. Han spekulerede på, hvad der ventede i den anden ende. Da den omsider standsede, holdt han hænderne op foran brystet for at beskytte sig, da døren hakkende åbnede sig på sjette etage.

Der var ingen at se på reposen. I begyndelsen tøvede han med at træde ud af elevatoren, men så begyndte dørene at gå i, og han var nødt til at stikke et ben frem mellem dem for at forhindre, at han blev spærret inde igen. Dørene gled hakkende tilbage, og han trådte forsigtigt ud på reposen. Der var mørkere end i vestibulen, og hans øjne skulle lige tilpasse sig. Væggene var bare. Også her var luften indelukket og klam, som om den havde været indåndet tusindvis af gange og aldrig blev fornyet via en åben dør eller et vindue. Der var varmt. Der var to døre på væggen lige over for ham og flere hen ad gangene på begge sider. Et amatøragtigt skilt, der var skrevet med løse, farvede plasticbogstaver af den slags, man kunne købe i de fleste legetøjsbutikker, fortalte, at værelse 68 lå til højre. Han for forskrækket sammen, da der lød et højt smæld bag ham, fordi elevatoren satte sig i bevægelse igen, og han hørte, hvordan den kørte hele vejen ned til bunden. Da den standsede, sænkede stilheden sig igen.

Han tog et par skridt til højre og førte forsigtigt hovedet rundt om hjørnet. Værelse 68 lå i den modsatte ende af gangen, og døren var lukket. Fra et sted i nærheden kom en rytmisk larm af skurrende metal, og i begyndelsen troede han, at der var tale om en sav, men så gik det op for ham, at det var lyden af knagende sengefjedre. Der lød et bump. En mand stønnede, som om han havde voldsomme smerter.

Hoffmann fandt sin mobil frem for at ringe til politiet, men selvom han befandt sig inde midt i Genève, var der underligt nok ikke noget signal. Han stak telefonen tilbage i lommen og fortsatte forsigtigt hen i den modsatte ende af gangen. Hans øjne befandt sig i præcis samme højde som det bulende glas i dørspionerne på værelserne. Han lyttede, men han kunne ikke høre en lyd. Han bankede på, lagde øret mod døren og lyttede igen. Der var ingenting at høre. Selv naboens sengefjedre var holdt op med at knage.

Han tog i det sorte plastichåndtag. Døren nægtede at åbne sig. Men den var kun låst ved hjælp af en enkelt Yalelås, og han kunne se, at dørkarmen var halvrådden. Da han borede neglene ind i det svampede træ, kunne han pille en kile af smuldrende orange flager på størrelse med tændstikker af. Han tog et skridt tilbage og kastede et blik tilbage over skulderen, før han stødte skulderen hårdt ind i døren. Den gav sig en lille smule. Han tog yderligere et par skridt tilbage og kastede sig frem mod døren igen. Denne gang lød en splintrende lyd, og døren åbnede sig et par centimeter. Han pressede alle ti fingre ind i sprækken og skubbede. Der lød en høj knagen, og døren gik op.

Der var mørkt indenfor, og kun en svag stribe af gråt dagslys trængte ind gennem en sprække i skodderne, som ikke sluttede helt tæt. Han listede forsigtigt hen over tæppet og følte sig frem med hænderne bag gardinerne for at lede efter kontakten. Da han fandt den, trykkede han på den, og skodderne begyndte larmende at hæve sig. Uden for vinduet kunne han se en brandtrappe, og omkring halvtreds meter væk lå bagsiden af en række bygninger, der var adskilt fra hotellet af en murstensvæg og en række baggårde fyldt med skraldespande, ukrudt og ragelse. I det stadig ikke alt for klare lys kunne han trods alt se, hvordan værelset var indrettet. En uredt enkeltseng på hjul med et gråt lagen, der hang slapt ned mod det røde og sorte gulvtæppe, en lille kommode med en rygsæk på og en træstol med et slidt, brunt lædersæde. Radiatoren under vinduet var så varm, at han ikke kunne røre ved den. I luften hang en kraftig lugt af cigaretrøg og billig sæbe. De nøgne pærer i lamperne på væggen havde gjort tapetet afsvedet og brunt. I et trangt badeværelse var der et lille badekar med et klart badeforhæng, en vask med mørkegrønne aflejringer under den dryppende vandhane og et toilet med lignende grønne rande. På en træhylde stod et glas med en tandbørste og en blå engangsskraber.

Han gik ind på værelset igen. Han tog rygsækken med hen til sengen, åbnede den og hældte indholdet ud på lagnet. Det meste af indholdet var snavset tøj – en ternet skjorte, T-shirts, underbukser, sokker – men mellem tøjet lå der et gammelt Zeiss-kamera med en kraftig linse foruden en bærbar computer, der føltes varm. Den var tændt, men i dvale.

Han stillede computeren på sengen og gik tilbage til den åbne dør. Dørkarmen var flosset omkring låsen, men den var ikke brækket helt af, og han fandt ud af, at han stadig kunne presse låsen tilbage på plads og forsigtigt lukke døren. Den ville gå op igen, hvis nogen skubbede til den udefra, men set på afstand ville man ikke kunne se, at døren var blevet åbnet med magt. Bag døren fik han øje på et par støvler. Han tog fat om dem med tommel- og pegefingeren på den ene hånd og løftede dem op for at undersøge dem nærmere. De var magen til de støvler, han havde set uden for sit eget hus. Han stillede dem fra sig på gulvet igen, vendte tilbage og satte sig på sengekanten og åbnede computeren. I det samme lød et højt klonk fra bygningens indre. Elevatoren havde sat sig i bevægelse igen.

Hoffmann stillede computeren fra sig og lyttede til den hvinende lyd, mens elevatoren langsomt kørte op gennem skakten.

Omsider standsede den, og han hørte dørene gå op med en høj skramlen. Han gik hen til døren og pressede øjet mod dørspionen, netop som manden trådte rundt om hjørnet. I den ene hånd holdt han en hvid plasticpose, mens han med den anden ledte efter noget i sin lomme. Han nåede hen til døren og tog nøglen frem. Den forvrængende linse i dørspionen fik mandens ansigt til at virke endnu mere kranieagtigt end før, og Hoffmann mærkede de små nakkehår rejse sig.

Han tog et skridt tilbage og kastede et hurtigt blik rundt, før han skyndte sig ud på badeværelset. Et øjeblik efter hørte han nøglen blive stukket i låsen fulgt af et overrasket udbrud, da døren uden videre svingede op. I sprækken mellem badeværelsesdøren og dørkarmen havde han et godt udsyn til det halvmørke værelse. Han holdt vejret. I et stykke tid skete der ingenting. Han bad til, at manden måske var vendt om for at gå ned i receptionen og fortælle, at der havde været indbrud. Men så gled en skygge et øjeblik efter forbi, da manden gik hen mod vinduet. Hoffmann var på nippet til at tage chancen og stikke af, da manden overraskende adræt pludselig vendte sig om og sparkede døren til badeværelset op.

Der var noget skorpionagtigt ved den måde, manden stod på. Med spredte ben og en lang kniv, som han holdt op ved siden af hovedet. Han virkede større inde under læderfrakken, end Hoffmann huskede ham. Det var umuligt at slippe forbi ham. En række lange sekunder passerede, mens de bare stirrede tavst på hinanden, men så sagde manden med en overraskende rolig og dannet stemme: »*Zurüch. In die Badewanne.*« Han pegede på badekarret med kniven, men Hoffmann rystede på hovedet for at vise, at han ikke forstod. »*In die Badewanne,*« gentog manden og rettede kniven mod først Hoffmann og derefter badekarret. Efter endnu en lang pause bemærkede Hoffmann, at hans krop gjorde, som manden gav ham besked på. Hans ene hånd trak badeforhænget til side, og hans ben trådte rystende op i badekarret. Han hørte sine ørkenstøvler støde mod den billige plasticbeklædning. Manden kom en smule længere ind på det lille badeværelse. Der var så trangt, at han næsten optog hele gulvpladsen. Han trak i en snor, og over vasken tændtes et flimrende lysstofrør. Han lukkede døren og sagde »*Ausziehen*«, og denne gang var han behjælpelig med en oversættelse. »Tag tøjet af.« Den lange læderfrakke fik ham til at ligne en slagter.

»*Nein*,« sagde Hoffmann. Han rystede på hovedet og holdt hænderne appellerende ud til siden. »Nej. Aldrig i livet.« Manden spyttede et bandeord, som Hoffmann ikke forstod, og slog ud efter ham med kniven, så bladet passerede så tæt, at selvom han pressede sig helt ind i hjørnet under bruseren, lavede kniven en lang flænge i hans regnfrakke, så en flig af den faldt ned mod knæene. Et uhyggeligt øjeblik troede han, at det var ham selv, der var blevet såret, og han skyndte sig at sige: »*Ja, ja*, okay. Jeg skal nok gøre det.« Hele situationen var så bizar, at det føltes, som om tingene skete for en anden i en helt anden virkelighed. Hoffmann skyndte sig at skubbe regnfrakken ud over først venstre skulder og derefter højre. Der var næsten ikke plads nok til, at han kunne få armene ud af ærmerne, og et øjeblik sad frakken fast på ryggen, så han måtte kæmpe sig ud af den, som om den var en spændetrøje.

Han prøvede at tænke på noget at sige for at etablere en form for kontakt med overfaldsmanden og bringe situationen ned på et andet og mindre skæbnesvangert plan. »Er du tysker?« spurgte han, og da manden ikke svarede, kæmpede han for at huske en smule af det, han havde lært, da han var ansat i CERN. »*Sie sind Deutscher*?« Der kom ikke noget svar.

Omsider fik han regnfrakken af og lod den falde ned om fødderne. Han tog sin jakke af og holdt den frem mod manden, som med kniven gav tegn til, at han bare skulle lade den falde ned på gulvet. Han begyndte at knappe skjorten op. Om nødvendigt ville han fortsætte med at tage tøjet af, indtil han var helt nøgen, men hvis manden forsøgte at binde ham, var han fast besluttet på at stritte imod – ja, han var ikke et øjeblik i tvivl om, at han ville sætte sig til modværge. Han ville hellere dø end blive efterladt fuldkommen hjælpeløs på værelset.

»Hvorfor gør du det her?« spurgte han.

Manden rynkede panden, som om han var et forvirret barn, og svarede på engelsk: »Fordi du inviterede mig.«

Hoffmann stirrede forfærdet på ham. »Jeg har ikke *inviteret* dig til noget.«

Kniven blev ført frem mod ham igen. »Fortsæt.«

»Hør her, det kan ikke være rigtigt ...«

Hoffmann åbnede de sidste knapper og lod skjorten falde ned oven på jakken. Hans tanker arbejdede på højtryk i et forsøg på at evaluere situationens risici og muligheder. Han tog fat om kanten på sin T-shirt og trak den op over hovedet, og da hans ansigt kom frem igen, og han så angrebsmandens sultne øjne, løb det ham koldt ned ad ryggen. Men han så også en svaghed, en mulighed. På en eller anden måde tvang han sig til at krølle den hvide T-shirt sammen til en bold og række den frem mod manden. »Her,« sagde han, og da manden rakte hånden frem for at tage imod den, pressede han fødderne let tilbage mod enden af badekarret for at sikre sig et bedre fodfæste. Han lænede sig opmuntrende frem – »Værsgo ...« – men så kastede han sig med ét frem mod manden.

Han knaldede ind i manden med så stor kraft, at han væltede ham bagover, og kniven blev slynget ud af hans hånd, da de landede på gulvet. I faldet blev de viklet så effektivt ind i hinanden, at det var umuligt for nogen af dem at komme til at tildele den anden et slag. Under alle omstændigheder var det eneste, Hoffmann havde i tankerne, at slippe ud af den frygtelige klaustrofobi på det trange og beskidte badeværelse. Han prøvede at komme på benene ved at gribe fat om vasken med den ene hånd og snoren under lampen med den anden, men det føltes, som om begge dele omgående gav efter for hans vægt. Badeværelset blev sendt ind i mørke, og han mærkede noget, der lukkede sig om hans ankel og trak ham ned igen. Han stødte hælen på den anden fod hårdt ned, og manden skreg af smerte. Han ledte fumlende efter dørhåndtaget i mørket, mens han på samme tid sparkede ud med benene. Han kunne mærke, at han ramte en knogle – mandens kranieskal under hestehalen, håbede han. Spark ham, mens han ligger ned, tænkte han besat. Spark ham, spark ham, spark ham. Manden klynkede og trak kroppen sammen i fosterstilling. Da han ikke længere fremstod som en trussel, åbnede Hoffmann døren og skyndte sig vaklende ind på værelset.

Han lod sig falde tungt ned på træstolen. Han havde en frygtelig kvalme og holdt hovedet ned mellem knæene. På trods af varmen på værelset rystede han af kulde. Han var nødt til at hente sit tøj. Han gik forsigtigt tilbage til badeværelset og skubbede til døren. Han hørte en skrabende lyd indenfor. Manden var kravlet hen til toilettet og blokerede døren. Hoffmann skubbede hårdt til den og hørte manden stønne og trække sig væk fra døren. Han skrævede hen over ham og tog sit tøj og kniven, hvorefter han vendte tilbage til værelset og skyndte sig at tage tøjet på. *Du inviterede mig*, tænkte han rasende – hvad helvede mente han med, at han havde inviteret ham? Han tjekkede sin mobil, men der var stadig ikke noget signal.

På badeværelset sad manden med hovedet ind over toiletkummen og så op, da Hoffmann kom ud til ham. Han rettede kniven ned mod ham og så på ham uden medfølelse.

»Hvad er dit navn?« spurgte han.

Manden vendte ansigtet væk og spyttede noget blod ned i toilettet. Hoffmann trådte forsigtigt nærmere, satte sig på hug og undersøgte manden på en halv meters afstand. Manden så ud til at være omkring tres, selvom det var svært at afgøre på grund af blodet i hans ansigt. Han havde en flænge over det ene øje. Hoffmann overvandt sin væmmelse, tog kniven over i venstre hånd, lænede sig frem og åbnede mandens læderfrakke. Manden løftede armene og gav ham lov til at lede, indtil han fandt en inderlomme, som han først fiskede en pung og derefter et rødbedefarvet EU-pas op af. Passet var tysk. Han åbnede det. Billedet var ikke særlig vellignende. Passet identificerede manden som Johannes Karp, født 14. 2. 52 i Offenbach am Main.

»Fortæller du mig helt alvorligt, at du er kommet hertil fra Tyskland, fordi jeg har inviteret dig?«

»*Ja.*«

»Du er sindssyg,« svarede Hoffmann skarpt.

»Nej, dit røvhul, det er dig, der er sindssyg,« sagde tyskeren, nu med en lille antydning af trods i stemmen. »Du gav mig sikkerhedskoderne til dit hus.« Lidt blod piblede ud ad hans ene mundvig. Han spyttede en tand ud i hånden og undersøgte den. »*Ein verrückter Mann*!«

»Hvor er invitationen?«

Manden nikkede afkræftet i retning af værelset. »På computeren.«

Hoffmann rejste sig og rettede kniven mod Karp. »Rør dig ikke ud af stedet, okay?«

På værelset satte han sig på stolen og åbnede computeren. Den blev omgående vakt til live, og på skærmen tonede et billede af Hoffmanns ansigt frem. Billedets kvalitet var elendig. Det lignede et forstørret udsnit af et billede fra et overvågningskamera. Han var blevet foreviget, mens han kiggede direkte op i kameraet, og hans udtryk var tomt og tankeløst. Billedet var så kraftigt beskåret, at det var umuligt at se, hvor det var taget.

Et par tasteslag førte ham til harddiskens registreringsdatabase. Alle programnavnene var på tysk. Han åbnede en liste over de senest benyttede filer. Den sidste mappe, der – kort efter klokken atten dagen før – havde været i brug, havde navnet *Der Rotenburg Cannibal.* I mappen lå snesevis af Adobe-filer med avisartikler om sagen om Armin Miewes – en computertekniker og internetkannibal, som mødtes med et villigt offer, han var kommet i kontakt med på en hjemmeside, hvorefter han bedøvede ham og begyndte at spise ham, og nu afsonede han en dom på livstid for mordet i et tysk fængsel. En anden mappe lod til at bestå af kapitler af en roman, *Der Metzgermeister – Slagtermesteren*, var det korrekt? Titusindvis af ord, der fremstod som en fiktiv historie fortalt som én lang bevidsthedsstrøm uden afsnit, og som Hoffmann ikke forstod et ord af. Der var også en mappe med navnet *Das Opfer*, som Hoffmann vidste betød *Offeret.* Teksten var på engelsk og lignede udskrifter fra et chatroom på internettet – en dialog, forstod han i takt med, at han læste videre, mellem en person, der fantaserede om at begå et mord, og en anden, der fantaserede om, hvordan det ville være at dø. Der var et eller andet underligt bekendt ved det, den ene af mændene havde skrevet. Der var formuleringer, han genkendte, og beskrivelser af drømme, der engang havde svøbt sig om hans tanker som gamle spindelvæv, indtil han havde skubbet dem ud af hovedet – eller i det mindste troede, at han havde gjort det.

Nu var det, som om drømmene smeltede sammen for øjnene af ham og fremstod som et dystert spejlbillede, og han var så optaget af det, der stod på skærmen, at det var et mindre mirakel, at en minimal ændring i lyset eller luften fik ham til at se op, netop som en flimrende kniv blev stødt frem mod ham. Han kastede hovedet tilbage, og kniven undgik lige akkurat at bore sig ind i hans øje. Bladet var omkring femten centimeter langt og sad på en springkniv, som manden måtte have skjult i lommen. Tyskeren sparkede ud efter ham og ramte ham på de nederste ribben, hvorefter han kastede sig frem og prøvede at svinge kniven ud mod ham igen. Hoffmann råbte højt af smerte og chok. Stolen vippede bagover og væltede, og pludselig var Karp over ham igen. Kniven funklede i det svage lys. På en eller anden måde, der snarere skyldtes en instinktiv refleks end en bevidst handling, lykkedes det Hoffmann at gribe fat om mandens håndled med sin venstre og svageste hånd. Et øjeblik sitrede kniven i luften lige ud for hans ansigt. »*Es ist, was Sie sich wünschen,*« hviskede Karp roligt. *Det er, hvad De ønsker.* Spidsen af kniven prikkede rent faktisk Hoffmann på kinden. Han skar ansigt af anstrengelse for at presse kniven væk, millimeter for millimeter, indtil overfaldsmandens arm langt om længe fløj tilbage, og i en sitrende rus over sine egne kræfter skubbede han tyskeren hårdt tilbage mod metalrammen på sengen, så den skurrende gled hen over gulvet og knaldede hårdt ind i væggen. Hoffmann holdt stadig om mandens håndled med højre hånd, mens han pressede den anden ind mod hans ansigt og borede fingrene dybt ind i hans øjenhuler, mens han med håndroden tvang hans hage ned mod brystet. Karp brølede af smerte og flåede i Hoffmanns fingre med sin frie hånd. Hoffmann reagerede ved at flytte hånden, så den pressede direkte ned mod mandens luftrør og lukkede af for alle lyde fra ham. Han lænede sig ind over ham og lagde hele sin kropsvægt, frygt og vrede bag, mens han holdt Karp som lænket fast til siden af sengen. Han kunne lugte læderet på tyskerens frakke blandet med en skarp stank af hans sved, og han kunne mærke de stikkende skægstubbe på hans hals. Enhver tidsfornemmelse var forsvundet, fejet væk af adrenalinsuset, men alligevel var det, som om han efter blot et øjeblik eller to mærkede, at mandens fingre gradvist holdt op med at rykke i hans hånd, og til sidst faldt kniven klirrende til gulvet. Mandens krop blev slap, og da Hoffmann trak hænderne tilbage, faldt han livløst ud til siden.

Hoffmann blev bevidst om, at det bankede på væggen, og en mand råbte på fransk med kraftig accent og krævede at få at vide, hvad helvede det var, der foregik. Han rejste sig og lukkede døren, og som ekstra beskyttelse trak han træstolen hen til døren og kilede den ind under dørhåndtaget. Bevægelsen sendte omgående en serie stikkende smerter ud fra forskellige mørbankede dele af hans krop – hovedet, knoerne, fingrene og især den nederste del af brystkassen. Selv fra tæerne på den fod, han havde sparket manden med. Han rørte forsigtigt ved flængen i baghovedet og mærkede fingrene blive klæbrige af blod. På et tidspunkt under tumulterne måtte såret være sprunget delvist op. Hans hænder var fyldt med små snitsår og flænger, som om han havde kæmpet sig gennem et tornekrat. Han slikkede på sine forslåede knoer og mærkede den salte og metalliske smag af blod. Manden på værelset ved siden af var holdt op med at hamre på væggen.

Hoffmann skælvede og havde fået kvalme igen. Han gik ud på badeværelset og kastede op i toilettet. Vasken var blevet flået ned fra væggen, men hanen virkede stadig. Han plaskede lidt koldt vand i ansigtet og gik ind på værelset igen.

Tyskeren lå på gulvet. Han havde ikke rørt sig ud af stedet. Hans øjne var rettet mod et sted bag Hoffmanns skulder og rummede et underligt håbefuldt udtryk, som om han til en fest ledte efter en gæst, som aldrig ville dukke op. Hoffmann holdt om hans håndled for at lede efter en puls. Han slog ham i ansigtet. Han ruskede ham, som om han på den måde kunne kalde livet tilbage i ham. »Kom nu,« hviskede han. »Jeg har ikke brug for det her.« Men mandens hoved rullede bare slapt rundt på hans brækkede hals.

Det bankede skarpt på døren. En mand råbte: »*Ça va? Qu'est-ce qui se passe?*« Det var den samme kraftige accent, han havde hørt gennem væggen fra værelset ved siden af. Der blev rykket i håndtaget adskillige gange og derefter banket på døren igen. Mandens stemme blev højere og mere presserende. »*Allez! Laissez-moi rentrer!*«

Hoffmann rejste sig tungt. Der blev rusket i håndtaget igen, og manden udenfor begyndte at skubbe hårdt til døren. Stolen vippede vildt frem og tilbage, men den væltede ikke. Manden holdt op med at skubbe til døren. Hoffmann ventede på, at han ville sætte ind med et nyt forsøg, men der skete ikke mere. Han sneg sig forsigtigt hen til dørspionen og kiggede ud. Gangen var tom.

Nu var den dyriske frygt i ham vendt tilbage, og den kontrollerede roligt og snu hans impulser og krop og gjorde ham i stand til at foretage sig ting, som han bare en time senere ville tænke tilbage på med vantro. Han tog den døde mands støvler, skyndte sig at binde snørebåndene op, flåede dem ud af hullerne og bandt dem sammen til en snor på omkring en meters længde. Han mærkede på væglampen, men den hang alt for løst. Gardinstangen med badeforhænget blev flået ud af hullerne i væggen i en sky af lyserødt støv, da han tog fat om den. Til sidst besluttede han sig for håndtaget på badeværelsesdøren. Han slæbte liget af tyskeren hen til døren og placerede ham op ad den. Han bandt en løkke på snørebåndet, lagde den over hovedet på Karp, førte den anden ende af båndet op over håndtaget og strammede til. Det krævede en hel del kræfter at trække i snørebåndet med den ene hånd, mens han førte den anden ind under mandens armhule og løftede ham op, men langt om længe lykkedes det ham at hejse manden så højt op, at det i det mindste så nogenlunde troværdigt ud. Han snoede snørebåndet nogle gange rundt om dørhåndtaget og bandt en knude på det.

Da han havde kommet tyskeres ejendele tilbage i rygsækken og glattet sengetøjet, fremstod værelset igen som underligt uberørt af det, der var sket. Han stak Karps mobiltelefon i lommen, lukkede den bærbare computer og bar den hen til vinduet, hvor han trak gardinerne fra. Vinduet gik op uden besvær, og det var tydeligt, at det ofte blev benyttet. På brandtrappen lå flere hundrede våde cigaretskod og et dusin øldåser mellem en masse klatter af indtørret duelort. Han klatrede ud på metaltrappen, stak en hånd ind gennem vinduet og trykkede på kontakten. Vinduesskoddet begyndte at glide ned bag ham.

Der var lang vej ned, seks etager, og for hvert gungrende skridt var Hoffmann pinligt bevidst om, hvor mistænkelig hans tilstedeværelse på trappen måtte virke. Han måtte være fuldkommen tydelig at se, hvis nogen kiggede ud ad vinduerne i bygningerne overfor eller tilfældigvis stod i vinduet på et af hotelværelserne. Men til hans store lettelse var der skodder for de fleste af de vinduer, han passerede, og i de andre var der ingen uhyggelige ansigter, der dukkede op bag de snavsede gardisettegardiner. Eftermiddagsroen havde sænket sig over Hotel Diodati. Han fortsatte ned at trappen og tænkte ikke på andet end at lægge størst mulig afstand mellem sig selv og liget.

Fra højden kunne han se, at brandtrappen førte ned til et lille betontag, hvor der var gjort et halvhjertet forsøg på at indrette en udendørs opholdsterrasse. Der stod nogle træhavemøbler og et par falmede parasoller med reklamer for lagerøl. Han gættede på, at den nemmeste vej ud til gaden gik gennem hotellet, men da han var kommet helt ned og så glasskydedøren, som førte ind til receptionsområdet, konkluderede den dyriske del af ham, at risikoen for at løbe ind i manden fra naboværelset var for stor. I stedet trak han en af havestolene hen til bagmuren og klatrede op på den.

Fra muren var der et spring på cirka to meter ned i den tilstødende baggård, der bestod af en urskov af halvvissent ukrudt, der var skudt op mellem en masse halvskjulte og rustne køkkenelementer og et gammelt cykelstel, mens der i den modsatte ende stod en række affaldscontainere. Det var tydeligt, at baggården tilhørte en restaurant af en slags. Han kunne se kokke med hvide huer gå rundt inde i køkkenet, og han hørte dem råbe og rumstere rundt med gryder og pander. Han stillede den bærbare computer på muren og trak sig op, så han sad overskrævs på den. I det fjerne begyndte en politisirene at hyle. Han tog computeren, svingede det andet ben over og sprang ned på den anden side, hvor han landede tungt mellem en hel masse brændenælder. Han bandede. En ung mand kom frem mellem affaldscontainerne for at se, hvad der foregik. I hænderne holdt han en tom spand, og i munden havde han en cigaret. Arabisk udseende, glatbarberet, stor teenager. Han stirrede overrasket på Hoffmann.

»*Où est la rue?*« spurgte Hoffmann usikkert. Han slog let på computeren, som om den på en eller anden måde forklarede det hele.

Den unge mand stirrede på ham og rynkede panden, hvorefter han langsomt tog cigaretten ud af munden og pegede over skulderen.

»*Merci.*« Hoffmann skyndte sig ind i den smalle gyde, åbnede en trælåge i den anden ende og fortsatte ud på gaden.

Gabrielle Hoffmann havde tilbragt mere end en time med at vandre oprevet rundt i haveanlægget i Parc des Bastions, mens hun opremsede alle de ting, som hun ville ønske, hun havde sagt til Alex, da de stod på fortovet, men så indså hun – på sin tredje eller fjerde tur rundt i haven – at hun gik og mumlede med sig selv som en sindsforvirret gammel kone, og at de forbipasserende gloede på hende, hvorefter hun prajede en taxa og tog hjem. Der holdt en patruljevogn med to gendarmer på vejen uden for huset. På den anden side af porten, foran palæet, stod den forbandede livvagt/chauffør, som Alex havde sendt ud for at holde øje med hende, og talte i sin telefon. Han afbrød forbindelsen og stirrede bebrejdende på hende. Med det glatbarberede, kuppelformede hoved og den solide, firskårne krop lignede han en ondskabsfuld Buddha.

»Har du stadig bilen, Camille?« sagde hun til ham.

»Ja, *madame.*«

»Og du har fået besked på at køre for mig, uanset hvor jeg vil hen?«

»Ja, det er korrekt.«

»Vær så venlig at hente bilen. Vi skal til lufthavnen.«

I soveværelset begyndte hun at smide noget tøj i en kuffert, mens hun i tankerne som en besat gennemgik den ydmygelse, hun havde været udsat for på galleriet. Hvordan kunne han drømme om at gøre det mod hende? Hun var ikke et øjeblik i tvivl om, at det var Alex, der havde saboteret hendes udstilling, selvom hun også var indstillet på at indrømme, at han ikke havde gjort det i nogen ond mening. Nej det, der for alvor gjorde hende *rasende*, var, at det var hans klodsede og håbløse forsøg på at gøre noget romantisk for hende. Engang, for et år eller to siden, da de var på ferie i Sydfrankrig og havde siddet og spist på en latterligt dyr restaurant i Saint-Tropez, havde hun fremsat en henkastet bemærkning om, hvor grusomt det var at proppe snesevis af hummere sammen i et bassin, mens de bare ventede på at blive kogt levende, og før hun vidste af det, havde han købt dem alle sammen til det dobbelte af prisen på menukortet og fået dem båret udenfor, så de kunne blive hældt i havnen. Det brøl, der havde lydt, da de ramte vandet og skyndte sig væk ... se, det havde faktisk været ret morsomt, men naturligvis var morskaben gået fuldstændig hen over hovedet på ham. Hun åbnede endnu en kuffert og smed et par sko ned i den. Hun kunne ikke tilgive ham for den scene, han havde været skyld i på galleriet. Ikke endnu, i det mindste. Der ville mindst gå et par dage, før hun faldt ned igen.

Hun gik ud på badeværelset, standsede og stirrede pludselig fuldkommen forundret på al kosmetikken og parfumen på glashylderne. Det var svært at vide, hvor meget hun skulle pakke, når hun ikke vidste, hvor længe hun skulle være væk – eller hvor hun skulle hen. Hun betragtede sig selv i spejlet i det forbandede tøj, som hun havde brugt timevis på at udvælge til søsætningen af sin karriere som kunstner, og så begyndte hun at græde – ikke så meget af selvmedlidenhed, som hun foragtede, men af frygt. Åh, bare han ikke er syg, tænkte hun. Kære Gud, vil du ikke godt lade være med at tage ham fra mig på den måde? Og hele tiden fortsatte hun fraværende med at betragte sit eget spejlbillede. Det var utroligt, hvor grim man kunne gøre sig selv ved at græde, nærmest ligesom når man overkradsede en tegning, man var utilfreds med. Efter et stykke tid stak hun hånden i jakkelommen for at finde et papirlommetørklæde, men i stedet mærkede hun den skarpe kant på et visitkort.

Professor Robert WALTON
Datachef
CERN – Det Europæiske Center for Atomforskning
1211 Genève – Schweiz

12

Ikke desto mindre er varieteter efter min opfattelse arter under udvikling.

CHARLES DARWIN, *Arternes oprindelse* (1859)

Klokken var et godt stykke over tre, da Hugo Quarry vendte tilbage til kontoret. Han havde indtalt adskillige beskeder på Hoffmanns mobiltelefon, men ingen af dem var blevet besvaret, og han følte en lille, ulmende uro, når han tænkte på, hvor hans partner kunne være. Hoffmanns såkaldte livvagt havde han fundet i receptionen, hvor han stod og lagde an på en ung pige uden overhovedet at vide, at den mand, han var sat til at passe på, havde forladt hotellet. Quarry havde fyret ham på stedet.

På trods af alt dette var englænderen alligevel i godt humør. Nu troede han oprigtigt på, at det ville lykkes dem at fordoble de oprindelige forventninger til omfanget af de nye investeringer – to milliarder dollars – hvilket var lig med ekstra fyrre millioner i kassen alene i administrationshonorar. Han havde drukket adskillige glas udsøgt vin, og på turen tilbage til kontoret havde han fejret resultatet ved at ringe til Benetti og bestille en helikopterlandingsplatform til dækket på sin lystyacht.

Hans smil var så bredt, at ansigtsskanneren ikke kunne få geometrien i hans ansigt til at passe sammen med noget i databasen, så han var nødt til at gøre endnu et forsøg, hvor han fattede sig. Han fortsatte ind under overvågningskameraernes udtryksløse, men opmærksomme øjne i vestibulen, råbte muntert »Fem« til elevatoren og nynnede hele vejen op gennem glasrøret. Det var hans gamle skolesang, eller i det mindste så meget af den han kunne huske – *sonent voces omnium, tum-tee tum-tee tum-tee-tum* – og da dørene gik op, hilste han på de forundrede passagerer i elevatoren ved at tippe med sin ikke-eksisterende hat – alle de kedelige hængerøve fra DigiSyst eller EcoTec, eller hvad helvede firmaerne nu hed. Det lykkedes ham oven i købet at opretholde smilet, da glasdøren til Hoffmann Investment Technologies gled til side og afslørede kriminalinspektør Jean-Philippe Leclerc fra Genève Politi, der stod og ventede på ham i receptionen. Han kastede et blik på hans gæstekort og sammenlignede det med den forhutlede skikkelse, der stod foran ham. Det amerikanske marked åbnede om ti minutter. Det her var ikke ligefrem det, han havde mest brug for.

»Det er vel ikke muligt, inspektør, at vi kan holde dette møde på et andet tidspunkt? Jeg siger det blot, fordi vi er spændt temmelig hårdt for her i dag.«

»Jeg beklager oprigtigt at forstyrre Dem, *monsieur*. Jeg havde håbet, at jeg kunne veksle et par ord med dr. Hoffmann, men i hans fravær er der et par forhold, jeg gerne vil drøfte med Dem. Jeg lover, at det ikke tager mere end ti minutter.«

Der var noget ved den måde, den gamle knark stod med let adskilte fødder på, som advarede Quarry om, at han hellere måtte vise sig fra sin velvillige side. »Naturligvis,« sagde han og brød ud i sit velkendte smil. »De kan få al den tid, De har brug for. Lad os gå ind på mit kontor.« Han holdt hånden ud og lod politimanden gå forrest. »Til højre for enden af gangen.« Han havde det, som om han allerede havde smilet uafbrudt i femten timer, og han havde ondt i ansigtsmusklerne af konstant at udstråle så meget imødekommenhed. Så snart Leclerc vendte ryggen til ham, tillod han sig den luksus at sende ham et overordentligt misbilligende blik.

Leclerc fortsatte langsomt forbi handelsafdelingen og undersøgte interesseret omgivelserne. Det store, åbne lokale med de mange skærme og ure, der viste klokken i en række forskellige tidszoner, svarede mere eller mindre til, hvad han havde forventet at finde i en finansvirksomhed. Han havde set det i fjernsynet. Men medarbejderne kom som en overraskelse for ham – alle var unge, og der var ikke et eneste slips eller endda jakkesæt at se. Og stilheden. Alle de ansatte sad ved deres skriveborde, og luften i lokalet var stillestående og sitrende af koncentration. Det mindede ham om et eksamenslokale på et universitet, hvor der udelukkende gik mandlige studerende. Eller et præsteseminarium, måske. Ja, et præsteseminarium, hvor det bare var mammon, man tilbedte. Billedet tiltalte ham. På adskillige af skærmene bemærkede han et slogan, ligesom i det gamle Sovjetunionen, hvor der med røde bogstaver på hvid baggrund stod:

FREMTIDENS FIRMA ER PAPIRLØST
FREMTIDENS FIRMA ER LAGERLØST
FREMTIDENS FIRMA ER DIGITALT
FREMTIDENS FIRMA ER *HER*

»Godt,« sagde Quarry og smilede igen, »hvad kan jeg byde Dem på, inspektør? Te, kaffe, vand?«

»Te, tror jeg, eftersom jeg er sammen med en englænder. Mange tak.«

»To te, Amber, min skat. English breakfast.«

»Du har modtaget en hel masse opkald, Hugo,« sagde hun.

»Ja, det kan du bilde mig ind.« Han åbnede døren til sit kontor og trådte til side for at lade Leclerc gå først, hvorefter han fortsatte direkte hen til sit skrivebord. »Vær så venlig at tage plads, inspektør. Undskyld mig lige et øjeblik.« Han tjekkede sin skærm. Alle de europæiske markeder var præget af en drastisk faldende tendens. DAX lå i minus én procent, CAC i minus to og FTSE i minus halvanden. Euroen var faldet med mere end en cent i forhold til dollaren. Han havde ikke tid til at tjekke alle deres positioner, men tallene viste, at VIXAL-4 allerede havde sikret et afkast på 68 millioner i dagens løb. Alligevel var der noget ved det hele, som han på trods af sit gode humør fandt en anelse ildevarslende. Det var, som om et uvejr var på vej til at bryde løs. »Mægtigt, det ser godt ud.« Han satte sig smilende bag skrivebordet. »Godt, har De fanget denne galning?«

»Endnu ikke. Jeg forstår, at De og dr. Hoffmann har arbejdet sammen i otte år?«

»Det er korrekt. Vi grundlagde firmaet i 2002.«

Leclerc tog sin notesbog og en kuglepen frem og holdt bogen op. »Er det i orden, at jeg ...?«

»Ja, naturligvis, selvom Alex ikke ville bryde sig om det.«

»Undskyld?«

»Vi har indført forbud mod kulstofbaserede dataopbevaringssystemer inden for firmaets mure ... hvilket i daglig tale vil sige notesbøger, aviser og den slags. Det er firmaets mål at være *helt igennem* digitalt. Men Alex er her ikke, så De skal ikke bekymre Dem om det. Fortsæt bare.«

»Det lyder en smule excentrisk.« Leclerc griflede omhyggeligt et par ord i bogen.

»Excentrisk er én måde at udtrykke det på. En anden ville være at sige, at det er helt og aldeles langt ude i skoven. Men sådan er det. Sådan er Alex. Han er et geni, og genier ser ikke verden på samme måde som alle os andre. En ganske anseelig del af mit liv bliver brugt på at forklare hans opførsel for almindelige dødelige. Ligesom Johannes Døberen går jeg foran ham. Eller bag ham.«

Han tænkte på frokosten på Beau-Rivage, hvor han hele to gange havde været nødt til at fortolke Hoffmanns opførsel for de almindelige jordboere – første gang da han kom en halv time for sent (»Han sender sine undskyldninger, men han er travlt optaget af arbejdet med et meget kompliceret matematisk teorem«), og anden gang, da han pludselig spurtede væk fra bordet midt under frokosten (»Okay, venner, så smutter Alex igen – han har velsagtens fået endnu en åbenbaring«). Men selvom der var opstået en vis mumlen og var blevet vendt øjne rundt om bordet, havde de alle tilsyneladende affundet sig med det. Når alt kom til alt, kunne Hoffmann for deres skyld have svinget sig nøgen rundt under spærene i loftet, mens han spillede ukulele, så længe han bare sikrede dem et afkast på 83 procent.

»Kan De fortælle, hvordan De mødte hinanden?« spurgte Leclerc.

»Naturligvis. Da vi begyndte at arbejde sammen.«

»Og hvordan opstod samarbejdet?«

»Vil De virkelig gerne høre hele den romantiske forhistorie?« Quarry foldede hænderne i nakken og lænede sig tilbage i sin yndlingsstilling med fødderne hvilende på bordet, som altid mere end lykkelig for at få en chance for at fortælle en historie, han havde fortalt hundrede gange før, måske tusind, og som han hen ad vejen havde finpudset, så den fremstod som en ægte erhvervsmæssig legende: da Sears mødte Roebuck, Rolls mødte Royce, og Quarry mødte Hoffmann. »Det var omkring juletid i 2001. Jeg var i London, hvor jeg var ansat i en stor amerikansk bank. Jeg havde lyst til at grundlægge min egen investeringsfond. Jeg vidste, at jeg kunne skaffe pengene – jeg havde de nødvendige forbindelser, så det var ikke noget problem – men jeg havde ikke en slagplan, som var bæredygtig på længere sigt. I denne branche er man nødt til at have en strategi ... ved De godt, at den gennemsnitlige levealder for en hedgefond er tre år?«

»Nej,« svarede Leclerc høfligt.

»Det passer virkelig. Det svarer til den gennemsnitlige levealder for hamstere! Godt, en mand på vores kontor i Genève nævnte en videnskabsnørd i CERN, som han havde hørt om, og som efter sigende havde nogle temmelig interessante ideer angående hele den algoritmiske side af sagen. Vi tænkte, at vi kunne ansætte ham som *quant*, men han var overhovedet ikke interesseret i at lege med os. Han nægtede ganske enkelt at mødes med os og gav os bare en kold skulder. Skingrende skør, tilsyneladende, og han levede et fuldstændig isoleret liv. Vi kunne ikke lade være med at more os over ham – en typisk *quant*, ikke? Jeg mener, hvad kunne vi gøre? Men alligevel var der noget ved alt det, jeg havde hørt om ham, der vakte min interesse. Jeg ved det ikke, en underlig prikken i tommelfingrene, måske? Det viste sig, at jeg i forvejen havde planlagt at tage på en lille skiferie i juledagene, så jeg tænkte, at jeg ville prøve at opsøge ham ...«

Han havde besluttet sig for at skabe kontakt nytårsaften og gik ud fra, at netop den aften var selv en eneboer tvunget til at affinde sig med andre menneskers selskab. Så han havde efterladt Sally og børnene i bjerghytten i Chamonix, som de havde lejet sammen med familien Baker, deres helt igennem uudholdelige naboer hjemme fra Wimbledon. Han havde vendt det døve øre til deres advarsler og var kørt alene ned til Genève i dalen, lykkelig for at have en undskyldning for at slippe væk. Bjergene havde fremstået lysende blå under den næsten fulde måne, og der var stort set ingen trafik på vejene. Dengang var der ikke GPS i udlejningsbiler, og da han nærmede sig lufthavnen i Genève, var han nødt til at holde ind til siden og kaste et blik på vejkortet fra Hertz. Saint-Genis-Pouilly lå direkte forude, lige på den anden side af CERN, i et fladt og frodigt område, hvor landskabet glitrede smukt i den frostklare luft. En lille fransk by med en café på det brostensbelagte torv, rækker af nydelige huse med røde tage og til sidst et par moderne boligblokke, som var blevet opført i løbet af de seneste år. Betonelementerne på blokkene var malet okkergule, og altanerne var indrettet med vindharper, sammenfoldede metalstole og visne altankasser. Quarry havde ringet på

Hoffmanns dør i en evighed uden at få en reaktion, selvom han kunne se en smal lysstribe under døren, og han fornemmede, at der var nogen inde i lejligheden. Langt om længe var naboen kommet ud og havde fortalt ham, at *tout le monde par le CERN* var til en fest i et hus nær byens stadion. På vejen derhen stoppede han ved en bar og købte en flaske cognac, hvorefter han kørte rundt på de mørke veje, indtil han fandt stedet.

Mere end otte år senere kunne han stadig huske den spænding, der havde sitret i ham, da han låste bildørene, hørte det velkendte elektroniske klik og gik hen ad fortovet mod de mangefarvede julelys og den dunkende musik fra huset. I mørket havde en række mennesker, enkeltvis og i leende par, samlet sig på det samme sted, og han havde haft en fornemmelse af, at noget stort var på vej til at ske. At stjernerne over den lille og charmeforladte europæiske by stod gunstigt. Værten og værtinden stod i døren og bød deres gæster velkommen – Bob og Maggie Walton, et engelsk par, der så ud til at være både kedelige og lidt ældre end deres gæster. De havde set forundret på ham, og det blev ikke bedre af, at han fortalte, at han var en god ven af Alex Hoffmann. Det var hans indtryk, at det havde ingen nogensinde sagt før. Walton havde nægtet at tage imod cognacflasken, nærmest som om den var et forsøg på bestikkelse. »De må tage den med igen, når De går.« Han havde ikke været særlig venlig, men på den anden side mødte Quarry jo også uindbudt op til deres fest og passede på ingen måde ind i stilen med sin dyre og smarte skijakke mellem alle de mange offentligt ansatte nørder. Han havde spurgt, hvor han kunne finde Hoffmann, hvortil Walton med et skævt blik havde svaret, at han ikke var helt sikker, men at han da gik ud fra, at Quarry ville genkende ham, når han så ham, »hvis De og han er så gode venner«.

»Og kunne De det?« spurgte Leclerc. »Genkende ham?«

»Åh ja. Man kan altid spotte en amerikaner, vil De ikke give mig ret i det? Han stod helt for sig selv i stuen, mens festen nærmest udfoldede sig rundt om ham. Han var en flot mand og skilte sig ud, men han var ikke selv klar over det. Udtrykket i hans ansigt var, som om han befandt sig et helt andet sted. Han virkede ikke afvisende, slet ikke, bare fraværende. Jeg har mere eller mindre vænnet mig til det siden.«

»Og det var første gang, De talte med ham?«

»Ja.«

»Hvad sagde De til ham?«

»Dr. Hoffmann, formoder jeg.«

Han havde holdt cognacflasken op og tilbudt at finde to glas, men Hoffmann havde sagt, at han ikke drak, hvorefter Quarry havde spurgt: »Hvorfor er De så taget til en nytårsfest?« Hoffmann havde svaret, at adskillige venlige, men overbeskyttende kolleger havde tænkt, at det var bedst, at han ikke var overladt til sig selv netop denne aften. Men de tog helt og aldeles fejl, tilføjede han – han havde overhovedet ingen problemer med at være alene. Derefter var han gået ind i en anden stue, så Quarry havde været tvunget til at følge efter ham. Det var den første smagsprøve, han havde fået på Hoffmanns legendariske charme, og han havde været temmelig fornærmet over hans opførsel. »Jeg har kørt hundrede kilometer for at møde dig,« sagde han, mens han fulgte efter ham. »Jeg har efterladt min kone og mine børn grædende i en hytte på en iskold bjergtop og har kørt gennem is og sne for at komme hertil. Det mindste, du kan gøre, er at tale med mig.«

»Hvorfor er du så interesseret i mig?«

»Fordi jeg har ladet mig fortælle, at du er i færd med at udvikle noget særdeles interessant software. En af mine kolleger i AmCor har fortalt, at han har talt med dig.«

»Ja, og jeg sagde til ham, at jeg ikke er interesseret i at arbejde for en bank.«

»Det er jeg heller ikke.«

For første gang havde Hoffmann set på ham med en antydning af interesse i blikket. »Så hvad er det, du i stedet tænker på?«

»Jeg vil oprette en hedgefond.«

»Hvad er en hedgefond?«

Quarry kastede hovedet tilbage og lo. Her sad de i dag med ti milliarder dollars – snart tolv milliarder dollars – i aktiver under forvaltning, men for blot otte år siden havde Hoffmann ikke engang vidst, hvad en hedgefond var! Og selvom en larmende og tætpakket nytårsfest sikkert ikke var det bedste sted at prøve at give ham en forklaring, havde Quarry ikke haft andre muligheder og havde måttet råbe definitionen ind i Hoffmanns øre. »Det er en metode til at maksimere afkastet, mens man samtidig minimerer risikoen. Det kræver en hel del matematik for at fungere. Computere.«

Hoffmann havde nikket. »Okay, fortsæt.«

»Udmærket.« Quarry havde ladet blikket glide rundt for at lede efter inspiration. »Godt, kan du se pigen derhenne? Sort hår. Hun står i en lille gruppe og bliver ved med at se på dig.« Quarry havde løftet cognacflasken og smilet til hende. »Okay, lad os nu sige, at jeg er overbevist om, at hun har sorte trusser på – i mine øjne ligner hun en pige, der går med sorte trusser – og at jeg føler mig så sikker i min sag, så helt og aldeles overbevist om denne beklædningsmæssige detalje, at jeg har lyst til at sætte en million dollars på det. Problemet er bare, at hvis jeg tager fejl, mister jeg alle mine penge. Så derfor sætter jeg også penge på, at hendes trusser ikke er sorte, men at de har en hvilken som helst anden farve ud af alle regnbuens muligheder – lad os sige, at jeg derfor sætter ni hundrede og halvtreds tusind dollars på den mulighed, hvorved jeg dækker mig ind for alle andre muligheder – og det er *det*, der er min hedge eller afdækning. Det er naturligvis blot et primitivt eksempel – på alle måder – men hør alligevel efter. Hvis jeg har ret, tjener jeg halvtreds tusind, men hvis jeg tager fejl, mister jeg kun halvtreds tusind, fordi jeg er afdækket. Og eftersom femoghalvfems procent af min million ikke for alvor er i spil – der er aldrig nogen, der vil bede mig om at vise dem, og min eneste risiko ligger i differencen – kan jeg indgå en række lignende væddemål med andre mennesker. Eller jeg kan spille på noget helt tredje. Og det smukke ved det er, at jeg ikke behøver at få ret hver gang – hvis jeg bare gætter den rigtige farve på hendes trusser halvdelen af gangene, vil jeg ende med at blive en velhavende mand. Hun *glor* virkelig på dig, er du klar over det?«

Hun havde set på dem og råbt gennem stuen: »Er det mig, I står og snakker om?« Uden at vente på svar havde hun forladt sine venner og var kommet smilende hen mod dem. »Gabby,« havde hun sagt og rakt hånden frem mod Hoffmann.

»Alex.«

»Og jeg er Hugo.«

»Du ligner også en Hugo.«

Hendes tilstedeværelse havde irriteret Quarry, og det skyldtes ikke kun, at hun så indlysende udelukkende var interesseret i Hoffmann og ikke i ham. Han var stadig kun kommet halvvejs gennem sin salgstale, og i hans øjne var hendes rolle i samtalen kun at fungere som et eksempel, ikke at blive en aktiv deltager. »Vi stod netop og indgik et væddemål,« sagde han indsmigrende, »om farven på dine trusser.«

Quarry havde begået meget få sociale fejl i sit liv, men dette var, hvilket han villigt indrømmede, en af de helt store. »Hun har hadet mig lige siden.«

Leclerc smilede og skrev lidt i bogen. »Men Deres forhold til dr. Hoffmann blev indledt denne aften?«

»Åh ja. Nu, hvor jeg ser tilbage, vil jeg faktisk sige, at han bare ventede på at møde en som mig ... lige så meget som jeg ledte efter en som ham.«

Klokken tolv var gæsterne gået ud i haven og havde tændt en masse små lys – »De ved, de der små fyrfadslys« – som de havde placeret i papirballoner. Snesevis af svagt lysende lanterner var blevet sendt af sted, og i den stillestående, kolde luft var de hurtigt steget højt op under himlen som små, gule måner. »Husk at ønske!« havde en eller anden råbt, og Quarry, Hoffmann og Gabrielle havde stået tavst ved siden af hinanden med blikket rettet mod himlen, mens deres ånde hang som små skyer foran ansigterne, indtil lamperne var blevet reduceret til små stjerneprikker for til sidst helt at forsvinde. Bagefter havde Quarry tilbudt at køre Hoffmann hjem, men til hans store irritation havde Gabrielle hægtet sig på dem og havde siddet på bagsædet, hvor hun uopfordret fortalte dem hele sin livshistorie – et eller andet om en eksamen i kunst og fransk fra et nordengelsk universitet, som Quarry aldrig havde hørt om, en mastergrad fra Royal College of Art, en sekretæruddannelse, en række midlertidige job og FN. Men selv hun var blevet mundlam, da de trådte ind i Hoffmanns lejlighed.

Han havde ikke haft lyst til at invitere dem med ind, men Quarry havde sagt, at han frygtelig gerne ville låne hans toilet – »det var helt ærligt ligesom at prøve at slippe af med en pige efter en mislykket aften« – så derfor havde Hoffmann tøvende ført dem op på reposen og åbnet døren til et terrarium af larm og tropisk varme. Overalt stod computere og snurrede; røde og grønne øjne blinkede til dem under sofaen, bag bordet og på hylderne i reolen, og bundter af sorte kabler hang ned fra væggene som slyngplanter. Det mindede Quarry om en historie, han lige før jul havde læst om en mand i Maidenhead, der havde en krokodille i sin garage. I hjørnet stod en Bloomberg-skærm til online-handler. Da Quarry var kommet ud fra toilettet, havde han kastet et blik ind i soveværelset, hvor endnu flere computere optog halvdelen af pladsen i sengen.

Da han var kommet ind i stuen igen, havde Gabrielle lagt sig i sofaen og sparket skoene af. »Okay, Alex, hvad er historien?« havde han spurgt. »Det ligner jo et kommandocenter.«

I begyndelsen havde Hoffmann ikke haft lyst til at tale om det, men alligevel var han gradvist begyndt at åbne sig. Målet, havde han fortalt, var autonom maskinlæring – at skabe en algoritme, som, når den fik en opgave at udføre, ville være i stand til at operere selvstændigt og tilegne sig ny viden i et tempo, der rakte langt ud over menneskets formåen. Hoffmann havde besluttet at forlade CERN for at fortsætte sin forskning på egen hånd, hvilket betød, at han ikke længere ville have adgang til de mange data forbundet med eksperimenterne omkring LEP, The Large Electron-Positron Collider. I løbet af det seneste halve år havde han ladet udstyret streame data fra finansmarkederne. Quarry havde sagt, at det så ud til at være et kostbart foretagende. Hoffmann havde nikket, selvom den største udgift for ham ikke var investeringer i mikroprocessorer – mange af dem havde han taget med hjem, hvis de alligevel skulle kasseres – eller udgiften til at være koblet på Bloomberg, men snarere elektricitet. Han var nødt til at finde to tusind franc om ugen alene for at sikre tilstrækkelig meget strøm, og to gange havde han fået strømforsyningen til hele kvarteret til at slå fra. Det andet problem var, naturligvis, båndbredde.

»Jeg vil kunne hjælpe dig med udgifterne, hvis du vil lade mig gøre det,« havde Quarry sagt lige så forsigtigt.

»Det er ikke nødvendigt. Jeg bruger algoritmen til at betale for sig selv.«

Det havde krævet en hel del af Quarry at undertrykke et begejstret gisp. »Virkelig? Det lyder som et fremragende koncept. Og er det det?«

»Ja. Det består i virkeligheden bare af en række ekstrapolationer baseret på analyser af grundlæggende mønstre.« Hoffmann havde vist ham skærmen. »Her er de aktier, algoritmen har foreslået at købe siden den 1. december, baseret på prismæssige sammenligninger ved hjælp af indsamlede data fra de seneste fem år, og på den baggrund sender jeg bare en mail til en børsmægler og beder ham om at købe eller sælge.«

Quarry havde studeret handlerne. De var alle sammen gode og fornuftige, om end af beskeden størrelse. Småpenge. »Vil algoritmen kunne gøre mere end bare at dække udgifterne? Vil den kunne sikre et afkast?«

»I teorien, ja, men det vil kræve en hel del investeringer.«

»Måske kan jeg hjælpe med disse investeringer?«

»Ved du hvad? Jeg er egentlig ikke interesseret i at tjene penge. Ikke for at fornærme nogen, men jeg kan ikke se formålet med det.«

Quarry kunne ikke tro sine egne ører: Manden kunne ikke se formålet med at tjene penge!

Hoffmann havde ikke hverken tilbudt ham en drink eller spurgt, om han ikke ville sidde – selvom der ikke var så mange steder at sætte sig, eftersom Gabrielle havde lagt beslag på samtlige siddepladser. Quarry havde bare fået lov til at stå og svede i sin skijakke.

»Men hvis du tjente penge på det,« sagde han, »ville du jo kunne bruge pengene til at betale for yderligere forskning. Det ville være præcis det samme som det, du gør nu, bare i meget større målestok. Jeg ønsker ikke at lyde uforskammet, men prøv lige at se dig omkring. Du har brug for at finde et ordentligt sted med mere pålidelig strømforsyning, lyslederkabler ...«

»Og måske en rengøringsdame?« tilføjede Gabrielle.

»Hun har ret ... en rengøringsdame ville ikke gøre nogen skade. Hør her, Alex ... her er mit visitkort. Jeg er i området den næste uges tid eller deromkring. Skal vi ikke mødes og tale tingene ordentligt igennem?«

Hoffmann havde taget imod kortet og stukket det i lommen uden at se på det. »Måske.«

Før Quarry gik, havde han lænet sig ned mod Gabrielle og hvisket: »Har du brug for et lift? Jeg skal tilbage til Chamonix, men jeg kan sætte dig af et sted inde i byen.«

»Tak, men det gør ikke noget.« Hendes smil var skarpt som

syre. »Jeg tænkte, at jeg lige så godt kunne blive, så I kan få afgjort jeres væddemål.«

»Som du vil, skat, men har du set soveværelset, for helvede? Held og lykke.«

Quarry havde skaffet midlerne til at betale for firmaets anlægsudgifter og havde brugt sin årlige bonus på at få flyttet Hoffmann og hans computere ind til et kontor i Genève. Han havde brug for et sted, hvor han kunne tage fremtidige investorer med hen og imponere dem med maskinparken. Hans kone havde beklaget sig. Hvorfor kunne dette firma, han så længe havde talt om, ikke ligge i London? Havde han ikke altid sagt, at Londons City var hele verdens hovedstad for hedgefonde? Men Genève var en del af det, der tiltrak Quarry. Ikke blot de lave skatter, men også muligheden for at slippe hjemmefra. Han havde aldrig haft nogen intentioner om at tage sin familie med til Schweiz – han havde dog ikke sagt det direkte til dem eller bare indrømmet det for sig selv. Men sandheden var, at familielivet var en aktie, der ikke længere passede ind i hans portefølje. Familien kedede ham. Det var på tide at sælge fra og komme videre.

Han besluttede sig for, at de skulle kalde firmaet Hoffmann Investment Technologies som en lille hilsen til Jim Simons' legendariske investeringsselskab Renaissance Technologies på Long Island – alle algoritmiske hedgefondes fader. Hoffmann havde protesteret indædt – hvormed Quarry for første gang stiftede bekendtskab med hans maniske behov for anonymitet – men Quarry havde insisteret. Han havde helt fra begyndelsen set, at Hoffmanns mystik som matematisk geni akkurat ligesom Jim Simons' ville være en vigtig bestanddel, når de skulle sælge produktet. AmCor indvilligede i at fungere som firmaets hovedmægler og lade Quarry tage nogle af sine gamle kunder med i bytte for et reduceret administrationshonorar og ti procent af afkastet. Og så var Quarry draget ud på en længere turne, hvor han havde besøgt en række konferencer for investorer, mens han rejste fra by til by i både USA og Europa og trak sin hjulkuffert gennem mere end halvtreds lufthavne. Han havde elsket denne del af det – havde elsket at være sælger og rejse rundt alene og træde ukendt ind i luftafkølede konferencerum på fremmede hoteller med udsigt til overfyldte motorveje og charme sig ind på sine skeptiske tilhørere. Hans metode gik ud på at præsentere dem for de uafhængige analyser af Hoffmanns algoritme og de forjættende udsigter til fremtidige afkast, hvorefter han afslørede nyheden om, at fonden allerede var lukket. Han havde blot villet overholde sin aftale om at deltage i konferencen for at være høflig, men fonden havde ikke brug for flere penge, desværre. Bagefter opsøgte investorerne ham altid i hotellets bar. Det skete næsten hver eneste gang.

Quarry havde ansat en mand fra BNP Paribas til at tage sig af administrationen af firmaet, en receptionist, en sekretær og en fransk ekspert i handel med fastforrentede værdipapirer, som var løbet ind i nogle problemer med tilsynsmyndighederne og havde brug for at komme væk fra London i en fart. Til at tage sig af den tekniske del af tingene havde Hoffmann ansat en astrofysiker fra CERN og en polsk matematikprofessor, der skulle fungere som *quanter*. De havde gennemført en række simuleringer i løbet af sommeren, før de i oktober 2002 trådte aktivt ind på markedet med hundrede og syv millioner i aktiver under forvaltning. Allerede den første måned havde de sikret et afkast, og det havde været tilfældet lige siden.

Quarry holdt en pause i sin beretning, så Leclercs billige kuglepen kunne nå at følge med i strømmen af ord.

Og for at besvare hans andre spørgsmål: Nej, han vidste ikke præcis, hvornår Gabrielle var flyttet ind hos Hoffmann. Han og Alex havde aldrig tilbragt ret meget tid sammen privat, og desuden havde han rejst meget det første år. Nej, han havde ikke været med til deres bryllup; det havde været en af den slags solipsistiske ceremonier, der blev gennemført på en strand et sted i Stillehavet med to hotelansatte som vidner og uden deltagelse af hverken familiemedlemmer eller venner. Og nej, ingen havde fortalt ham noget om, at Hoffmann havde haft et nervesammenbrud, da han arbejdede i CERN, selvom han havde haft en mistanke om det, for da han benyttede toilettet i hans lejlighed den første aften, havde han kigget lidt i Hoffmanns medicinskab (som man jo gør) og havde fundet et veritabelt mini-apotek af anti-depressive midler – Mitrazapin, Lithium, Fluvoxamin – han kunne ikke huske alle de forskellige navne på præparaterne, men det havde virket temmelig alvorligt.

»Men det afholdt Dem ikke fra at grundlægge et firma sammen med ham?«

»Hvad mener De? Fordi han ikke var 'normal'? Nej, for pokker. For at citere Bill Clinton – indrømmet, han er ikke en kilde til visdom i alle sammenhænge, men i dette tilfælde ramte han plet – '... normalitet er overvurderet; de fleste normale mennesker er røvhuller'.«

»Og De har ingen anelse om, hvor dr. Hoffmann befinder sig lige nu?«

»Nej, det har jeg ikke.«

»Hvornår har De sidst set ham?«

»Til frokosten på Beau-Rivage.«

»Og han forlod restauranten uden forklaring?«

»Sådan er Alex.«

»Virkede han oprevet?«

»Ikke specielt.« Quarry svingede benene ned fra skrivebordet og trykkede på knappen til sin sekretær. »Ved du, om Alex er kommet tilbage?«

»Nej, Hugo. Beklager. Gana har i øvrigt lige ringet. Risikoudvalget venter på dig på hans kontor. Han prøver ihærdigt at få fat i Hoffmann. Der er tilsyneladende opstået et problem.«

»Sikke en overraskelse! Hvad er det nu?«

»Han sagde, at jeg skulle sige til dig, at 'VIXAL ignorerer fondens delta hedge'. Han sagde, at du ville være klar over, hvad han mente.«

»Okay, tak. Sig til dem, at jeg er på vej.« Quarry slap knappen og så eftertænksomt på samtaleanlægget. »Jeg er bange for, at jeg bliver nødt til at forlade Dem nu.« For første gang følte han en ængstelig sammentrækning i maven. Han så på Leclerc, der sad på den anden side af skrivebordet og betragtede ham med et intenst blik, og pludselig gik det op for ham, at han havde plapret alt for villigt løs over for ham. Det virkede, som om inspektøren ikke længere efterforskede sagen om indbruddet, men snarere kun interesserede sig for Hoffmann selv.

»Var det noget vigtigt?« Leclerc nikkede i retning af samtaleanlægget. »Delta hedge?«

»Ja, det er temmelig vigtigt. Vil de have mig undskyldt? Min sekretær vil følge Dem ud.«

Quarry forlod kontoret uden at give politimanden hånden, og kort efter blev Leclerc fulgt tilbage gennem handelsafdelingen af Quarrys glamourøse, rødhårede sekretær i den nedringede bluse. Det virkede, som om hun havde travlt med at få ham ud af vagten, hvilket naturligvis fik ham til at sætte farten ned. Han bemærkede, hvordan atmosfæren havde ændret sig. Hist og her i lokalet havde indtil flere grupper på tre-fire mænd samlet sig og stod og stirrede på skærmene med bekymrede miner, og mens én af mændene sad ved bordene og klikkede med musen, lænede de andre sig ind over hans skuldre, og med jævne mellemrum var der en af dem, der pegede på en graf eller talkolonne. Nu mindede lokalet i langt mindre grad om et præsteseminarium og fik ham i langt højere grad til at tænke på læger, der havde forsamlet sig om en sengeliggende patient med alvorlige og uforklarlige symptomer. På en af de store tv-skærme viste et af de store netværk billeder af et flystyrt. Under fjernsynet stod en mand i mørkt jakkesæt og slips. Han var optaget af at sende en besked på sin mobiltelefon, og der gik et øjeblik, før det gik op for Leclerc, hvem manden var.

»Genoud,« mumlede han stille hen for sig, men så hævede han stemmen og gik hen mod ham. »Maurice Genoud!« Genoud så op fra telefonen – og enten var det noget, Leclerc bare bildte sig ind, eller også blev trækkene i hans smalle ansigt stive og anspændte, da han fik øje på denne person fra fortiden, som nu kom gående direkte hen mod ham.

»Jean-Philippe,« sagde han træt. De to mænd gav hinanden hånden.

»Maurice Genoud. Du har taget på.« Leclerc vendte sig mod Quarrys sekretær. »Vil De have os undskyldt et øjeblik, *mademoiselle*? Vi er gamle venner. Du kan følge mig ud, Maurice, ikke? Lad mig lige kaste et ordentligt blik på dig, gamle dreng. Jeg skal ellers love for, at du er kommet til at ligne en velstående erhvervsmand!«

Det faldt ikke Genoud naturligt at smile, og det var en skam, at han overhovedet gjorde forsøget, tænkte Leclerc.

»Hvad med dig? Jeg har hørt, du er på vej på pension, Jean-Philippe.«

»Til næste år,« sagde Leclerc. »Jeg kan næsten ikke vente. Sig mig, hvad i alverden laver du her?« Han nikkede ud over handelsbordene. »Jeg går ud fra, at du forstår, hvad der foregår. Selv er jeg for gammel til at fatte en disse af det.«

»Jeg ved heller ikke, hvad der foregår. Jeg bliver bare betalt for at passe på dem.«

»Det virker ellers ikke, som om du gør det særlig godt!« Leclerc klappede ham på skulderen. Genoud så skulende på ham. »Nej, det er bare gas. Men, helt ærligt, hvad er din mening om den her branche? Synes du ikke, at det virker underligt, at man har så store sikkerhedsmæssige foranstaltninger, og så lader man alligevel bare en vildfremmed mand vade direkte ind fra gaden og gå til angreb? Jeg tænker på, om det er dig, der har installeret overvågningsanlægget?«

Genoud vædede læberne, før han svarede, og Leclerc tænkte: Han trækker tiden. Det var præcis, hvad han også altid havde gjort, da han arbejdede på stationen på Boulevard Carl-Vogt, når han prøvede at finde på en eller anden dårlig undskyldning. Han havde haft mistillid til den yngre mand, lige siden Genoud var en ung og grøn betjent, der stod under hans kommando. Som Leclerc så det, var der intet, hans tidligere kollega ikke ville gøre – intet princip, han ikke ville bryde; ingen studehandel, han ikke var villig til at indgå; intet blindt øje, han ikke var villig til at vende til – så længe han bare kunne tjene tilstrækkeligt mange penge og lige akkurat holde sig inden for lovens grænser.

»Ja, det er mig, der har installeret det,« svarede Genoud. »Hvorfor?«

»Der er ingen grund til at reagere så defensivt. Jeg giver dig ikke skylden for noget. Vi ved begge, at du er i stand til at give folk den bedste sikkerhed i verden, men hvis de glemmer at bruge den, er der jo ikke noget, du kan stille op.«

»Nej, det er korrekt. Godt, hvis du ikke har noget imod det, må jeg hellere se at komme videre med arbejdet. Du ved, det er ikke den offentlige sektor, jeg er ansat i længere ... jeg kan ikke bare stå her og sludre.«

»Man kan ellers lære meget af sladder.«

De bevægede sig hen mod receptionen. »Godt,« sagde Leclerc, mand-til-mand, »hvordan er han så, denne dr. Hoffmann?«

»Jeg kender ham knap.«

»Har han nogen fjender?«

»Det må du spørge ham selv om.«

»Så du har ikke hørt om nogen i firmaet, der ikke bryder sig om ham? Eventuelt en, som han har fyret?«

Genoud foregav ikke engang, at han tænkte over sit svar. »Nej. Nyd nu tilværelsen som pensionist, Jean-Philippe. Du fortjener det.«

13

Arters og hele gruppers uddøen har spillet en vigtig rolle gennem hele klodens historie og er en næsten uundgåelig følge af den naturlige selektion; gamle former vil nemlig fortrænges af nye og bedre tilpassede former.

CHARLES DARWIN, *Arternes oprindelse* (1859)

Risikoudvalget i Hoffmann Investment Technologies mødtes for anden gang samme dag klokken 16:25, centraleuropæisk tid, femoghalvtreds minutter efter åbningen af de amerikanske markeder. Til stede var administrerende direktør Hugo Quarry, økonomichef Lin Ju-Long, handelschef Pieter van der Zyl og risikochef Ganapathi Rajamani, som skrev mødereferatet, og på hvis kontor mødet blev holdt.

Rajamani sad bag sit skrivebord som en anden skoleinspektør. I henhold til bestemmelserne i ansættelseskontrakten fik han ingen andel af den årlige bonusudbetaling, hvilket skulle gøre ham mere objektiv i forhold til at vurdere firmaets risiko, men i Quarrys øjne havde det kun haft den effekt, at det gjorde ham til en autoriseret stivstikker, som kunne tillade sig at se ned på store afkast. Hollænderen og kineseren sad i de to stole på den anden side af bordet, mens Quarry lå og flød i sofaen. Gennem de åbne persienner kunne han se Amber føre Leclerc hen mod receptionen.

Mødereferatet indledtes med at konstatere dr. Alexander Hoffmanns, firmaets direktørs – ubegrundede – fravær, og når Rajamani krævede, at denne pligtforsømmelse blev noteret i referatet, var det i Quarrys øjne det første tegn på, at firmaets største pedant var indstillet på at skrue bissen på. Ja, det var nærmest, som om han følte en dyster skadefryd ved at forklare præcis, hvor risikabel deres position var blevet. Han meddelte, at siden det sidste møde i udvalget, omkring fire timer tidligere, var fondens risikoeksponering blevet markant forøget. Samtlige advarselslamper i cockpittet blinkede rødt. Det var nødvendigt at træffe en række hurtige beslutninger.

Han begyndte at læse tallene op fra computerskærmen. VIXAL havde næsten helt afviklet firmaets lange position i S&P futures, den vigtigste afdækning mod et stigende marked, hvilket betød, at de nu var strandet med deres overflod af shorts. På samme tid var programmet i fuld gang med at skille sig af med alle – »... og jeg gentager: *alle* ...« – sine matchende lange positioner på de omkring firs aktier, den shortede. Alene i løbet af de seneste minutter var de sidste rester af en halvfjerds millioner lang position i Deloitte, som de var gået ind i for at afdække deres massive short-position i konkurrenten Accenture, blevet lukket. Men måske allermest foruroligende – eftersom de lange positioner blev afviklet én efter én – var der ikke blevet sat ind med et modtræk for at tilbagekøbe de aktier, de havde shortet.

»Jeg har aldrig nogensinde set noget lignende,« konkluderede Rajamani. »Det korte af det lange er, at firmaets delta hedge er væk.«

Quarry bevarede sit pokerfjæs, men selv han var rystet. Hans tro på VIXAL havde altid været urokkelig, men firmaet var en *hedge*fond – for helvede, hele pointen lå i navnet. Hvis man fjernede afdækningen – hvis man lod hånt om alle de umådeligt indviklede matematiske formler, som skulle sikre, at man begrænsede sin risiko – kunne man lige så godt tage familiens sølvtøj og satse hele lortet på væddeløbsbanen. Firmaets hedge satte et loft over deres afkast, men fungerede også som et sikkerhedsnet under deres tab. Set i lyset af, at der ikke eksisterede en eneste fond i hele verden, som ikke med jævne mellemrum var igennem en svær periode, hvis den ikke sørgede for at være godt afdækket, kunne en række uheldige satsninger reelt få firmaet til at gå nedenom og hjem. Tanken fik svedperler til at bryde frem overalt på hans krop. Han kunne mærke, hvordan en sur galde efter frokostens *filet mignon de veau* begyndte at trænge op i halsen. Han pressede håndryggen ind mod panden. Jeg ligger bogstavelig talt her og bryder ud i koldsved, erkendte han.

Rajamani fortsatte med at buldre løs: »Vi har ikke blot droppet vores lange position i S&P futures, vi er rent faktiske begyndt at *shorte* S&P futures. Ydermere har vi øget positionen i VIX-futures til noget, der nærmer sig en milliard dollars. Og vi køber out-of-the-money puts, der er så ekstreme – som forudsætter en så massiv generel nedgang i markedet – at den eneste formildende omstændighed er, at vi i det mindste køber dem til det rene ingenting. Desuden ...«

Quarry holdt en hånd op. »Okay, Gana. Tak. Vi *har* forstået budskabet.« Han var nødt til hurtigst muligt at overtage kontrollen med mødet, før det kørte helt af sporet. Han var bevidst om, at medarbejderne i handelsafdelingen holdt øje med dem. De vidste alle, at porteføljen var uden afdækning. Ængstelige ansigter blev ved med at vippe op og ned bag skærmene som målskiver i et skydetelt.

»Jeg lukker persiennerne,« sagde van der Zyl og begyndte at rejse sig.

»Nej, Piet,« sagde Quarry skarpt, »lad dem for guds skyld være åbne, ellers tror de bare, at vi er ved at indgå en aftale om kollektivt selvmord. Rent faktisk vil jeg gerne se nogle smil fra jer, mine herrer, hvis det er i orden. Godt, smil! Det er en ordre. Også dig, Gana. Lad os vise tropperne, at officererne slår koldt vand i blodet.«

Han smækkede benene op på sofabordet og foldede hænderne i

nakken i en parodi på nonchalance, selvom hans fingernegle borede sig så hårdt ind i huden, at han ville have en række små mærker på hænderne resten af dagen. Han kastede et blik rundt på de personlige fotografier, som Rajamani havde haft med hjemmefra for at bryde indretningens kølige skandinaviske strenghed: et stort bryllupsselskab fotograferet en aften i en have i Delhi, hvor bruden og brudgommen stod smykket med blomsterkranse midt på billedet og smilede manisk; Rajamani, da han havde bestået sin eksamen på universitetet i Cambridge og stod foran Senate House; og to små børn i skoleuniformer, en dreng og en pige, der stirrede alvorligt ind i kameraet.

»Okay, Gana,« sagde han, »hvad vil du anbefale?«

»Der er kun én mulighed: at vi tilsidesætter VIXAL og sørger for at få afdækningen bragt på plads igen.«

»Vil du have os til at gå uden om algoritmen, uden at vi først rådfører os med Alex?« spurgte Ju-Long.

»Jeg ville uden tvivl rådføre mig med ham, hvis jeg ellers kunne *finde* ham,« fnøs Rajamani. »Men han tager imidlertid ikke sin telefon.«

»Jeg troede, han skulle spise frokost med dig, Hugo,« sagde van der Zyl.

»Det gjorde han også, men han forlod restauranten i en helvedes fart halvvejs inde i hovedretten.«

»Hvor skulle han hen?«

»Det må guderne vide. Han gik bare uden at sige et ord.«

»Det er topmålet af uansvarlighed,« sagde Rajamani. »Jeg beklager. Han vidste, at der var et problem. Han vidste, at vi skulle mødes igen her i eftermiddag.«

I et stykke tid sagde ingen af dem noget.

»Som jeg ser det,« sagde Ju-Long, »og jeg kunne ikke drømme om at sige det her til andre end jer, tror jeg, at Alex har fået et sammenbrud af en slags.«

»Klap i, LJ,« sagde Quarry.

»Men det er jo rigtigt, Hugo,« tilføjede van der Zyl.

»Du kan også godt klappe i.«

»Okay, okay.« Hollænderen skyndte sig at trække følehornene til sig.

»Skal jeg tage de sidste bemærkninger med i referatet?« spurgte Rajamani.

»Nej, det ved gud du ikke skal!« Quarry rettede sin elegante skosnude over bordet i retning af Rajamanis computerskærm. »Godt, hør nøje efter, hvad jeg siger nu, Gana. Hvis referatet kommer til at rumme bare den mindste antydning af, at Alex på nogen måde er mentalt ustabil, kan firmaet lige så godt lukke og slukke, og du får lov til at påtage dig det fulde ansvar over for alle dine kolleger derude, som lige nu holder øje med vores mindste bevægelse – og over for alle vores investorer, som takket være Alex har tjent endog *rigtig* mange penge, og som aldrig vil tilgive dig for det. Forstår du, hvad jeg siger? Ellers kan jeg opridse situationen for dig ved hjælp af fire simple ord: Ingen Alex, intet firma.«

I adskillige sekunder stirrede Rajamani bare stift på ham, før han rynkede panden og fjernede hænderne fra tastaturet.

»Okay, godt,« fortsatte Quarry. »I Alex' fravær vil jeg foreslå, at vi prøver at se på det her fra en anden vinkel. Hvad vil mæglerne sige, hvis vi *ikke* tilsidesætter VIXAL og sørger for at få vores delta hedge tilbage på plads?«

»De er helt hysteriske med sikkerhed nu om dage,« sagde Ju-Long, »efter hele balladen med Lehman Brothers. Der er ingen tvivl om, at de ikke vil lade os handle uafdækket på de eksisterende aftalevilkår.«

»Så hvornår er vi nødt til at begynde at vise dem nogle penge?«

»Jeg vil tro, at vi får brug for at stille med en anseelig sum som sikkerhed inden lukketid i morgen.«

»Og hvor meget tror du, at de vil forlange, vi stiller med?«

»Jeg ved det ikke.« Ju-Long bevægede sit nydelige og udtryksløse hoved fra side til side, mens han overvejede sit svar. »Måske en halv milliard.«

»En halv milliard i alt?«

»Nej, en halv milliard til hver.«

Quarry lukkede øjnene et øjeblik. De havde fem primære mæglere – Goldman, Morgan Stanley, Citi, AmCor og Credit Suisse – og hvis de skulle deponere en halv milliard hvert sted, talte de om i alt to en halv milliard dollars. Ikke matadorpenge, ikke egenveksler eller langfristede obligationer, men klingende kontanter, som skulle overføres senest klokken fire dagen efter. Det var ikke sådan, at Hoffmann Investment Technologies ikke havde pengene. De handlede kun for omkring femogtyve procent af de midler, som investorerne havde betroet dem; resten behøvede de ikke at redegøre for. Da han sidst så efter, havde de værdier for mindst fire milliarder dollars alene i amerikanske statsobligationer. Det var en ressource, de når som helst kunne tære på. Men tak skæbne ... det var et voldsomt indhug i deres reserver, et farligt skridt ud mod kanten af afgrunden ...

Rajamani afbrød hans tanker. »Jeg beklager, men det er det rene vanvid, Hugo. Risikoniveauet ligger langt over, hvad vi lover investorerne i vores tegningsindbydelse. Hvis markedet stiger voldsomt, kan vi se frem til et tab i milliardklassen. Vi risikerer endda at gå konkurs. Vores kunder kan anlægge sag mod os.«

Ju-Long tilføjede: »Selv hvis vi fortsætter med at handle, vil det være uheldigt – ja, vil det ikke? – hvis vi orienterer fondens bestyrelse om vores accelererede risikoniveau, mens vi samtidig henvender os til individuelle investorer og opfordrer dem til at skyde endnu en milliard ind i VIXAL-4.«

»De vil uden tvivl trække deres tilkendegivelser tilbage,« sagde van der Zyl bedrøvet. »Det ville enhver gøre.«

Quarry kunne ikke sidde stille længere. Han sprang op og

havde en voldsom trang til at vandre rastløst frem og tilbage på gulvet, men der var ikke plads nok til det. At alt dette skulle ske netop nu, efter at han stort set lige havde sikret firmaet to milliarder! Hvor uretfærdigt! Han slog ud med hænderne og forbandede guderne. Han kunne ikke holde ud at se på Rajamanis selvtilfredse og moralsk overlegne fjæs et øjeblik længere, så han vendte ryggen til sine kolleger og pressede panden ind mod glasvæggen. Han holdt hænderne ud til siden og stirrede ud i handelsafdelingen, ligeglad med hvem der holdt øje med ham. Et øjeblik prøvede han at forestille sig, hvordan det ville være at forvalte en ukontrolleret, uafdækket investeringsfond, der for fuld kraft blev udsat for stormvejret på de globale markeder. Det syv hundrede billioner dollars store hav af aktier og obligationer, valutaer og derivater, som dag efter dag uophørligt steg og faldt i forhold til hinanden, og som af strømme og tidevand og storme blev pisket op i kolossale hvirvelstrømme, som ingen fattede omfanget af. Det ville være som at prøve at krydse Atlanterhavet i et skraldespandslåg med en grydeske som åre. Der var en del af ham – den del, der betragtede tilværelsen i sig selv som en kamp, man før eller siden var dømt til at tabe; den del, som engang satsede ti dollars på, hvilken flue der først ville lette fra en bardisk, bare for at mærke følelsen af spænding – den del af hans personlighed ville have nydt at gøre det. Engang. Men nu om dage havde han også lyst til at holde på alt det, han havde opnået. Han nød at være kendt som en velhavende direktør i en hedgefond, toppen af kransekagen, finansverdenens svar på Livgarden. Han havde været nummer 177 på *Sunday Times'* liste over verdens rigeste mennesker. De havde oven i købet bragt et billede af ham, hvor han stod på dækket af en Riva 115 (»Hugo Quarry lever enhver ungkarls drømmeliv ved Genèvesøen – og hvorfor ikke, han er trods alt administrerende direktør i en af Europas mest succesfulde hedgefonde«). Skulle han virkelig sætte alt dette på spil, fordi en forbandet algoritme havde besluttet sig for at ignorere de allermest grundlæggende investeringsregler? På den anden side var den eneste grund til, at han som udgangspunkt var rig, den selv samme forbandede algoritme. Han sukkede. Det var håbløst. Hvor fanden var Hoffmann?

Han vendte sig og sagde: »Vi er ganske enkelt nødt til at tale med Alex, før vi tilsidesætter algoritmen. Jeg mener, hvornår har nogen af os rent faktisk sidst gennemført en handel?«

»Men al respekt, Hugo,« sagde Rajamani, »er det sagen uvedkommende.«

»Det er da overhovedet ikke sagen uvedkommende! Det er hele sagens *kerne*. Det er en algoritmisk hedgefond, vi bestyrer. Vi har ikke medarbejdere nok til at administrere en portefølje på ti milliarder dollars. Jeg ville have brug for mindst tyve fremragende tradere derude med nosser af stål og et indgående kendskab til alle markederne, men jeg har ikke andet end en flok nørder med skæl i håret, som ikke engang kan finde ud af at skabe øjenkontakt.«

»Sandheden er,« sagde van der Zyl, »at vi burde have drøftet spørgsmålet tidligere.« Hollænderens stemme var fyldig, dyb og mørk, som marineret i kaffe og cigaretter. »Ikke bare tidligere i dag, men i sidste uge eller måned. VIXAL har haft så stor succes så længe, at vi alle har ladet os tryllebinde. Vi har aldrig drøftet de nødvendige forholdsregler i tilfælde af, at algoritmen svigtede.«

Inderst inde vidste Quarry godt, at det var sandt. Han havde tilladt, at teknologien gjorde ham slap. Han var som en doven chauffør, der var blevet afhængig af parkeringssensorer og GPS-systemer for at kunne finde vej rundt i byen. Men eftersom han ikke kunne forestille sig en verden uden VIXAL, følte han sig alligevel nødsaget til at tage algoritmen i forsvar. »Må jeg ikke lige henlede opmærksomheden på, at VIXAL endnu ikke har svigtet? Jeg mener, da jeg sidst så efter, havde vi alene i dag sikret os et afkast på 68 millioner. Hvad siger tallet nu, Gana?«

Rajamani tjekkede sin skærm. »77 og stigende,« indrømmede han.

»Udmærket, mange tak. Det er i mine øjne en allerhelvedes underlig definition på, at algoritmen skulle have svigtet, vil I ikke give mig ret i det? Et system, der har tjent ni millioner dollars i løbet af den tid, det tog mig at flytte røven fra den ene ende af kontoret til den anden?«

»Jo,« sagde Rajamani tålmodigt, »men der er tale om et rent teoretisk afkast, der kan forsvinde som dug for solen igen i det øjeblik, markedet retter sig.«

»Og ser markedet ud til at være ved at rette sig?«

»Nej, jeg indrømmer, at lige nu er Dow Jones faldende.«

»Godt, og lige dér har vi vores dilemma, mine herrer. Vi er alle enige om, at fonden bør være afdækket, men vi er også nødt til at anerkende, at VIXAL har bevist, at algoritmen er bedre til at vurdere markedet end nogen af os.«

»Åh, gider du lige, Hugo? Det er indlysende, at der er noget i vejen med algoritmen! VIXAL skal operere inden for visse risikomæssige parametre, men det gør den bare ikke, og derfor er det kun på sin plads at sige, at den svigter.«

»Jeg er lodret uenig med dig. Den ramte plet med hensyn til Vista Airways, ikke sandt? Der var tale om en helt ekstraordinær situation.«

»Det var bare et tilfældigt sammentræf. Det indrømmede selv Alex.« Rajamani appellerede til Ju-Long og van der Zyl. »Kom nu, venner – bak mig op. Hvis der skulle være mening i vores positioner, måtte hele *verden* være ved at gå op i flammer.«

Ju-Long stak en finger i vejret som en artig skoledreng. »Eftersom emnet nu alligevel er blevet bragt på bane, Hugo, må jeg så ikke lige stille et spørgsmål om short-positionen i Vista Airways? Er der nogen af jer, der så nyhederne for et øjeblik siden?«

Quarry satte sig tungt i sofaen. »Nej. Jeg har haft temmelig travlt. Hvorfor? Hvad fortalte de?«

»At styrtet ikke skyldtes en mekanisk fejl, men en terrorbombe af en slags.«

»Okay, og?«

»Det lader til, at mens flyet stadig var i luften, blev der offentliggjort en advarsel på en jihad-webside. Forståeligt nok er der opstået en del vrede over, at efterretningstjenesterne ikke opdagede advarslen i tide. Det skete klokken ni i morges.«

»Jeg beklager, LJ, jeg er måske lidt træg i opfattelsen. Hvilken relation har det til os?«

»Det var præcis klokken ni, vi begyndte at shorte Vista Airways-aktierne.«

Der gik et øjeblik eller to, før Quarry reagerede. »Prøver du at fortælle, at vi overvåger jihad-hjemmesider?«

»Det ser sådan ud.«

»Det ville rent faktisk være helt igennem logisk,« sagde van der Zyl. »VIXAL er programmeret til at gennemsøge nettet for at lede efter eksempler på frygt-relateret sprog og holde øje med dets indflydelse på markedet. Ville der være noget bedre sted at lede?«

»Men det ville være lidt af et kvantespring, ikke?« sagde Quarry. »At se advarslen, drage konklusionen og shorte aktien?«

»Det ved jeg ikke. Det er vi nødt til at spørge Alex om. Men det er en maskinlærings-algoritme. I teorien udvikler den sig hele tiden.«

»Så er det en skam, at den ikke er så højt udviklet, at den kunne have advaret luftfartsselskabet,« sagde Rajamani.

»Åh, nu må du fandeme holde,« sagde Quarry. »Hold op med at være så forbandet *from*. Vi taler om en algoritme, der er udviklet til at tjene penge. Det har aldrig været meningen, at den skulle fungere som en forbandet FN-ambassadør.« Han lagde hovedet tilbage mod ryglænet og stirrede op i loftet, hvor hans øjne flakkede frem og tilbage, mens han prøvede at fatte implikationerne. »Ved gud i himlen. Jeg mener, det kan jeg slet ikke kapere omfanget af.«

»Det kan naturligvis være et sammentræf,« sagde Ju-Long. »Som Alex sagde i morges, var vores short-position i flyselskabet bare en del af et større mønster af satsninger på faldende kurs.«

»Ja, men alligevel var det den eneste short-position, hvor vi rent faktisk solgte og sikrede os et afkast. De andre holder vi fortsat. Hvilket rejser et interessant spørgsmål: Hvorfor holder vi dem?« Han mærkede en prikkende følelse brede sig ned langs rygraden. »Jeg spekulerer på, hvad VIXAL tror, der vil ske som det næste?«

»VIXAL *tror* eller *tænker* ikke noget,« sagde Rajamani utålmodigt. »Det er en algoritme, Hugo – et værktøj. Den er lige så lidt levende som en skruenøgle eller en donkraft. Og vores problem er, at den er blevet et stykke værktøj, der er blevet for upålideligt til, at vi kan stole på det. Godt, tiden går, og jeg er nødt til at bede udvalget om formelt at godkende en tilsidesættelse af VIXAL og indlede arbejdet med en øjeblikkelig afdækning af fonden.«

Quarry så på de andre. Han havde et godt blik for nuancer og bemærkede, at et eller andet i atmosfæren netop havde ændret sig en anelse. Ju-Long stirrede tavst frem for sig, og van der Zyl var dybt optaget af at undersøge et stykke fnuller på sit jakkeærme. Anstændige mænd, tænkte han, og intelligente. Men svage. Og de var glade for deres bonusudbetalinger. Det var ikke noget problem for Rajamani at beordre VIXAL sat ud af spillet. Det ville ikke koste ham en rød reje. Men de andre havde hver især fået udbetalt en bonus på fire millioner dollars året før. Han opvejede oddsene og nåede til den konklusion, at de ikke ville skabe problemer for ham. Hvad Hoffmann angik, interesserede han sig ikke for nogen af medarbejderne i firmaet ud over *quanterne* og ville støtte ham uanset hvad. »Gana,« sagde han venligt, »jeg beklager, men jeg er bange for, at vi er nødt til at afskedige dig.«

»Hvabehar?« Rajamani stirrede måbende på ham et øjeblik, før han prøvede at smile, men det lignede bare en stivnet, nervøs grimasse. Han prøvede at tage det som en spøg. »Hold nu op, Hugo ...«

»Hvis det kan være en trøst, ville jeg alligevel have fyret dig i næste weekend, uanset hvad, men det føles som et bedre tidspunkt at gøre det nu. Skriv det i referatet, hvis du vil være så venlig.« Efter en kort diskussion indvilligede Gana Rajamani i med øjeblikkelig virkning at give afkald på sine pligter som firmaets risikochef. Hugo Quarry takkede ham for det, han havde gjort for firmaet »... hvilket i øvrigt, som jeg ser det, er lig med nul og niks. Godt, vær så venlig at rydde dit skrivebord og tag hjem og tilbring noget mere tid sammen med dine charmerende børn. Og lad være med at bekymre dig om penge – jeg betaler hellere end gerne et års løn for udsigten til ikke at skulle se dig igen.«

Rajamani genvandt hurtigt fatningen, og bagefter måtte Quarry anerkende hans evne til langt om længe at udvise lidt rygrad, da han sagde: »Lad mig lige få én ting på det rene. Fyrer du mig alene af den grund, at jeg passer mit job?«

»Jeg fyrer dig til dels, fordi du passer dit job, men den primære grund er din pisse irriterende måde at passe det på.«

Med en vis værdighed i behold sagde Rajamani: »Tak skal du have. Jeg vil indprente mig dine ord.« Han vendte sig mod sine kolleger. »Piet? LJ? Har I tænkt jer at blande jer på dette tidspunkt?« Ingen af dem svarede. Rajamani tilføjede, en smule mere desperat: »Jeg troede, vi havde en fælles forståelse ...«

Quarry rejste sig og trak strømstikket ud af Rajamanis computer, der udsendte en stille knitren og gik ud. »Lad være med at tage kopier af nogen af dine filer. Systemet vil fortælle os det, hvis du prøver. Aflever din mobiltelefon til min sekretær på vejen ud. Lad være med at tale med nogen af de andre ansatte i firmaet. Forlad bygningen inden for et kvarter. Din kompensation er betinget af, at du overholder bestemmelserne i vores fortrolighedsaftale. Er det forstået? Jeg vil foretrække, at det ikke bliver nødvendigt at tilkalde sikkerhedsfolkene – det ser altid så uværdigt ud. Mine herrer,« sagde han til de to andre mænd, »skal vi give ham lov til at pakke?«

»Når det her rygtes,« råbte Rajamani efter ham, « er det her firma færdigt ... det skal jeg nok sørge for.«

»Det er jeg ikke i tvivl om.«

»Du sagde selv, at VIXAL kunne flyve os alle sammen direkte ind i en bjergvæg, og det er præcis, hvad der er i gang med at ske ...«

Quarry lagde armene om skuldrene på Ju-Long og van der Zyl og førte dem ud af kontoret foran sig. Han lukkede døren uden at se sig tilbage. Han vidste, at hele dramaet havde udspillet sig for øjnene af alle medarbejderne, men det var der ikke noget at gøre ved. Han følte sig i grunden i helt godt humør. Han havde det altid godt, når han lige havde fyret en medarbejder. Det føltes rensende. Han smilede til Rajamanis sekretær, en køn pige, som han desværre også ville være nødt til at fyre. Quarry havde et nærmest prækristent syn på den form for ritualer. Det var altid bedst at begrave tjenestefolkene sammen med deres herre, hvis han nu fik brug for dem i den næste verden.

»Det beklager jeg,« sagde han til Ju-Long og van der Zyl, »men når alt kommer til alt, må man sige, at hvis vi her i firmaet ikke er innovative, hvad er der så tilbage? Jeg er bange for, at Gana er en mand af den slags, som i 1492 ville være dukket op på kajen for at sige til Columbus, at på grund af en negativ risikovurdering måtte han hellere lade være med at sætte sejl.«

Med en skarphed, som Quarry ikke havde forventet, sagde Ju-Long: »Risikoniveauet var hans ansvar, Hugo. Det er muligt, at du er sluppet af med ham, men du er ikke sluppet af med problemet.«

»Jeg værdsætter din bekymring, LJ. Jeg ved, at han var din gode ven.« Han lagde en hånd på Ju-Longs skulder og så ind i hans mørke øjne. »Men glem ikke, at i netop dette øjeblik er firmaet omkring firs millioner rigere, end da vi mødte på arbejde i morges.« Han nikkede ud over handelsafdelingen, hvor medarbejderne var vendt tilbage til deres pladser, og det virkede, som om en vis form for normalitet havde indfundet sig. »Algoritmen fungerer stadig, og jeg har det oprigtigt sådan, at indtil Alex fortæller os andet, synes jeg, vi bør stole på den. Vi er nødt til at gå ud fra, at VIXAL kan se et mønster i begivenhederne, som vi ikke selv kan få øje på. Kom med, folk glor på os.«

De fortsatte hen langs handelsafdelingen med Quarry forrest. Han var ivrig efter at få dem væk fra gerningsstedet for likvideringen af Rajamani. Mens han gik, prøvede han atter at få fat i Hoffmann på mobilen, men endnu en gang slog hans telefonsvarer til. Denne gang bekymrede han sig ikke engang om at lægge en besked.

»Jeg går netop og tænker ...« sagde van der Zyl.

»Hvad går du og tænker, Piet?«

»At VIXAL må have ekstrapoleret et generelt markedskollaps.«

»Det siger du ikke?«

Van der Zyl fangede ikke sarkasmen i hans stemme. »Jo, for hvis man ser nærmere på de aktier, den shorter ... hvad taler vi så om? Feriekomplekser og kasinoer, konsulentfirmaer, fødevarer og husholdningsartikler. Positionerne breder sig ud over et stort og varieret område. De er på ingen måde sektor-specifikke ...«

»Og så er der short-positionen i S&P,« sagde Ju-Long, »og vores out-of-the-money puts ...«

»Og frygtens indeks,« advarede van der Zyl. »Du ved, optioner for en milliard dollars i frygtens indeks ... tak skæbne!«

Ja, det var en allerhelvedes risikabel position, måtte Quarry indrømme. Han standsede. Rent faktisk var der tale om mere end blot en allerhelvedes risikabel position. Indtil dette øjeblik havde han på grund af det almindelige virvar af tal og data, der var fløjet gennem luften, ikke helt erkendt omfanget af positionen. Han gik hen til en ledig terminal, lænede sig ind over tastaturet og skyndte sig at kalde en graf over VIX frem på skærmen. Ju-Long og van der Zyl sluttede sig til ham. Grafen på skærmen viste i et roligt bølgemønster, hvordan volatilitetsindekset havde svinget i løbet af de seneste to handelsdage, og kurven steg og faldt inden for en smal margen. Men i løbet af de seneste halvfems minutter var den tydeligvis begyndt at bevæge sig opad, og fra et udgangspunkt på omkring 25 point, da markederne åbnede i USA, var den nu steget til næsten 27. Det var stadig for tidligt at sige, om det var et udtryk for en markant stigning i forhold til frygtniveauet på selve markedet, men selvom det ikke var tilfældet, stod de ikke desto mindre og stirrede på et afkast på næsten hundrede millioner. Endnu en gang mærkede Quarry en kold skælven brede sig ned over ryggen.

Han trykkede på en knap og modtog den direkte lydtransmission fra S&P 500-børsen i Chicago. Det var en service, de abonnerede på. Det gav dem en umiddelbar fornemmelse af stemningen på markedet, som man ikke kunne opnå på basis af tallene alene. »*Venner,*« sagde en amerikansk stemme, »*den eneste køber, jeg har her på skærmen i tidsrummet fra 9:26 og frem, er via Goldman til 51 – to hundrede og halvtreds gange. Derudover har hver eneste aktivitet, jeg har, været på sælgersiden. Merrill Lynch, stort salg. Pru Bache, stort salg, hele vejen fra 59 til 53. Og da vi derefter så Swiss Bank og Smith komme ind med store salg ...*«

Quarry lukkede vinduet og sagde: »LJ, kan du ikke begynde at afvikle en del af vores beholdning af korte statsobligationer for at frigive 2,5 milliarder? Bare for det tilfældes skyld, at vi får brug for at stille med noget sikkerhed i morgen.«

»Naturligvis, Hugo.« Hans øjne mødte Quarrys. Han havde erkendt betydningen af bevægelserne i VIX, og det samme havde van der Zyl.

»Vi bør prøve at stikke hovederne sammen mindst hver halve time,« sagde Quarry.

»Og Alex?« spurgte Ju-Long. »Han bør se det her. Han vil sikkert kunne skabe en eller anden mening ud af det hele.«

»Jeg kender Alex. Bare rolig, han skal nok vende tilbage.«

De tre mænd gik hver sin vej. Som medsammensvorne, tænkte Quarry.

14

Kun de paranoide overlever.

ANDREW S. GROVE, DIREKTØR I INTEL CORPORATION

Det var lykkedes Hoffmann at praje en taxa på Rue de Lausanne en husblok fra Hotel Diodati. Bagefter var der tre specifikke grunde til, at chaufføren tydeligt kunne huske turen. For det første fordi han kørte mod Avenue de France, da han blev prajet, og fordi Hoffmann skulle i den modsatte retning – han havde bedt om at blive kørt til en adresse nær en lokal park i forstaden Vernier – hvilket betød, at han var nødt til at foretage en ulovlig U-vending på tværs af adskillige vejbaner. Og for det andet fordi Hoffmann havde virket så nervøs og fraværende. Da de passerede en politibil, som var på vej i den modsatte retning, havde han dukket sig og holdt en hånd op for at skjule ansigtet. Chaufføren havde betragtet ham i spejlet. Han sad og klamrede sig til en bærbar computer. Hans telefon ringede en enkelt gang, men han tog den ikke, og bagefter slukkede han den.

En skarp brise fik flagene til at stå direkte ud til siden på tagene over de officielle bygninger, og temperaturen lå på kun knap halvdelen af det niveau, guidebøgerne ellers lovede for årstiden. Det føltes, som om der var regn på vej. Folk havde forladt fortovene og søgt i ly i deres biler, så trafikken allerede var tæt midt på eftermiddagen. Af samme grund var klokken over fire, da taxaen omsider nærmede sig centrum af Vernier, og Hoffmann pludselig lænede sig frem og sagde: »Sæt mig af her.« Han rakte chaufføren en hundredfrancseddel og steg ud af bilen uden at vente på byttepenge, hvilket var den tredje grund til, at chaufføren huskede ham.

Vernier ligger i det bjergrige landskab på Rhône-flodens højre bred. For en generation siden var forstaden en fritliggende landsby, før Genève bredte sig over på den anden side af floden og opslugte den. Nu ligger de moderne lejlighedsblokke så tæt på lufthavnen, at beboerne kan læse navnene på siden af flyene, når de letter. Alligevel er der stadig visse dele af bydelens centrum, der fremstår som en traditionel schweizisk landsby med tagudhæng og grønne træskodder på husene, og det var denne side af landsbyen, Hoffmann havde husket bedst gennem de seneste ni år. I tankerne forbandt han bydelen med melankolske efterårseftermiddage, hvor gadelygterne snart ville blive tændt, og hvor børnene fik fri fra skole. Han drejede om et hjørne og fandt den cirkelformede træbænk, som han engang havde siddet på, når han kom for tidligt til sine aftaler. Bænken omkransede et ældgammelt træ, der nu stod med helt friske, grønne blade. Da han så det igen, kunne han ikke udholde tanken om at nærme sig det og holdt sig i den modsatte ende af pladsen. Der var ikke ret meget, der havde ændret sig. Vaskeriet, cykelforretningen, den lurvede lille café, hvor de gamle mænd mødtes, det kapelagtige *maison d'artisant communal.* Ved siden af lå bygningen, hvor han efter sigende var blevet helbredt. Det havde været en forretning engang, måske en grønthandler eller en blomsterbutik – et eller andet nyttigt, hvor ejerne sandsynligvis havde boet i lejligheden oven over butikken. Nu var der matteret glas i den store rude i stueetagen, så stedet lignede en tandlægeklinik. Den eneste forskel fra for otte år siden var overvågningskameraet, der var rettet ned mod indgangen. Det var nyt, tænkte han.

Han rystede på hånden, da han trykkede på klokken. Havde han styrken til at gå det hele igennem igen? Den første gang havde han ikke vidst, hvad han skulle forvente, men nu ville han ikke være iført uvidenhedens beskyttende rustning.

»God eftermiddag,« sagde en ung mand.

Hoffmann oplyste sit navn. »Jeg er tidligere patient hos dr. Polidori. Min sekretær skulle have bestilt en tid til mig til i morgen.«

»Jeg er bange for, at dr. Polidori besøger sine patienter på hospitalet om fredagen.«

»Det er for sent i morgen. Jeg er nødt til at tale med hende nu.«

»De kan ikke komme til at tale med hende uden en aftale.«

»Sig til hende, at det er mig. Fortæl, at det haster.«

»Hvad var navnet igen?«

»Hoffmann.«

»Vær så venlig at vente et øjeblik.«

Højttaleren blev slukket. Hoffmann stirrede op på kameraet og løftede instinktivt en hånd for at skjule ansigtet. Hans sår var ikke længere ulækkert og fyldt med blod, men snarere tørt og smuldrende. Da han undersøgte det med fingrene, blev de dækket af noget, der lignede fine rustpartikler.

»Værsgo, kom indenfor.« Der lød en kortvarig summen, da døren blev låst op – og det hele skete så hurtigt, at Hoffmann ikke nåede at åbne døren, men måtte ringe på klokken endnu en gang. Indenfor var der mere hyggeligt, end der havde været i sin tid – en sofa og to lænestole, et tæppe i beroligende pastelfarver, gummitræer og bag receptionistens hoved et stort fotografi af en skovlysning med kiler af solskin, der trængte ned mellem trækronerne. Ved siden af billedet hang hendes lægeautorisation: dr. Jeanne Polidori, MA i psykiatri og psykoterapi fra Genèves Universitet. Endnu et overvågningskamera holdt øje med rummet. Den unge mand bag skranken undersøgte ham nøje. »Værsgo at gå ovenpå. Det er døren lige frem.«

»Ja,« sagde Hoffmann. »Det kan jeg godt huske.«

Trappetrinnenes velkendte knagen var nok til at slippe en stormflod af gamle minder løs. Nogle gange havde han fundet det næsten umuligt at slæbe sig op ad trappen, og på de allerværste dage havde han følt sig som en mand, der prøvede at bestige Mount Everest uden ilt. Deprimeret var ikke et stærkt nok ord til at beskrive, hvordan han havde haft det. Han havde snarere følt sig *begravet* – begravet i et tykt, koldt betonkammer, uden for rækkevidde af hverken lys eller lyde. Nu var han sikker på, at han ikke kunne holde ud at skulle igennem det samme igen. Han ville hellere tage livet af sig.

Hun sad ved computeren i sit konsultationsværelse og rejste sig, da han kom ind. Hun var cirka jævnaldrende med Hoffmann og måtte have set godt ud, da hun var yngre, men nu havde hun et smalt ar, der løb fra venstre øreflip og videre ned over kinden og halsen. Tabet af muskler og væv havde givet hendes ansigt et skævt udtryk, som om hun havde haft en hjerneblødning. Normalt gik hun med et tørklæde om halsen, men ikke i dag. På sin egen klodsede facon havde han engang udspurgt hende om arret. »Hvad fanden er der sket med dit ansigt?« Hun havde fortalt, at hun var blevet overfaldet af en patient, som af Gud var blevet beordret til at slå hende ihjel. Manden var nu kommet sig, men lige siden havde hun haft en peberspray liggende i skrivebordet. Hun havde åbnet skuffen og vist den sorte spraydåse til Hoffmann.

Hun spildte ikke tiden med indledende smalltalk. »Hoffmann, jeg beklager, men som jeg fortalte din sekretær i telefonen, kan jeg ikke behandle dig uden en henvisning fra hospitalet.«

»Jeg er ikke interesseret i, at du skal behandle mig.« Han åbnede den bærbare computer. »Der er bare noget, jeg gerne vil have dig til at se på. Vil du i det mindste ikke gøre det?«

»Det afhænger af, hvad det er.« Hun betragtede ham mere omhyggeligt. »Hvad er der sket med dit hoved?«

»Vi har haft indbrud, og jeg blev slået ned bagfra.«

»Er du ikke blevet behandlet?«

Hoffmann lænede sig frem og viste hende stingene.

»Hvornår er det sket?«

»I aftes. I morges.«

»På Universitetshospitalet?«

»Ja.«

»Fik du lavet en CT-skanning?«

Han nikkede. »De fandt nogle hvide pletter. De skyldes muligvis det slag, jeg har fået i hovedet, eller også drejer det sig om noget andet ... en tidligere skade.«

»Hoffmann,« sagde hun en smule blidere, »i mine øjne lyder det, som om du kommer for at bede om behandling.«

»Nej, det gør jeg faktisk ikke.« Han stillede computeren foran hende. »Jeg vil bare gerne høre din mening om det her.«

Hun så tvivlende på ham, før hun rakte ud efter sine briller. De hang stadig i en kæde om hendes hals, bemærkede han. Hun tog dem på og kiggede på skærmen. Han holdt øje med hendes ansigtsudtryk, mens hun bladrede i dokumentet. Det grimme ar understregede på en måde bare skønheden i resten af hendes ansigt, som han heller ikke havde glemt. Den dag, da han bemærkede det, var den dag, da han ifølge sin egen opfattelse var begyndt at få det bedre.

»Godt,« sagde hun og trak på skuldrene, »det handler jo tydeligt nok om en korrespondance mellem to mænd, hvor den ene fantaserer om at slå ihjel, mens den anden drømmer om at dø og spekulerer på, hvordan det vil være. Dialogen virker stiv og akavet. Jeg vil tro, at der er tale om et chatroom på internettet, en hjemmeside eller noget i den retning. Den, der gerne vil slå ihjel, er ikke særlig god til engelsk, mens den anden, offeret, har langt bedre styr på sproget.« Hun så på ham over kanten af brillerne. »Jeg kan ikke se, hvad jeg kan fortælle dig, som du ikke selv allerede har bemærket.«

»Er den slags almindeligt?«

»Ja, afgjort, og det bliver det i højere og højere grad. Det er en af de mere dystre sider ved internettet, som vi nu er nødt til at forholde os til. Internettet bringer mange mennesker sammen, som tidligere heldigvis aldrig ville have fået muligheden for at mødes – mennesker, som måske ikke engang vidste, at de havde disse farlige fascinationer – og konsekvenserne kan være katastrofale. Jeg er blevet kontaktet af politiet indtil flere gange i lignende sammenhænge. Der er hjemmesider, hvor folk opfordres til at indgå selvmordspagter, specielt blandt unge. Der er naturligvis hjemmesider for pædofile. Og for kannibaler ...«

Hoffmann satte sig og støttede hovedet i hænderne. »Den mand, der fantaserer om at dø ... det er mig, er det ikke?«

»Det bør du vide bedre end mig, Hoffmann. Kan du ikke huske, om du har skrevet det?«

»Nej, men alligevel er der tanker her, som jeg genkender som mine – drømme, som jeg havde, da jeg var syg. Det lader til, at jeg også har foretaget mig andre ting på det seneste, som jeg ikke kan huske.« Han så på hende. »Kan der være et problem i min hjerne, som er skyld i det, tror du? Noget, som får mig til at gøre forskellige ting? Ting, som det ikke ligger til mig at gøre, og som jeg ikke har nogen erindring om bagefter?«

»Det er muligt.« Hun skubbede den bærbare computer til side og vendte sig mod sin egen skærm. Hun skrev et eller andet og klikkede adskillige gange med musen. »Jeg kan se, at du i november 2001 uden forklaring afbrød behandlingen hos mig. Hvad var årsagen?«

»Jeg var rask.«

»Synes du ikke, at det var mig, der burde have truffet beslutningen?«

»Nej, det gør jeg faktisk ikke. Jeg er ikke noget barn. Jeg ved, hvornår jeg har det godt. Jeg har haft det fint i årevis. Jeg blev gift. Jeg startede egen virksomhed. Alt har været fint. Indtil det her begyndte.«

»Det er muligt, at du føler dig rask, men jeg er bange for, at depressive forstyrrelser som den, du havde, kan vende tilbage.« Hun gennemgik notaterne i hans journal og rystede på hovedet. »Jeg kan se, at der er gået seks et halvt år siden din sidste konsultation. Du er nødt til lige at minde mig om, hvad det var, der var den udløsende faktor bag din sygdom.«

Hoffmann havde skubbet emnet så langt væk i baghovedet, at det krævede stor anstrengelse for ham at genkalde sig det. »Jeg oplevede nogle alvorlige vanskeligheder i forbindelse med min forskning i CERN. Der blev gennemført en intern undersøgelse, hvilket var meget belastende for mig. I sidste ende besluttede man sig for at indstille den forskning, jeg arbejdede med.«

»Hvad gik projektet ud på?«

»Maskinlæring – kunstig intelligens.«

»Har du været underlagt en masse tilsvarende belastninger på det seneste?«

»I et vist omfang, ja,« indrømmede han.

»Hvilken form for depressive symptomer har du mærket?«

»Ingen. Det er det, der er så mærkeligt.«

»Apati? Søvnløshed?«

»Nej.«

»Impotens?«

Han tænkte på Gabrielle og spekulerede på, hvor hun var. »Nej,« svarede han stille.

»Hvad med de selvmordsfantasier, du havde engang? De var meget levende og detaljerede ... er de vendt tilbage?«

»Nej.«

»Den mand, der overfaldt dig ... skal jeg forstå det sådan, at han er den anden part i samtalerne på internettet?«

Hoffmann nikkede.

»Hvor er han nu?«

»Det vil jeg helst ikke komme nærmere ind på.«

»Hoffmann, hvor er han nu?« Da han stadig nægtede at svare, sagde hun: »Vær så venlig at vise mig dine hænder.«

Han rejste sig tøvende, nærmede sig skrivebordet og holdt hænderne frem. Han følte sig som et barn igen – som om han blev bedt om at vise hænderne frem som bevis på, at han havde vasket dem, før han tog plads ved middagsbordet. Hun undersøgte hans flossede hud uden at røre ved ham, og så studerede hun omhyggeligt resten af hans krop.

»Har du været oppe at slås?«

Det tog ham lang tid at svare. »Ja. Det var selvforsvar.«

»Det er i orden. Vær så venlig at sætte dig igen.«

Han gjorde, som hun bad ham om.

»I mine øjne,« sagde hun, »bør du straks tale med en specialist. Der findes visse mentale forstyrrelser – skizofreni, paranoia – der kan få folk til at handle på måder, som afviger markant fra deres personlighed, og som de ganske enkelt ikke har nogen erindring om bagefter. Det er måske ikke tilfældet her, men jeg synes ikke, at vi skal tage nogen chancer, vel? Især ikke hvis din hjerneskanning viser anormaliteter.«

»Nej, måske ikke.«

»Godt, jeg vil derfor gerne bede dig om at tage plads nedenunder, mens jeg taler med en kollega. Måske kan du ringe til din kone og fortælle hende, hvor du er. Er det i orden?«

»Ja, selvfølgelig.«

Han ventede på, at hun skulle vise ham ud, men hun fortsatte bare med at sidde og betragte ham bag skrivebordet. Langt om længe rejste han sig og tog den bærbare computer. »Mange tak,« sagde han. »Jeg går ned i receptionen.«

»Godt. Det bør ikke vare mere end et par minutter.«

I døren vendte han sig om. En tanke var slået ned i ham. »Er det min journal, du sidder og kigger på?«

»Ja.«

»Ligger den på computeren?«

»Ja, det har den altid gjort. Hvorfor?«

»Hvad indeholder den helt præcist?«

»Mine notater og anmærkninger. En gennemgang af behandlingen – ordineret medicin, psykoterapi og den slags.«

»Optager du samtalerne med dine patienter på bånd?«

Hun tøvede. »Nogle gange.«

»Også mine?«

Endnu en tøvende pause. »Ja.«

»Og hvad sker der med optagelserne?«

»Min sekretær renskriver dem.«

»Og så gemmer du de renskrevne samtaler på computeren?«

»Ja.«

»Må jeg se dem.« Han tog et par lange skridt hen mod hendes skrivebord.

»Nej. Under ingen omstændigheder.«

Hun skyndte sig at lægge hånden på musen for at klikke sig ud af dokumentet, men han lukkede hånden hårdt om hendes håndled.

»Vær så venlig at lade mig se min egen journal.«

Han var nødt til at tvinge musen ud af hendes hånd, som skød hen mod skuffen, hvor hun havde pebersprayen liggende. Han blokerede hendes adgang til den med benet.

»Jeg vil ikke gøre dig noget,« sagde han. »Jeg vil bare gerne se, hvad jeg fortalte dig. Giv mig et øjeblik til at kigge i min journal, så skal jeg nok gå.«

Han havde det dårligt med at se frygten i hendes øjne, men han nægtede at bøje sig, og efter et par sekunder overgav hun sig. Hun skubbede stolen tilbage og rejste sig. Han overtog hendes plads og satte sig foran skærmen. Hun trak sig tilbage i sikker afstand af ham og betragtede ham fra døråbningen, mens hun trak sin cardigan til om kroppen, som om hun frøs. »Hvor har du den bærbare computer fra?« spurgte hun. Men han hørte hende ikke. Han sammenlignede de to skærme og bladrede ned i teksten på først den ene skærm og derefter den anden, mens det føltes, som om han så på sig selv i to mørke spejle. Teksterne på de to skærme var identiske. Alt det, han havde fortalt hende om for ni år siden, da han havde åbnet sin sjæl for hende, var blevet kopieret og indsat på hjemmesiden, hvor tyskeren havde læst det.

Uden at se op sagde han: »Er computeren koblet på internettet?« Han kunne se på hende, at det var den. Han gik ind i registreringsdatabasen. Det tog ham ikke ret lang tid at finde de ondsindede programkoder – en række underlige filer af en type, han aldrig havde set før. Fire i alt.

u╟2Sq.5Θ╪

/s├■╬

5⌐qpj.O┬

┌╚⍰Ơɛ╢.o

»En eller anden har hacket din computer,« sagde han. »Og stjålet mine journaloplysninger.« Han så hen mod døren, hvor hun havde stået. Konsultationsværelset var tomt, og døren stod på klem. Han kunne høre hendes stemme et eller andet sted. Det lød, som om hun talte i telefon. Han tog computeren og skyndte sig ned ad den smalle, tæppebelagte trappe. Receptionisten gik rundt om skranken og prøvede at spærre vejen for ham, men Hoffmann kunne uden besvær mase sig forbi ham.

Udenfor virkede normaliteten som en hån mod ham – de gamle mænd, der sad og drak på cafeen, den unge mor med barnevognen og au pair-pigen, der hentede noget tøj på vaskeriet. Han drejede til venstre og gik i rask gang hen ad gaden med de mange grønne træer og fortsatte forbi en række trøstesløse huse med skodder for vinduerne, bageriet, der nu var lukket, og en masse forstadshække og små, fornuftige biler. Han vidste ikke, hvor han var på vej hen. Normalt havde han bemærket, at når han motionerede – enten gik eller løb – fokuserede det hans tanker og stimulerede hans kreativitet. Men det skete ikke nu. Hans tanker var i oprør. Han begyndte at gå ned ad bakken. Der lå kolonihaver på begge sider af ham, og så kom han utroligt nok forbi et område med åbne marker, og en kolossal fabrik bredte sig ud under ham ved siden af en parkeringsplads og nogle boligblokke, og i det fjerne lå bjergene. Over ham hang himmelhvælvet fyldt med en uendelig flåde af skyer, der passerede forbi som krigsskibe.

Efter et stykke tid endte vejen ved en betonmur under en motorvejsoverskæring og snævrede sig ind til en sti, som drejede til venstre og fortsatte langs den larmende motorvej og førte ham ned gennem en lille skovtykning, og lidt efter kom han ud på flodbredden. Rhônefloden var bred på dette sted, måske to hundrede meter fra den ene side til den anden, brungrøn og ugennemsigtig, og vandet flød dovent ind i en krumning og fortsatte gennem et åbent landskab med stejle, træbevoksede skrænter på den modsatte bred. En fodgængerbro, Passerelle de Chèvres, forbandt de to sider. Han betragtede broen. Han havde kørt forbi den før og havde set børn springe i vandet fra den for at blive afkølet på varme sommerdage. Den fredfyldte udsigt stod i en skærende kontrast til den brølende trafik i baggrunden, og da han trådte ud på betonbroen, føltes det, som om han gled helt ud af den normale verden, og at det ville blive svært for ham at vende tilbage. Midt på broen standsede han og klatrede op på metalgelænderet. Det ville ikke have taget ham mere end et par sekunder at springe de fem eller seks meter ned i det langsomt flydende vand og lade sig blive ført langt, langt væk. Han forstod, hvorfor Schweiz var hele verdens centrum for aktiv dødshjælp – det var, som om landet var organiseret til at opmuntre folk til at forsvinde diskret og ubemærket og skabe så få problemer som overhovedet muligt.

Han følte sig fristet til at gøre det. Han havde ingen illusioner.

Der ville blive fundet masser af beviser i form af dna og fingeraftryk på hotelværelset, som ville forbinde ham med mordet, og uanset hvad der skete, var det kun et spørgsmål om tid, før han ville blive anholdt. Han tænkte på det, der ventede ham – en hoben af politifolk, advokater, journalister og lynende kameraer, der strakte sig adskillige måneder ud i fremtiden. Han tænkte på Quarry og Gabrielle – især Gabrielle.

Men jeg er ikke sindssyg, tænkte han. Det er muligt, at jeg har slået en mand ihjel, *men jeg er ikke sindssyg*. Jeg er hverken et offer for en udspekuleret plan om at få mig til at *tro*, at jeg er sindssyg, eller for nogens forsøg på at lokke mig i en fælde, afpresse mig, knuse mig. Han spurgte sig selv: Stolede han virkelig på, at myndighederne – den pedantiske og gammeldags Leclerc, for eksempel – var bedre egnet til at trænge til bunds i en så djævelsk udspekuleret labyrint? Spørgsmålet besvarede sig selv.

Han tog tyskerens mobiltelefon op af lommen. Den ramte vandet næsten uden at lave et plask og efterlod blot et kortvarigt hvidt ar på den mudrede overflade.

På den modsatte bred stod nogle børn med deres cykler og holdt øje med ham. Han klatrede ned fra gelænderet, krydsede resten af broen og fortsatte direkte forbi dem med den bærbare computer under armen. Han forventede, at de ville råbe efter ham, men de fortsatte bare med at stirre tavst og alvorligt på ham, og han havde på fornemmelsen, at der var noget ved hans udseende, der virkede skræmmende på dem.

Gabrielle havde aldrig før besøgt CERN, og stedet mindede hende omgående om hendes gamle universitet i Nordengland – grimme, funktionelle kontorbygninger fra tresserne og halvfjerdserne, der bredte sig ud over et stort område; nedslidte gange fyldt med alvorlige mennesker, de fleste unge, som stod og talte sammen foran plakater, hvor der blev reklameret for forelæsninger og koncerter.

Der hang oven i købet den samme akademiske lugt af gulvvoks, kropsvarme og kantinemad i luften. Hun kunne sagtens forestille sig, at Alex havde passet meget bedre ind her end i de smarte kontorer i Les Eaux-Vives.

Professor Waltons sekretær havde efterladt hende alene tilbage i vestibulen i datacenteret og var gået ud for at lede efter ham. Nu, hvor hun var alene, følte hun en voldsom trang til at flygte. Det, der på badeværelset i Cologny havde føltes som en god idé, efter at hun havde fundet hans visitkort – at ringe til ham, ignorere hans overraskelse og spørge, om hun kunne komme og tale med ham med det samme: Hun ville fortælle, hvad det handlede om, når de mødtes – slog hende nu som både pinligt og hysterisk. Da hun vendte sig for at lede efter udgangen, fik hun øje på en gammel computer i en glasmontre. Da hun trådte nærmere, kunne hun læse, at der var tale om den NeXT-processor, der i 1991 havde været den spæde begyndelse til World Wide Web. Den oprindelige besked til rengøringsfolkene sad stadig på det sorte metalkabinet. »Computeren er en server og MÅ IKKE SLUKKES!« Vildt, tænkte hun, at det hele var begyndt med noget så simpelt.

»Pandoras æske,« sagde en stemme bag hende, og da hun vendte sig, fik hun øje på Walton. Hun spekulerede på, hvor længe han havde holdt øje med hende. »Eller loven om utilsigtede konsekvenser. Man begynder med at prøve at rekonstruere verdens skabelse og ender med at skabe grundlaget for eBay. Kom med ind på mit kontor. Jeg er bange for, at jeg ikke har så lang tid.«

»Er du sikker? Jeg vil ikke forstyrre. Jeg kan altid komme tilbage på et andet tidspunkt.«

»Nej, det er i orden.« Han så omhyggeligt på hende. »Drejer det sig om at skabe kunst ud af partikelfysik, eller drejer det sig tilfældigvis om Alex?«

»Det drejer sig faktisk om Alex.«

»Det tænkte jeg nok.«

Han førte hende hen ad en gang med billeder af gamle computere og videre ind i en kontorfløj. Bygningen var ucharmerende og funktionel – matterede glasdøre, alt for skarp neonbelysning, institutionelt linoleum, grå vægge – overhovedet ikke som hun havde forventet, at hjemstedet for partikelacceleratoren ville se ud. Men igen kunne hun let forestille sig Alex i omgivelserne. De passede under alle omstændigheder meget bedre til den mand, hun havde giftet sig med, end hans nuværende arkitektindrettede, læderpolstrede arbejdsværelse med de mange førsteudgaver i Cologny.

»Godt, det her er stedet, hvor den store mand plejede at sove,« sagde Walton og åbnede en dør til en spartansk lille kontorcelle med to skriveborde, to skærme og udsigt til en parkeringsplads.

»Sove?«

»Ja, han arbejdede også, for nu at være retfærdig. Tyve timers arbejde, fire timers søvn. Han faldt bare omkuld på en madras i hjørnet.« Han smilede stille ved mindet og rettede sine alvorlige grå øjne mod hende. »Jeg tror, at Alex allerede var rejst herfra, da du mødte ham til vores lille nytårsfest ... eller var på vej til at rejse, i det mindste. Jeg går ud fra, at der er opstået et problem.«

»Ja, det er der.«

Han nikkede, som om han kun havde forventet det. »Kom, lad os gå hen på mit kontor,« sagde han og førte hende hen ad gangen. Kontoret var identisk med det andet – med den ene forskel, at der kun var ét skrivebord, og at det var lykkedes Walton at gøre kontoret lidt mere menneskeligt ved at lægge et gammelt persisk tæppe på linoleumsgulvet og anbringe nogle potteplanter i den rustne metalvindueskarm. Oven på et arkivskab spillede en radio noget stille klassisk musik, en strygerkvartet. Han slukkede den. »Godt, hvordan kan jeg hjælpe?«

»Fortæl mig, hvad han lavede her, og hvad der gik galt. Jeg går ud fra, at han fik et sammenbrud, og jeg har en ubehagelig mistanke om, at det samme er ved at ske igen. Jeg beklager.« Hun rettede blikket ned i skødet. »Jeg ved ikke, hvem jeg ellers skulle spørge.«

Walton sad bag sit skrivebord. Han havde ført spidserne på sine lange fingre sammen og pressede dem mod munden. Han betragtede hende i et stykke tid, før han langt om længe sagde: »Har du nogensinde hørt om det amerikanske Desertron-projekt?«

Desertron-projektet, fortalte Walton, var en storstilet amerikansk plan om at opføre en Superconducting Super Collider – en 87 kilometer lang tunnel, der skulle sprænges ud i klippegrunden i Waxahachie i Texas. Men i 1993 havde den amerikanske Kongres i sin umådelige visdom vedtaget at droppe planerne, hvilket havde sparet de amerikanske skatteborgere for en udgift på omkring ti milliarder dollars. (»De må have danset jublende rundt i gaderne«). Imidlertid betød det også, at det mere eller mindre havde trukket tæppet væk under en hel generation af amerikanske naturvidenskabelige forskeres karrieremuligheder – herunder den superintelligente, unge Alex Hoffmann, der netop var ved at lægge sidste hånd på sin ph.d. på Princeton.

I sidste ende var Alex dog en af de heldige. Han var kun omkring treogtyve år, men han var allerede så anerkendt, at han blev en af de yderst få ikke-europæere, som fik tilbudt en forskerstilling i CERN for at arbejde på The Large Electron-Positron Collider, forløberen for The Large Hadron Collider. De fleste af hans kolleger var desværre nødt til at fortsætte som *quanter* på Wall Street, hvor de hjalp med at udvikle finansielle instrumenter i stedet for partikelacceleratorer. Og da så *det* gik galt, og hele banksystemet imploderede, var Kongressen nødt til at redde bankerne – med en udgift på 3,7 billioner dollars for de amerikanske skatteydere til følge.

»Hvilket er endnu et eksempel på loven om utilsigtede konsekvenser,« sagde Walton. »Ved du godt, at Alex tilbød mig et job for omkring fem år siden?«

»Nej.«

»Det var før bankkrisen. Jeg sagde til ham, at i mine øjne passede avanceret videnskab og penge ikke sammen. Det er en ustabil blanding. Jeg har muligvis benyttet ordene 'mørke kunster'. Jeg er bange for, at vi skiltes som uvenner igen.«

Gabrielle nikkede ivrigt og sagde: »Jeg ved, hvad du mener. Der er en underliggende anspændthed i ham, som jeg altid har været bevidst om, men især på det seneste.«

»Ja, præcis. I årenes løb har jeg kendt en hel del, som har foretaget springet fra ren videnskab til at tjene penge – dog indrømmer jeg, at ingen har været så succesfuld som Alex – og man kan altid se, alene på baggrund af hvor højlydt folk insisterer på det modsatte, at de inderst inde foragter sig selv.«

Han så ud til at lide ved tanken om det, der var sket med hans profession. Som om de på en eller anden måde var faldet ned fra en piedestal, og igen mindede han Gabrielle om en præst. Der var noget verdensfjernt ved ham, akkurat som der var ved Alex.

Hun var nødt til at presse ham til at fortsætte. »Men angående det, der skete i halvfemserne ...«

»Ja, godt, tilbage til halvfemserne ...«

Alex var ankommet til Genève blot et par år efter, at videnskabsfolkene i CERN havde opfundet World Wide Web. Og underligt nok var det præcis det, der havde fanget hans interesse – ikke at genskabe Big Bang eller finde Gudspartiklen eller skabe antistof, men mulighederne for serieforbundet processorkraft, spirende maskinlæring, en global hjerne.

»Han havde en meget romantisk indstilling til tingene, hvilket altid er farligt. Jeg var hans afdelingschef i CERN's datacenter. Maggie og jeg hjalp ham også med at komme lidt ud herfra. Han passede vores drenge, da de var små. Han var håbløs til det.«

»Det kan jeg forestille mig.« Hun bed sig i underlæben ved tanken om Alex sammen med børn.

»*Fuldstændig* håbløs. Vi kom hjem og fandt ham sovende i deres senge ovenpå, mens de sad nedenunder og så fjernsyn. Han pressede altid sig selv for hårdt, sled sig selv op. Han var som besat af sin forskning i kunstig intelligens, selvom han ikke brød sig om de overmodige konnotationer ved udtrykket kunstig intelligens og foretrak at omtale det som AML – autonom maskinlæring. Er du selv teknisk anlagt?«

»Nej, overhovedet ikke.«

»Er det ikke svært at være gift med Alex?«

»Tværtimod, for at være helt ærlig. Det er det, der får det til at fungere.« *Eller gjorde*, var hun lige ved at tilføje. Det var den selvoptagede matematiker – hans manglende sociale kompetencer, hans mærkelige uskyld – som hun havde forelsket sig i, mens det var den nye Alex, milliardæren og hedgefonddirektøren, hun havde svært ved at affinde sig med.

»Godt, uden at blive alt for teknisk, er en af de største udfordringer, vi står over for her, ganske enkelt at analysere de kolossale datamængder, som er et resultat af vores eksperimenter. Vi er nu oppe på omkring 27 trillioner bytes hver dag. Alex' løsning bestod i at opfinde en algoritme, som så at sige kunne lære, hvad den skulle holde øje med, men som også kunne lære sig selv, hvad den *derefter* skulle holde øje med. Det ville gøre den i stand til at arbejde ufatteligt meget hurtigere end et menneske. Rent teoretisk var ideen fænomenal, men i praksis var den en katastrofe.«

»Så den virkede altså ikke?«

»Åh jo, den virkede. Det var det, der var katastrofen. Den begyndte at brede sig som ukrudt i systemet. I sidste ende var vi nødt til at sætte den i karantæne, hvilket betød, at vi mere eller mindre måtte lukke alt ned. Jeg er bange for, at jeg var nødt til at sige til Alex, at netop denne del af hans forskning var for ustabil til, at han kunne få lov til at fortsætte. Det ville kræve en form for indkapsling af algoritmen, akkurat ligesom man kender det inden for atomteknologi, for ellers svarede det reelt bare til at slippe en virus løs. Det hele blev temmelig ubehageligt en overgang. Ved en enkelt lejlighed var det nødvendigt at fjerne ham herfra med magt.«

»Og var det dengang, han fik sit sammenbrud?«

Walton nikkede bedrøvet. »Jeg havde aldrig før set en mand, der var så knust. Man skulle tro, jeg lige havde slået hans barn ihjel.«

15

Da jeg overvejede disse forhold ... fik jeg ideen til et nyt koncept: »Det digitale nervesystem« ... Et digitalt nervesystem består af de digitale processer, der gør en virksomhed i stand til at fornemme og reagere på sine omgivelser, at opfange udfordringer fra konkurrenter og kundebehov og at tilrettelægge reaktioner tilpas hurtigt.

BILL GATES, *Ledelse med tankens hast* (2006)

Da Hoffmann nåede tilbage til sit kontor, var arbejdsdagen ved at være slut – omkring klokken 18:00 i Genève, middagstid i New York. Folk var på vej ud af bygningen for at tage hjem, gå ud for at få en drink eller til styrketræning. Han stod i en døråbning på den anden side af gaden og ledte efter tegn på politiets tilstedeværelse, og først da han følte sig overbevist om, at de ikke var der, skyndte han sig over gaden, stirrede tomt ind i skanneren og blev lukket ind. Han gik direkte gennem foyeren, tog en af elevatorerne op og fortsatte gennem handelsafdelingen. Kontoret var stadig fyldt. De fleste af medarbejderne forlod ikke deres skriveborde før klokken 20:00. Han bøjede hovedet og satte kursen mod sit kontor, mens han prøvede at ignorere de mange nysgerrige blikke, han tiltrak. Marie-Claude sad ved sit skrivebord og så ham nærme sig. Hun åbnede munden for at sige noget, men Hoffmann holdt hænderne op for at bremse hende. »Jeg ved det,« sagde han. »Jeg har brug for ti minutter for mig selv, og så skal jeg nok forholde mig til det hele. Lad være med at lukke nogen ind, okay?«

Han gik ind på kontoret og lukkede døren. Han satte sig i sin dyre ortopædiske stol med de moderne vippemekanismer og åbnede tyskerens bærbare computer. Hvem var det, der havde hacket sig ind i lægens journaloplysninger om ham? Det var det store spørgsmål. Hvem det end var, måtte det være den samme, der også stod bag alt det andet. Det undrede ham. Han havde aldrig opfattet sig selv som en mand med fjender. Det var rigtigt, at han ikke havde nogen venner, men han havde altid tænkt, at det var en naturlig følge af hans enspændernatur, at han dermed heller ikke havde nogen fjender.

Han havde ondt i hovedet igen og lod fingrene glide hen over det barberede område. Det føltes som stingene på en fodbold. Hans skuldre var stive og anspændte. Han begyndte at massere sig i nakken og lænede sig tilbage i stolen og stirrede op på røgalarmen, sådan som han havde gjort det tusindvis af gange før, når han prøvede at koncentrere sig og fokusere tankerne. Han betragtede den lille, røde lampe, der var magen til den, der også sad på røgalarmen i soveværelset i huset i Cologny og altid fik ham til at tænke på Mars, når han faldt i søvn. Lige så langsomt holdt han op med at massere sig i nakken. »Pis,« hviskede han.

Han satte sig ret op og så på billedet på computerskærmen. Billedet af ham selv, hvor han stirrede op på kameraet med et tomt og ufokuseret blik. Han trådte op på kontorstolen. Den vaklede faretruende under ham, da han fortsatte op på skrivebordet. Røgalarmen var kvadratisk og lavet af plastic og bestod af en kvælstoffølsom plade, en testknap og et gitter, der skjulte selve alarmen. Han førte fingrene rundt i kanten af den. Det var, som om den var limet fast på loftspladerne. Han trak i den og prøvede at dreje den, og til sidst greb han i en blanding af frygt og frustration hårdt fat om den og flåede den af.

Den hvinende protest, der lød fra røgalarmen, var af nærmest fysisk intensitet. Plastichylsteret skælvede i hans hånd, og larmen fik luften til at vibrere. Alarmen var stadig forbundet med loftet i form af en navlestreng af ledninger, og da han førte fingrene om på bagsiden for at prøve at slukke den, fik han et stød, der føltes lige så voldsomt som at blive bidt af et dyr, og smerten skar sig dybt ind i ham. Han skreg højt, gav slip på røgalarmen og lod den hænge og dingle under loftet, mens han rystede hænderne voldsomt, som om han prøvede at tørre dem. Den skingre larm var som et fysisk angreb, og han var sikker på, at det ville begynde at bløde fra hans ører, medmindre han hurtigt fik alarmen slukket. Han tog fat om plasticdækslet og trak til af al kraft, så han nærmest svingede sig i den, og langt om længe rev røgalarmen sig løs og flåede et stykke af loftet med. Den pludselige stilhed var lige så chokerende som den øredøvende larm.

Meget senere, da Quarry så tilbage og gennemlevede de næste par timer og blev spurgt om, hvilket øjeblik der for ham havde været det mest skræmmende, svarede han, at det underligt nok var det tidspunkt, da han hørte røgalarmen og løb fra den ene ende af handelsafdelingen til den anden for at finde Hoffmann – den eneste mand, som helt igennem forstod den algoritme, som lige nu var gået ind i en ikke-afdækket position til tredive milliarder dollars – og fandt ham stående på sit skrivebord, plettet af blod og dækket af støv, under et hul i loftet, mens han fablede op om, at han blev udspioneret, uanset hvor han stod og gik.

Quarry var ikke den første, der kom ind på Hoffmanns kontor. Døren stod åben, og Marie-Claude stod allerede derinde sammen med nogle af *quanterne*. Quarry maste sig forbi dem og beordrede dem alle til at vende tilbage til arbejdet. Selv fra denne vinkel kunne han med det samme se, at Hoffmann var blevet ramt af et eller andet traume. Hans øjne var vilde, og hans tøj var krøllet. Der var størknet blod i hans hår. Hans hænder var flossede, som om han havde slået dem hårdt ind i en betonvæg.

Så roligt som han kunne, sagde han: »Okay, Alexi, hvordan går det deroppe?«

»Se selv,« råbte Hoffmann ophidset. Han sprang ned fra skrivebordet og holdt en hånd frem. I håndfladen lå røgalarmen i løsdele. Han rodede lidt i dem med pegefingeren, som om han var en naturforsker, der var i færd med at inspicere indvoldene fra en død skabning. Han tog en lille linse forbundet med et lille stykke ledning op i hånden. »Ved du, hvad det her er?«

»Det er jeg ikke helt sikker på, at jeg gør, nej.«

»Det er et webcam.« Han lod de mange løsdele glide ud mellem fingrene og drysse ud over skrivebordet, og nogle af dem faldt videre ned på gulvet. »Se lige det her.« Han gav Quarry den bærbare computer og pegede på skærmen. »Hvor tror du, det billede er taget?«

Han satte sig igen og lod sig falde tilbage i stolen. Quarrys blik flakkede fra Hoffmann til skærmen og tilbage igen, før han rettede blikket op mod loftet. »For helvede. Hvor har du computeren fra?«

»Den tilhørte den mand, der overfaldt mig i aftes.«

Selv på daværende tidspunkt bemærkede Quarry den usædvanlige brug af datidsformen – *tilhørte* – og spekulerede på, hvordan computeren var kommet i Hoffmanns besiddelse. Men der var ikke tid til at spørge ham om det, for i det samme sprang Hoffmann op. Hans tanker løb løbsk for ham nu. Han kunne ikke sidde stille. »Kom med,« sagde han og vinkede. »Kom.« Han tog fat om Quarrys albue, førte ham ud af kontoret og pegede op mod loftet over Marie-Claudes skrivebord, hvor der sad en identisk røgalarm. Han holdt en finger op foran munden, hvorefter han førte Quarry hen i udkanten af handelsafdelingen og viste ham yderligere ... en, to, tre, fire alarmer. Der var også en i direktionsværelset. Selv på herretoilettet var der en. Han trådte op på bordpladen med de forsænkede håndvaske. Han kunne lige akkurat nå alarmen. Han trak hårdt i den, og i en byge af støv rev den sig løs. Endnu et webcam. »De sidder overalt. Jeg har lagt mærke til dem i flere måneder uden nogensinde for alvor at *se* dem. Der er også en på dit kontor, er jeg sikker på. Der hænger en i hvert eneste værelse hjemme i mit hus.

For helvede. Selv på *badeværelset.*« Han tog sig til panden og var først nu ved at forstå omfanget. »Ufatteligt.«

Quarry havde altid haft en snigende frygt for, at deres rivaler ville prøve at udspionere dem. Det var helt sikkert, at han selv ville have gjort det, hvis han havde været i deres sted. Det var derfor, han havde hyret Genouds sikkerhedsfirma. Han drejede chokeret røgalarmen i hænderne. »Tror du, at der er et kamera i dem alle sammen?«

»Vi kan tjekke det, men ja ... ja, det gør jeg.«

»For helvede, og vi betaler Genoud en formue for at finkæmme kontoret for aflytningsudstyr.«

»Men det er præcis det, der er det smukke ved det hele – det må være ham, der har installeret det hele på kontoret. Kan du ikke se det? Det var også ham, der stod for at installere alarmsystemet i mit hus, da jeg købte det. Se.« Hoffmann tog sin mobiltelefon frem. »Og det var ham, der skaffede telefonerne til os – de specialfremstillede, kodede telefoner.« Han brækkede telefonen op – af en eller anden grund fik det Quarry til at tænke på en mand, der knækkede hummerkløer – og skilte den hurtigt fra hinanden ved en af vaskene. »Det er det perfekte aflytningsudstyr. Man behøver ikke engang at indbygge en mikrofon, for der er allerede en i telefonen. Jeg har læst om det i *Wall Street Journal.* Man tror, man har slukket for telefonen, men i virkeligheden er den hele tiden tændt og opfanger alle samtaler, selv når de ikke bliver ført via mobilnettet. Og man sørger selv for, at den hele tiden er opladet. Min telefon har faktisk opført sig underligt hele dagen.«

Hoffmann var så sikker på, at han havde ret, at Quarry mærkede, hvordan hans paranoia smittede. Han undersøgte forsigtigt sin egen telefon, som om den var en granat, der risikerede at eksplodere mellem hænderne på ham, før han benyttede den til at ringe til sin sekretær. »Amber, vil du ikke være så venlig at finde Maurice Genoud og få ham til straks at komme. Giv ham besked på at droppe alt, uanset hvad han laver lige nu, og komme ind på Alex' kontor.« Han afbrød forbindelsen. »Lad os høre, hvad røvhullet har at sige. Jeg har aldrig stolet på ham. Gad vide, hvad det er for et spil, han har gang i?«

»Det er temmelig indlysende, er det ikke? Vi er en hedgefond, der sikrer investorerne et udbytte på firs procent. Hvis nogen oprettede et firma, der var som en klon af os og efterlignede alle vores handler, ville de tjene en formue. De behøvede ikke engang at vide, hvordan vi gør det. Det er indlysende, at de ville tænke på at udspionere os. Det eneste, jeg ikke fatter, er, hvorfor han har gjort alle de andre ting.«

»Hvilke andre ting?«

»Oprettet en konto på Cayman Islands, overført penge til og fra kontoen, sendt mails i mit navn, købt en bog til mig, der er fuld af oplysninger om frygt og rædsel, saboteret Gabbys udstilling, hacket sig adgang til min lægejournal og koblet mig sammen med en psykopat. Det er nærmest, som om han er blevet betalt for at drive mig fra forstanden.«

Mens Quarry lyttede, begyndte han igen at føle sig ængstelig til mode, men før han kunne nå at sige noget, ringede hans telefon. Det var Amber.

»Mr. Genoud var på etagen lige nedenunder. Han er på vej op.«

»Tak.« Quarry så på Hoffmann. »Han befinder sig tilsyneladende allerede i bygningen. Det er underligt, ikke? Hvad laver han her? Måske ved han, at vi har fattet mistanke til ham?«

»Måske.« Pludselig satte Hoffmann sig i bevægelse igen og løb ud fra toiletterne, hen ad gangen og ind på sit kontor. Endnu en tanke var slået ned i ham. Han flåede skrivebordsskuffen op og tog den bog, som Quarry havde set ham komme med om morgenen. Darwin-bogen, som han havde ringet til ham om ved midnatstid.

»Se lige på det her,« sagde han og bladrede i bogen. Han holdt bogen op foran sig, og Quarry stirrede på et fotografi af en gammel mand, der så ud til at være skræmt fra vid og sans. Et grotesk billede, der lignede noget fra en udstilling af vanskabninger. »Hvad ser du her?«

»Jeg ser en victoriansk galning, der ligner en, der lige har skidt en mursten.«

»Ja, men se på billedet igen. Kan du se elektroderne her?«

Quarry så på billedet. Et par hænder, en på hver side af mandens ansigt, var i færd med at placere nogle tynde metalstænger på mandens pande. Offerets hoved blev holdt fastspændt i en form for stålstativ, og det så ud til, at han var iført en operationskittel. »Ja, selvfølgelig kan jeg se dem.«

»Elektroderne blev anbragt i mandens ansigt af en fransk læge ved navn Guillaume-Benjamin-Armand Duchenne. Han mente, at menneskets ansigtsudtryk var vejen til dets sjæl. Her er han i færd med at påvirke ansigtsmusklerne ved hjælp af den metode, som man i den victorianske tid omtalte som galvanisme – der var den betegnelse, man benyttede om elektricitet skabt af en syrereaktion. Ofte benyttede man metoden til at få en død frø til at spjætte så meget med benene, at den satte af i et spring. Det må have været et populært nummer at optræde med ved festlige lejligheder dengang.« Han ventede på, at Quarry forstod betydningen af det, han fortalte, men da han fortsatte med at stirre forundret på ham, tilføjede han: »Det er et eksperiment, hvor man forsøgte at fremkalde ansigtsudtrykket for frygt med det formål at fastfryse det for kameraet.«

»Okay,« sagde Quarry forsigtigt. »Så langt er jeg med.«

Hoffmann svingede frustreret med bogen. »Jamen er det ikke præcis det samme, *jeg* er blevet udsat for? Det her er den eneste illustration i bogen, hvor man rent faktisk kan se elektroderne – i alle de andre har Darwin fjernet dem. Jeg er genstand for et eksperiment, der er udtænkt for at få mig til at føle frygt, mens mine reaktioner fortløbende bliver overvåget.«

Efter et øjeblik, hvor Quarry ikke helt stolede på sin egen

stemme, sagde han: »Det ... det er jeg oprigtigt ked af at høre, Alex. Det må være en forfærdelig følelse.«

»Spørgsmålet er: Hvem gør det, og hvorfor? Det er tydeligvis ikke Genouds idé. Han er bare et redskab i hænderne på ...«

Men nu var det Quarrys tur til ikke at høre efter. Han tænkte på sit ansvar som firmaets administrerende direktør – over for deres investorer, deres ansatte og (han skammede sig ikke over at indrømme det bagefter) sig selv. Han tænkte på Hoffmanns medicinskab, som han havde set så mange år tidligere, fyldt med så store mængder af bevidsthedsændrende medicin, at der var nok til at gøre en junkie lykkelig i et halvt år, og han tænkte på sine specifikke instrukser til Rajamani om at undlade at medtage nogen form for bekymringer om firmaets direktørs mentale tilstand i referatet. Han spekulerede på, hvad der ville ske, hvis nogen af oplysningerne slap ud i offentligheden. »Lad os sætte os ned,« foreslog han. »Der er et par ting, vi er nødt til at tale om.«

Hoffmann var irriteret over at blive afbrudt midt i sine forklaringer. »Er det noget vigtigt, du vil tale om?«

»Ja, det er det faktisk.« Quarry satte sig i sofaen og gav tegn til, at Hoffmann skulle tage plads ved siden af ham.

Men Hoffmann ignorerede sofaen, satte sig bag skrivebordet og førte en arm hen over overfladen for at feje resterne af røgalarmen ned på gulvet. »Okay, fortæl. Men tag batteriet ud af din telefon, før du begynder.«

Hoffmann var ikke overrasket over, at Quarry ikke forstod betydningen bag Darwin-bogen. Hele livet igennem havde han gennemskuet tingene hurtigere end andre mennesker. Det var grunden til, at han havde tilbragt så mange af sine dage med at drage ud på lange og ensomme rejser i sit eget hoved. Før eller siden fattede andre omkring ham, hvad det handlede om, men så var han som regel allerede selv på vej et andet sted hen.

Han betragtede Quarry, mens han skilte sin telefon ad og forsigtigt lagde batteriet på sofabordet.

»Vi har et problem med VIXAL-4,« sagde Quarry.

»Hvilken form for problem?«

»Den ignorerer vores delta hedge.«

Hoffmann stirrede på ham. »Lad være med at være latterlig.« Han trak sit tastatur hen foran sig, loggede på og begyndte at gennemgå deres positioner efter område, størrelse, type, dato. Musen klikkede lige så hurtigt som en morsekode, og hvert nyt skærmbillede kom som en større overraskelse end det forrige. »Men alt det her er jo fuldkommen ude i hampen,« sagde han. »Det er ikke det, den er programmeret til at gøre.«

»Det meste af det skete i tidsrummet mellem middag og markedernes åbning i USA. Vi kunne ikke få fat i dig. Den gode nyhed er, at indtil videre gætter den rigtigt. Dow-indekset er faldet omkring hundrede point, og hvis du ser på gevinstkolonnen, har vi allerede tjent over to hundrede millioner i løbet af dagen.«

»*Men det er ikke det, programmet skal gøre,*« gentog Hoffmann. Naturligvis ville der være en rationel forklaring; det var der altid. Han skulle nok finde den før eller siden. Det måtte hænge sammen med alt det andet, der skete for ham. »Okay, kan vi for det første være sikker på, at disse data er korrekte? Kan vi rent faktisk stole på det, vi ser på skærmene? Eller kan der være tale om sabotage af en slags? En virus?« Han tænkte på de ondsindede programkoder på psykiaterens computer. »Måske bliver hele firmaet udsat for et hackerangreb iværksat af en enkeltperson eller en gruppe ... er det en mulighed, vi har overvejet?«

»Måske er det tilfældet, men det forklarer ikke short-positionen i Vista Airways ... og tro mig, det er begyndt at ligne mere end bare et tilfældigt sammentræf.«

»Ja, men det kan ikke passe. Vi har allerede gennemgået det her ...«

Quarry afbrød ham utålmodigt. »Det ved jeg godt, at vi har,

men historien har ændret sig i dagens løb. Nu lader det til, at flystyrtet alligevel ikke var forårsaget af en mekanisk fejl. Tilsyneladende var der blevet udsendt en bombeadvarsel på en hjemmeside for en islamistisk terrorgruppe, mens flyet stadig var i luften. FBI overså advarslen, men det gjorde vores system ikke.«

I begyndelsen forstod Hoffmann ikke, hvad Quarry mente. Det var alt for mange oplysninger at fordøje på én gang. »Men den slags ligger uden for VIXAL's parametre. Det ville være et usædvanligt infleksionspunkt. Et kvantespring.«

»Jeg troede, at det var en maskinlærings-algoritme.«

»Det er det også.«

»Så har den måske lært et eller andet?«

»Lad være med at være en idiot, Hugo. Det er ikke sådan, det fungerer.«

»Okay, det er ikke sådan, det fungerer. Udmærket, jeg er ikke ekspert. Men sagen er, at vi er nødt til temmelig hurtigt at træffe en beslutning. Enten skal vi tilsidesætte VIXAL, eller også skal vi stille med 2,5 milliarder dollars i morgen eftermiddag bare for at sikre, at bankerne giver os lov til at handle videre.«

Marie-Claude bankede på døren og åbnede den. »Monsieur Genoud er kommet.«

»Lad mig tage mig af det her,« sagde Quarry til Hoffmann, der havde det, som om han befandt sig inde midt i et computerspil, hvor alt kom flyvende ind i hovedet på ham på samme tid.

Marie-Claude trådte til side for at lade den forhenværende politimand komme ind. Han rettede omgående blikket mod det gabende hul i loftet.

»Kom indenfor, Maurice,« sagde Quarry. »Luk døren. Som du kan se, har vi været i gang med lidt gør det selv-arbejde herinde, og vi spekulerer på, om du har en forklaring på det her?«

»Det tror jeg ikke,« sagde Genoud og lukkede døren. »Hvorfor skulle jeg have det?«

»Hold da kæft,« sagde Hoffmann, »han er jo iskold, Hugo. Så meget må man give ham.«

Quarry holdt en hånd op. »Okay, Alex, vil du ikke være så venlig at tie stille et øjeblik? Godt, Maurice. Jeg vil ikke høre noget pis nu. Vi har brug for at vide, hvor længe det har stået på. Vi vil vide, hvem det er, der betaler dig. Og vi har brug for at vide, om du også har plantet spionudstyr i vores interne computersystemer. Det haster temmelig meget med at få et svar, for vi befinder os i en ovenud ustabil handelssituation. Vi har ikke lyst til at tilkalde politiet for at bede dem om at tage sig af sagen, men vi vil ikke tøve med at gøre det, hvis det bliver nødvendigt. Det er med andre ord helt op til dig selv, og jeg vil råde dig til at være hundrede procent ærlig.«

Efter et par øjeblikke så Genoud på Hoffmann. »Er det i orden, at jeg fortæller det?«

»I orden at du fortæller hvad?« spurgte Hoffmann.

»De bringer mig i en meget akavet situation, dr. Hoffmann.«

Hoffmann så på Quarry og sagde: »Jeg aner ikke, hvad han taler om.«

»Udmærket, da. De kan ikke forvente, at jeg fastholder min diskretion under disse omstændigheder.« Genoud vendte sig mod Quarry. »Dr. Hoffmann har selv givet mig besked på at gøre det.«

Der var noget ved den uforskammede ro, der lå bag løgnen, som gav Hoffmann lyst til at springe op og gennembanke ham. »Dit røvhul,« sagde han. »Tror du virkelig, at nogen vil tro på det?«

Genoud lod sig ikke forstyrre af bemærkningen, men fortsatte blot med at henvende sig til Quarry og ignorere Hoffmann. »Det er sandheden. Da firmaet flyttede ind i lokalerne, bad han mig om at installere et skjult overvågningsanlæg. Jeg havde på fornemmelsen, at han ikke havde orienteret Dem om det. Men eftersom han er firmaets øverste direktør, tænkte jeg, at der ikke var noget forkert ved at gøre, som jeg blev bedt om. Jeg sværger, at det er den rene og skære sandhed.«

Hoffmann smilede og rystede på hovedet. »Hugo, det her er det værste og mest forrykte pis, jeg nogensinde har hørt. Det samme forbandede pis, som jeg har hørt på hele dagen. Jeg har ikke ført én eneste samtale med ham om at installere overvågningskameraer på kontoret. Hvorfor i alverden skulle jeg være interesseret i at overvåge mit eget firma? Og hvorfor skulle jeg aflytte min egen telefon? Det er den værste omgang pis, jeg nogensinde har hørt,« gentog han.

»Jeg har aldrig sagt, at vi har ført en samtale om det,« sagde Genoud. »Som De udmærket ved, dr. Hoffmann, modtog jeg udelukkende Deres instrukser via e-mail.«

E-mail – igen! »Fortæller du mig i fuld alvor, at du installerede overvågningskameraerne, men at vi aldrig – ikke på noget tidspunkt i løbet af alle disse mange måneder og på trods af de tusindvis af franc, det må have kostet – har ført en eneste samtale om noget af det?«

»Nej.«

Hoffmann udstødte en lyd, der var som en sitrende blanding af vantro og foragt.

»Det lyder ikke sandsynligt,« sagde Quarry til Genoud. »Slog det dig på intet tidspunkt som bizart?«

»Ikke specielt. Jeg fik det indtryk, at det hele så at sige skete i det skjulte. At han ikke ønskede, at nogen skulle vide, hvad der foregik. Jeg prøvede på et tidspunkt indirekte at tage emnet op med ham, men han så bare direkte igennem mig.«

»Ja, og det ville jeg sandsynligvis også have gjort, ikke? Jeg ville jo ikke have anet, hvad du fablede om. Og hvordan helvede skulle jeg have betalt dig for det hele?«

»Via en pengeoverførsel,« sagde Genoud, »fra en bank på Cayman Islands.«

Det lukkede munden på Hoffmann. Quarry stirrede stift på ham. »Okay,« sagde han efter et stykke tid, »lad os nu sige, at du modtog mails fra mig. Hvordan vidste du, at det var mig, der afsendte dem – og ikke en, der udgav sig for at være mig?«

»Hvorfor skulle jeg tro det? De enkelte mails blev sendt fra firmaet, fra Deres mailadresse, og pengene blev overført fra Deres bankkonto. Og for at være helt ærlig, dr. Hoffmann, har De jo ikke ligefrem ry for at være en mand, det er let at tale med.«

Hoffmann bandede og hamrede frustreret en knytnæve ned i bordet. »Okay, så kører vi igen. Efter sigende har jeg bestilt en bog på internettet. Efter sigende har jeg købt hele Gabrielles udstilling via internettet. Efter sigende har jeg bedt en galning om at slå mig ihjel, også via nettet ...« Han oplevede et ufrivilligt flashback til den uhyggelige scene på hotellet og så den døde mands hoved hænge slapt ned til siden. Han havde rent faktisk glemt alt om det i et par minutter. Han var klar over, at Quarry stirrede forfærdet på ham. »Hvem er det, der gør det her imod mig, Hugo?« spurgte han fortvivlet. »Hvem er det, der gør det og samtidig filmer det? Du er nødt til at hjælpe mig med at gennemskue det. Det er, som om jeg er fanget i et mareridt.«

Quarrys eget hoved sejlede på grund af alt det, der blev bragt på bane. Det krævede en vis anstrengelse for ham at holde stemmen i ro. »Selvfølgelig skal jeg nok hjælpe dig, Alex. Lad os nu bare prøve at trænge til bunds i det hele én gang for alle.« Han så på Genoud igen. »Godt, Maurice, du har velsagtens gemt disse mails?«

»Naturligvis.«

»Kan du finde dem frem nu?«

»Ja, hvis De ønsker det.« I løbet af de seneste ordvekslinger var Genouds kropsholdning blevet udpræget stiv og formel, og han stod rank som et kosteskaft, som om det var hele hans ære som forhenværende politimand, der blev bragt i miskredit. Hvilket var temmelig overdrevet og melodramatisk, tænkte Quarry i lyset af, at uanset hvad der viste sig at være sandt, havde han monteret et komplet hemmeligt overvågningsanlæg.

»Udmærket, du har altså ikke noget imod at vise dem til os. Lad ham benytte din computer, Alex.«

Hoffmann rejste sig fra stolen som en mand i trance. Små stykker af røgalarmen knasede under hans sko. Instinktivt så han op på skaden i loftet. På det sted, hvor loftspladen havde siddet, var der nu et hul, der åbnede sig til et mørkt tomrum, og et stykke inde på det sted, hvor ledningerne rørte ved hinanden, kunne han se en lille, blåhvid gnist, som med jævne mellemrum lyste op. Det forekom ham, at han kunne se et eller andet, der bevægede sig i hulrummet. Han lukkede øjnene, og billedet af gnisten fortsatte med at brænde for hans indre blik, som om han havde stirret direkte op i solen. En snigende mistanke begyndte at tage form i hans hoved.

»Her er de!« sagde Genoud triumferende, mens han stod bøjet over computeren.

Han rettede sig op og trådte til side for at lade Hoffmann og Quarry se de relevante mails. Han havde sorteret sine modtagne beskeder, så det kun var dem fra Hoffmann, der var at se på skærmen. Der var snesevis af mails, og de ældste var afsendt et helt år tilbage i tiden. Quarry tog musen og begyndte at klikke tilfældigt på beskederne.

»Jeg er bange for, at din mailadresse står på dem alle sammen, Alex,« sagde han. »Der er ingen tvivl om, hvem afsenderen er.«

»Nej, det kan du bilde mig ind, men det er stadig ikke mig, der har sendt dem.«

»Udmærket, men hvem er det så?«

Hoffmann overvejede spørgsmålet. Nu handlede det ikke bare om en hacker, om kompromitteret sikkerhed eller en klonserver. Nu var det mere grundlæggende, som om firmaet på en eller anden måde havde udviklet et dobbelt operativsystem.

Quarry skimmede stadig beskederne. »Jeg fatter simpelthen ikke det her,« sagde han. »Du har oven i købet udspioneret dig selv i dit eget hjem ...«

»Jeg hader at gentage mig selv, men det har jeg rent faktisk ikke.«

»Jeg beklager, Alexi, men det har du. Hør her: 'Til: Genoud. Fra: Hoffmann. Omgående installering 24-timers overvågningsanlæg privatbolig Cologny ...'«

»Hold nu op, mand. Sådan formulerer jeg mig ikke. Det er der ingen, der gør.«

»En eller anden *må* gøre det. Det står lige her på skærmen.«

Pludselig vendte Hoffmann sig mod Genoud. »Hvor bliver alle oplysningerne sendt hen? Hvad sker der med alle billederne og lydoptagelserne?«

»Som De ved,« svarede Genoud, »bliver det hele sendt til en sikker server via digital streaming.«

»Men det må dreje sig om *tusindvis* af timers optagelser,« udbrød Hoffmann. »Hvornår skulle nogen nogensinde have tid til at gennemgå dem? Jeg har under alle omstændigheder ikke selv muligheder for at gøre det. Man ville have brug for et helt team af årvågne medarbejdere, men alligevel ville døgnet ikke have timer nok til at gøre det.«

Genoud trak på skuldrene. »Det ved jeg ikke noget om. Jeg har ofte selv undret mig over det, men jeg gjorde bare, som jeg fik besked på.«

Kun en maskine ville kunne analysere så store datamængder, tænkte Hoffmann. En maskine, som benyttede den mest moderne ansigts- og stemmegenkendelsesteknik; søgeredskaber ...

Han blev afbrudt af endnu et udbrud fra Quarry. »Siden hvornår er vi begyndt at leje en industriejendom i Zimeysa?«

»Det kan jeg fortælle Dem helt præcist, mr. Quarry,« svarede Genoud. »For seks måneder siden. Der er tale om en stor erhvervsejendom på adressen Route de Clerval 54. Dr. Hoffmann fik et helt nyt og avanceret sikkerheds- og overvågningssystem installeret i bygningen.«

»Og hvad er der i denne erhvervsejendom?« spurgte Hoffmann.
»Computere.«
»Hvem har installeret dem?«
»Jeg ved det ikke. Et computerfirma, velsagtens.«
»Så du er ikke den eneste, jeg sender mails til?« spurgte Hoffmann. »Jeg kommunikerer også med eksterne firmaer via mail?«
»Det ved jeg ikke noget om. Sandsynligvis, ja.«
Quarry klikkede stadig rundt i beskederne. »Det her er ufatteligt,« sagde han til Hoffmann. »Ifølge oplysningerne ejer du også hele den bygning, vi befinder os i.«
»Det er korrekt, dr. Hoffmann,« sagde Genoud. »De har selv givet mig kontrakten af sikkerhedsmæssige årsager. Det var derfor, jeg var her tidligere, da jeg blev tilkaldt.«
»Er det virkelig korrekt?« spurgte Quarry skarpt. »Ejer du hele bygningen?«
Men Hoffmann var holdt op med at lytte. Han tænkte tilbage på sin tid i CERN og det notat, som Bob Walton havde sendt rundt til formændene for CERN's rådgivende komiteer for henholdsvis eksperimenter og acceleratorer, hvori han anbefalede, at Hoffmanns forskningsprojekt, AML-1, blev indstillet. Notatet havde indeholdt en advarsel, der var skrevet af Thomas S. Ray, softwareingeniør og professor i zoologi på University of Oklahoma: »*... kunstig intelligens, som udvikler sig selvstændigt, bør betragtes som potentielt farlig for organisk liv og bør af samme årsag altid indkapsles i en form for sikrede omgivelser, i det mindste indtil det sande potentiale er forstået til bunds ... En organismes evolutionsproces vil altid være kendetegnet ved dens egeninteresse, og selv indkapslede digitale organismers interesser kan være i konflikt med vores egne.*«
Han tog en dyb indånding og sagde: »Hugo, må jeg lige veksle et ord med dig – under fire øjne?«
»Ja, selvfølgelig. Maurice, vil du være så venlig at gå udenfor et øjeblik?«

»Nej, jeg synes, han skal blive herinde, så han kan begynde at få styr på alt det her,« sagde Hoffmann. Han så på Genoud og fortsatte: »Jeg vil gerne have, at du tager en kopi af hele mappen med de mails, der stammer fra mig. Jeg vil også gerne have en fortegnelse over alle de opgaver, du har udført, som jeg efter sigende har bestilt. Og især vil jeg gerne have en fortegnelse over alt det, der drejer sig om denne erhvervsejendom i Zimeysa. Derefter vil jeg bede dig om at begynde at afmontere samtlige kameraer og mikrofoner i samtlige de bygninger, vi råder over – begyndende med mit hus. Og jeg vil gerne have det hele gjort i aften. Er det forstået?«

Genoud så på Quarry for at få hans billigelse. Quarry tøvede et øjeblik, før han nikkede. »Som De ønsker,« svarede Genoud skarpt.

De efterlod ham på kontoret, så han kunne gå i gang med arbejdet. Så snart de var kommet udenfor, og døren igen var lukket, sagde Quarry: »Jeg håber ved gud, at du har en eller anden forklaring på det her, Alex, for jeg er nødt til at sige, at ...«

Hoffmann holdt en advarende finger op og løftede blikket mod røgalarmen over Marie-Claudes skrivebord.

Med ekstra høj stemmeføring sagde Quarry: »Okay, jeg forstår. Vi går ind på mit kontor.«

»Nej, ikke der. Dit kontor er ikke sikkert. Her ...«

Hoffmann førte ham ud på toiletterne og lukkede døren. Stumperne af røgalarmen lå stadig ved siden af vasken, hvor han havde efterladt dem. Han kunne næsten ikke genkende sig selv i spejlet. Han lignede en, der var flygtet fra den lukkede afdeling på et psykiatrisk hospital. »Hugo,« sagde han, »tror du, at jeg er sindssyg?«

»Ja, siden du nu selv spørger. Det gør jeg fandeme. Eller muligvis. Jeg ved det ikke.«

»Det er helt okay. Jeg bebrejder dig ikke noget, hvis det er sådan, du har det. Jeg kan tydeligt se, hvordan det hele må fremstå, hvis man ser det udefra – og det, jeg er på vej til at sige til dig nu, vil ikke få dig til at føle dig mere sikker.« Han kunne næsten ikke selv fatte, at han sagde det. »Jeg tror, at det grundlæggende problem er VIXAL.«

»Som ignorerer vores delta hedge?«

»Som ignorerer vores delta hedge, ja, men lad os bare sige, at den også muligvis foretager sig mere, end jeg forventede.«

Quarry kneb øjnene lidt sammen og så på ham. »Hvad taler du om? Jeg er ikke helt med ...«

Døren begyndte at gå op, og en eller anden prøvede at komme ind. Quarry stoppede døren med albuen. »Ikke nu,« sagde han uden at fjerne blikket fra Hoffmann. »Gå et andet sted hen og pis i en spand, okay?«

»Okay, Hugo,« svarede en stemme.

Quarry lukkede døren og lænede sig op ad den. »Mere end du forventede på hvilken måde?«

»VIXAL træffer muligvis beslutninger,« sagde Hoffmann forsigtigt, »som ikke helt er i overensstemmelse med vores interesser.«

»Tænker du på vores interesser som firma?«

»Nej, jeg tænker på *vores* interesser ... menneskehedens.«

»Er de da ikke de samme?«

»Ikke nødvendigvis.«

»Beklager, jeg er lidt tungnem. Mener du virkelig, at du tror, at den på en eller anden måde rent faktisk gør alt det her på egen hånd ... overvågningen og alt det andet?«

Hoffmann måtte lade Quarry, at han i det mindste tog spørgsmålet alvorligt.

»Jeg ved det ikke. Jeg er ikke sikker på, at det er det, jeg mener. Vi er nødt til at tage ét skridt ad gangen, indtil vi ligger inde med oplysninger nok til at foretage en kvalificeret vurdering. Men jeg tror, at vi som vores første træk er nødt til at afvikle de positioner, vi er gået ind i på markedet. Det kan dog være ganske risikabelt og farligt ... og ikke kun for os.«

»Selvom vi tjener penge?«

»Det er ikke længere et spørgsmål om at tjene penge ... kan du for fanden ikke bare for en enkelt gangs skyld glemme alt om pengene?« Det var blevet sværere og sværere for Hoffmann at bevare fatningen, men det lykkedes ham alligevel at holde stemmen i ro, da han tilføjede: »Vi er langt ude over det punkt nu.«

Quarry lagde armene over kors og tænkte på det, mens han stirrede ned i klinkerne på gulvet. »Er du sikker på, at du befinder dig i en tilstand, hvor det er forsvarligt, at du træffer en sådan beslutning?«

»Ja, det er jeg. Helt sikker. Vil du ikke godt bare stole på mig – om ikke andet så for de sidste otte års skyld? Jeg lover dig, at det bliver sidste gang, jeg beder dig om det. Efter i aften overlader jeg ledelsen til dig.«

Et langt øjeblik stirrede de på hinanden, fysikeren og finansmanden. Quarry vidste helt ærligt ikke, hvad han skulle lægge i det hele. Men som han sagde bagefter, var firmaet i sidste ende Hoffmanns – det var hans genialitet, der havde tiltrukket investorerne; det var hans algoritme, der havde indtjent pengene – og derfor var det også hans opgave at slukke for den igen. »Det er dit barn,« sagde han og trådte væk fra døren.

Hoffmann gik ud i handelsafdelingen med Quarry i hælene. Det føltes bedre rent faktisk at foretage sig noget, at kæmpe imod. Han klappede i hænderne. »Hør efter, alle sammen!« Han trådte op på en stol, så medarbejderne bedre kunne se ham. Han klappede i hænderne igen. »Jeg vil gerne have, at I alle lige samler jer omkring mig et øjeblik.«

Medarbejderne rejste sig fra deres skærme som en spøgelseshær af ph.d.-kandidater. Han kunne se dem veksle usikre blikke med hinanden, mens de nærmede sig. Nogle af dem hviskede. Van der Zyl kom ud fra sit kontor, og det samme gjorde Ju-Long. Han kunne ikke se Rajamani noget sted. Han ventede på, at de sidste medarbejdere fra Inkubation fik sig manøvreret rundt om bordene, og så rømmede han sig.

»Godt, det er tydeligt, at vi – for nu at formulere det mildt – har nogle anormaliteter at forholde os til, og jeg tror, at vi for en sikkerheds skyld er nødt til at begynde at afvikle de positioner, vi har opbygget i løbet af de seneste få timer.«

Han tog en dyb indånding. Han havde ikke lyst til at skabe panik. På samme tid var han også opmærksom på de mange røgalarmer, der var fordelt ud over loftet. Sandsynligvis blev alt det, han sagde, optaget. »Det betyder ikke nødvendigvis, at vi har et problem med VIXAL, men vi er nødt til at gå tilbage og finde ud af, hvorfor den har foretaget sig nogle af de ting, den har gjort. Jeg ved ikke, hvor lang tid det kommer til at tage, så i mellemtiden er vi nødt til at få porteføljen afdækket igen med lange positioner på andre markeder eller endda lukke den, hvis det bliver nødvendigt. Bare sørg for at bringe os allerhelvedes hurtigt ud af den situation, vi befinder os i lige nu.«

Til Hoffmann og alle de andre sagde Quarry: »Vi er nødt til at træde ovenud varsomt. Hvis vi begynder at likvidere positioner i denne størrelsesorden alt for hurtigt, kommer vi til at påvirke priserne.«

Hoffmann nikkede. »Det er korrekt, men VIXAL vil hjælpe os med at opnå det optimale resultat, selv hvis vi går uden om algoritmen.« Han så op på rækken af digitalure under de enorme tv-skærme. »Vi har stadig lige godt tre timer, før de amerikanske markeder lukker. Imre, vil du og Dieter hjælpe hinanden med obligationer og valutaer? Franco og Jon, tag tre eller fire mand hver og del aktier og sektorinvesteringer mellem jer. Kolya, vil du gøre det samme med de forskellige indeks? Alle andre forsætter med at passe deres arbejde som sædvanligt.«

»Hvis I løber ind i problemer,« sagde Quarry, »vil Alex og jeg være her til at hjælpe. Og lad mig lige tilføje én ting: Lad ikke nogen bare et øjeblik tro, at der er tale om en tilbagetrækning. Vi har modtaget yderligere to milliarder i friske investeringer i dag ... så butikken ekspanderer stadig, okay? I løbet af det næste døgn vil vi rekalibrere og bevæge os videre mod endnu større og bedre mål. Nogen spørgsmål?« En af medarbejderne løftede hånden. »Ja?«

»Er det korrekt, at Gana Rajamani lige er blevet fyret?«

Hoffmann så overrasket på Quarry. Han havde troet, at han ville vente, indtil krisen var overstået.

Quarry ikke så meget som blinkede. »Gana gav udtryk for, at han havde brug for at være sammen med sin familie i London i nogle uger.« En serie af generelt overraskede udbrud rejste sig fra medarbejderne. Quarry holdt en hånd op. »Jeg kan forsikre jer alle sammen om, at han står ét hundrede procent bag de beslutninger, vi har truffet. Godt, er der flere, der har lyst til at ødelægge karrieren ved at stille nærgående spørgsmål?« Der lød en nervøs latter. »Udmærket, da ...«

»Rent faktisk er der yderligere en ting, Hugo,« sagde Hoffmann. Han stirrede ud over medarbejdernes løftede ansigter og mærkede for første gang nogensinde en følelse af fællesskab. Det var ham, der havde rekrutteret hver og én af dem. De var hans team – hans virksomhed – hans skaberværk. Han regnede med, at der ville gå lang tid, før han ville få en chance for at henvende sig til dem i samlet flok igen, hvis det da nogensinde ville ske. »Må jeg ikke lige tilføje noget? Det har, hvilket nogle af jer sikkert allerede har sluttet jer frem til, været en allerhelvedes uheldig dag for mig. Og uanset hvad der sker med mig, vil jeg gerne have lov til at fortælle jer – hver og én af jer ...« Han var nødt til at afbryde sig selv og sluge en klump. Til sin rædsel mærkede han, at han var tæt på at græde. Hans hals var tyk af følelser, og hans øjne var våde af tårer. Han så ned på sine fødder og ventede, til han havde genvundet selvkontrollen, før han løftede hovedet igen. Han var nødt til at skynde sig gennem det, han ville sige, for ellers ville han bryde helt sammen.

»Jeg vil bare gerne have, at I skal vide, hvor stolt jeg er af det, vi har udrettet i fællesskab her. Det har aldrig kun handlet om pengene – under ingen omstændigheder for mig, og jeg tror, at det samme gælder for de fleste af jer. Så mange tak. Det har betydet meget for mig. Det var det hele.«

Der fulgte ikke noget bifald, kun dyb forundring. Hoffmann trådte ned fra stolen. Han kunne se, at Quarry stirrede mærkeligt på ham et øjeblik, før han hurtigt fattede sig og råbte: »Udmærket, alle sammen, dermed slutter denne lille peptalk. Tilbage til galejerne, slaver, og begynd at ro. Der er uvejr i sigte.«

Da medarbejderne begyndte at vende tilbage til deres pladser, sagde Quarry til Hoffmann: »Det lød som en afskedstale.«

»Det var ikke meningen.«

»Men det gjorde det. Hvad mener du med, at uanset hvad der sker med dig?«

Men før Hoffmann kunne nå at svare, var der en, der råbte: »Alex, har du et øjeblik? Det lader til, at vi har et problem.«

16

Det bevidste liv på en planet kommer ud over barnealderen den dag, det for første gang opdager grunden til, at det eksisterer.

RICHARD DAWKINS, *Det selviske gen,* (1976)

Det, der i Hoffmann Investment Technologies officielt blev registreret som en 'generel systemfejl', indtraf klokken 19:00 centraleuropæisk tid. I præcis samme øjeblik blev der næsten seks tusind kilometer væk, klokken 13:00 Eastern Time, registreret usædvanlig aktivitet på børsen i New York. Snesevis af aktier begyndte at blive påvirket af voldsomme prisudsving i et så markant omfang, at aktiviteten automatisk udløste det, der i branchen kendes som »*liquidity replenishment points*« og normalt blot omtales som *LRPs*. I sit efterfølgende vidneudsagn for Kongressen forklarede formanden for det amerikanske finanstilsyn, *The Securities and Exchange Commission*, at

> *LRPs kan bedst sammenlignes med en form for 'hastighedsbump', som skal begrænse en given akties volatilitet ved midlertidigt at skifte fra et automatiseret marked til et manuelt auktionsmarked, når en prisbevægelse af tilstrækkeligt stor størrelse er indtrådt. I disse tilfælde vil al handel med den pågældende aktie på NYSE blive indstillet i en periode for at give den udpegede market maker tid til at indhente yderligere likviditet, før markedet igen bliver automatiseret.*

Alligevel var der kun tale om et teknisk indgreb, hvilket ikke var et ukendt fænomen, og på dette tidspunkt var det også et forholdsvis begrænset indgreb. Kun få i USA fulgte særlig nøje med i, hvad der fandt sted i løbet af den næste halve times tid, og under alle omstændigheder var der ingen af *quanterne* i Hoffmann Investment Technologies, der overhovedet var klar over, hvad der foregik.

Den mand, der kaldte Hoffmann hen til sin opstilling af de obligatoriske seks skærme, var en ph.d. fra Oxford ved navn Croker, som Hoffmann havde headhuntet fra Rutherford Appleton Laboratory på den tur, hvor Gabrielle havde fået ideen til at skabe kunst ud af skanninger af menneskekroppen. Croker havde forsøgt at tilsidesætte algoritmen manuelt for at begynde at likvidere deres massive position på VIX-indekset, men systemet havde nægtet ham adgang.

»Lad mig prøve,« sagde Hoffmann. Han satte sig på Crokers plads foran tastaturet og indtastede sit eget password, som skulle give ham uhindret adgang til alle dele af VIXAL, men selv hans anmodning om at få adgang som systemadministrator blev afvist. Han prøvede at skjule sin frygt.

Mens Hoffmann forgæves klikkede med musen og på forskellige måder forsøgte at skaffe sig adgang til systemet, fulgte Quarry med over skulderen på ham sammen med van der Zyl og Ju-Long. Han følte sig overraskende rolig, nærmest resigneret. En del af ham havde altid vidst, at det ville ske – ligesom han, hver gang han spændte sikkerhedsselen i en flyvemaskine, nærmest forventede, at han ville dø i et flystyrt. I det øjeblik, hvor man overgav sig til en maskine, som andre havde kontrollen over, affandt man sig stiltiende med sin skæbne. Efter et stykke tid sagde han: »Jeg går ud fra, at den absolut sidste udvej består i bare at trække stikket og afbryde strømmen til lortet?«

Hoffmann svarede selv uden at vende sig. »Men hvis vi gør det, vil alle handler blive sat i stå. Slut, færdig. Vi vil stadig have alle vores nuværende positioner, men vi vil være urokkeligt låst fast i dem.«

Små chokerede og overraskede udbrud kunne høres overalt i lokalet. En efter en forlod medarbejderne deres pladser og kom hen for at se, hvad Hoffmann lavede. Ligesom når en gruppe tilskuere samlede sig om en, der lagde et puslespil, lænede en af medarbejderne sig af og til frem med et forslag. Havde Hoffmann overvejet muligheden af at prøve at udskifte dit med dat? Var det måske bedre, hvis han prøvede at gøre det modsatte? Han ignorerede dem. Ingen kendte VIXAL bedre, end han gjorde. Det var ham, der havde bygget systemet op fra bunden.

På de store skærme fortsatte eftermiddagsrapporterne fra Wall Street som altid. Hovedhistorien var stadig demonstrationerne i Athen mod den græske regerings sparepakke – om Grækenland ville gå bankerot, om krisen ville brede sig, om euroen ville kollapse. Men hedgefonden fortsatte stadig med at tjene penge på en måde, som var det underligste af det hele. Quarry vendte sig væk fra skærmene et øjeblik for at tjekke tallene for deres gevinst på skærmen ved siden af. Dagens udbytte lå nu på næsten tre hundrede millioner dollars. En del af ham spekulerede stadig på, hvorfor de var så desperate efter at sætte algoritmen ud af drift. De havde skabt kong Midas ud af siliciumchips ... på hvilken måde var algoritmens formidable rentabilitet ikke i deres bedste interesse?

Pludselig løftede Hoffmann hænderne fra tastaturet på samme dramatiske måde som en pianist, der afsluttede en koncert. »Det her er ikke godt. Der er ingen reaktion. Jeg troede, at vi i det mindste stille og roligt kunne sætte algoritmen ud af drift, men det er tydeligvis ikke en mulighed. Vi er nødt til at lukke hele systemet ned og sætte det i karantæne, indtil vi har fundet ud af, hvad der er i vejen.«

»Hvordan skal vi kunne gøre det?« spurgte Ju-Long.

»Hvorfor gør vi det ikke bare på den gammeldags måde?« foreslog Quarry. »Lad os koble VIXAL fra nettet og sende en mail til mæglerne, hvor vi beder dem om at afvikle positionerne?«

»Vi er nødt til at finde på en troværdig forklaring på, hvorfor vi ikke længere bruger algoritmen til at handle direkte på børsen.«

»Rolig nu,« sagde Quarry. »Vi trækker stikket og fortæller dem, at vi har været ude for en katastrofal strømafbrydelse i computerrummet, og at vi er nødt til at trække os ud af markedet, indtil problemet er løst. Og ligesom det forholder sig med alle de andre gode løgne, ligger den tæt op ad sandheden.«

»Rent faktisk behøver vi kun at klare os igennem yderligere to timer og tre kvarter,« sagde van der Zyl, »hvor markederne under alle omstændigheder alligevel lukker. Og i morgen er det weekend. Når vi når frem til mandag, vil vores portefølje være neutral, og vi vil være i sikkerhed – så længe markederne ikke sætter ind med et markant opsving i mellemtiden.«

»Dow Jones-indekset er allerede faldet med et helt procentpoint,« sagde Quarry. »Det samme gælder S&P. Der kommer alt mulig lort om udenlandsgæld ud af eurozonen – det er umuligt, at markedet vil slutte i plus, når dagen er omme.« Firmaets fire chefer så på hinanden. »Godt, er det det, vi gør? Er vi enige?« De nikkede alle.

»Jeg gør det,« sagde Hoffmann.

»Jeg går med,« tilbød Quarry.

»Nej. Det var mig, der tændte for den, og det er også mig, der slukker for den.«

Det føltes, som om vejen gennem handelsafdelingen til computerrummet var usædvanligt lang. Han kunne fornemme alle de andres blikke som en tung vægt på skuldrene, og han tænkte, at hvis virkeligheden var en science fiction-film, ville han om et øjeblik blive nægtet adgang til computerrummet. Men da han holdt ansigtet hen foran skanneren, gled boltene tilbage, og døren gik op. I det kolde, larmende mørke bød skoven af tusindvis af blinkende pc'er ham velkommen. Det føltes, som om han var på vej til at begå et mord, akkurat som da de i CERN for mange år siden havde afbrudt hans forskning. Ikke desto mindre åbnede han metalskabet og lagde hånden på afbryderen. Det var blot afslutningen på en fase, sagde han til sig selv. Arbejdet ville fortsætte – om ikke under hans ledelse, så i det mindste under en andens. Han slog afbryderen op, og efter et par sekunder forsvandt lyset og larmen. Kun støjen fra airconditionanlægget forstyrrede den kølige stilhed. Det var som at stå i et lighus. Han satte kursen tilbage mod lysskæret fra den åbne dør.

Da han nærmede sig klyngen af *quanter*, der stadig stod samlet omkring skærmene, vendte de sig alle mod ham. Han kunne ikke aflæse deres ansigter. »Hvad skete der?« spurgte Quarry. »Kunne du ikke komme til at gøre det?«

»Jo, jeg afbrød strømmen.« Han så forbi Quarrys forundrede ansigt. På skærmene fortsatte VIXAL-4 med at handle. Han trådte forvirret hen til bordet og lod blikket flakke frem og tilbage mellem skærmene.

»Gå lige ind og tjek, om strømmen er afbrudt, okay?« hviskede Quarry til en af medarbejderne.

»Jeg er fuldt ud i stand til at slukke for en forbandet kontakt, Hugo,« vrængede Hoffmann. »Jeg er ikke så fuldkommen rablende gal, at jeg ikke kan kende forskel på, om en kontakt er tændt eller slukket. Hold da helt kæft ... se lige der!« På alle markederne fortsatte VIXAL-4 med at handle. Den shortede euroen, opkøbte statsobligationer og øgede positionen i VIX-futures.

Fra indgangen til computerrummet råbte medarbejderen: »Strømmen *er* slået fra!«

En ophidset mumlen bredte sig.

»Men hvor er algoritmen så, hvis den ikke ligger på vores egen hardware?« spurgte Quarry skarpt.

Hoffmann svarede ikke.

»Jeg tror, det bliver en af de ting, som kontrollanterne også vil bede om en forklaring på,« sagde Rajamani.

Bagefter var der ingen, der var sikre på, hvor længe han havde holdt øje med dem. Nogle sagde, at han havde været på sit kontor hele tiden. De havde set hans fingre mellem lamellerne i persiennerne, da han kiggede ud, mens Hoffmann holdt sin tale i handelsafdelingen. En anden hævdede at have set ham ved en ekstra terminal i direktionsværelset med en ekstern harddisk, i fuld gang med at kopiere data over på den. En tredje *quant*, også en inder, indrømmede oven i købet, at Rajamani havde henvendt sig til ham i medarbejdernes fælleskøkken og havde spurgt, om han ville fungere som hans meddeler i firmaet. I den temmelig hysteriske atmosfære, der var på vej til at brede sig i Hoffmann Investment Technologies, hvor kættere og disciple, frafaldne og martyrer, splittede sig op i separate grupper, var det ikke altid let at fastslå sandheden. Det eneste, alle kunne blive enige om, var, at Quarry havde begået en alvorlig fejl ved ikke at lade firmaets sikkerhedschef blive eskorteret ud fra kontoret af sikkerhedsfolkene i det øjeblik, han var blevet fyret, men i det efterfølgende kaos af begivenheder havde han ganske enkelt glemt alt om ham.

Rajamani stod i udkanten af handelsafdelingen med en lille papkasse med sine personlige ejendele – fotografierne fra hans eksamensafslutning, hans bryllup, hans børn; en dåse Darjeeling-te, som han havde haft stående i personalets køleskab, og som ingen andre havde lov til at røre; en kaktusplante med form som en opstrakt tommelfinger; og et indrammet, håndskrevet brev fra chefen for Scotland Yards afdeling for alvorlig kriminalitet, hvori han takkede ham for hans hjælp med at indsamle bevismateriale i en højprofileret sag, der skulle indvarsle nye tider for tilsynsmyndighedernes kontrol i finansverdenen, men som efterfølgende var blevet skrinlagt i al stilhed efter en anke.

»Bad jeg dig ikke om at skride ad helvede til?« råbte Quarry skarpt.

»Jeg går også nu,« svarede Rajamani, »og det vil sikkert glæde dig at høre, at jeg har en aftale i Finansministeriet her i Genève i morgen tidlig. Lad mig advare hver og én af jer om, at I kan se frem til retsforfølgelse, fængselsstraffe og millioner af dollars i bøder, hvis I fortsætter denne sammensværgelse om at drive et firma, der ikke er værdigt til at handle på markedet. Det er indlysende, at der er tale om en farlig teknologi, der er kommet fuldstændig ud af kontrol, og jeg kan love jer, Alex og Hugo, at både SEC og FSA vil tilbagekalde jeres tilladelse til at handle på samtlige markeder i USA og London, mens efterforskningen står på. I burde skamme jer, begge to. I burde alle sammen skamme jer.«

Det var et vidnesbyrd om Rajamanis imponerende selvsikkerhed, at han var i stand til at aflevere den lille svada over en tedåse og en tommelfingerformet kaktus uden at sætte noget af sin værdighed overstyr. Med et sidste fejende blik, der sitrede af en blanding af raseri og foragt, stak han næsen i vejret og marcherede taktfast hen mod receptionen. Mere end én af medarbejderne blev mindet om billederne af medarbejderne, der forlod Lehman Brothers med deres ejendele i papkasser.

»Ja, smut med dig. Skrid,« råbte Quarry efter ham. »Du vil snart finde ud af, at man kan købe en helvedes masse advokater for ti milliarder dollars. Vi vil gå målrettet efter *dig* personligt for at få dig dømt for kontraktbrud. Vi kommer fandenfløjteme til at *flå* dig!«

»Vent!« råbte Hoffmann.

»Lad ham være, Alex,« sagde Quarry. »Lad være med at give ham den tilfredsstillelse.«

»Men han har ret, Hugo. Der er mange farer involveret. Hvis VIXAL på en eller anden måde er kommet ud af vores kontrol, kan det vise sig at udgøre en alvorlig systemrisiko. Vi er nødt til at have ham på vores side, indtil vi har fundet en løsning.«

Han ignorerede Quarrys protester og løb efter Rajamani, men inderen havde sat farten op. Han havde allerede forladt receptionen, og Hoffmann indhentede ham først ved elevatorerne. Der var ingen andre at se på reposen. »Gana!« råbte han. »Kan vi ikke godt tale sammen?«

»Jeg har ikke noget at sige til dig, Alex.« Han klamrede sig til sin lille papkasse og stod med ryggen til panelet til elevatoren og trykkede på knappen med albuen. »Det er ikke noget personligt. Jeg beklager.« Dørene gik op. Rajamani drejede om på hælen, trådte hurtigt ind i elevatoren og forsvandt ud af syne. Dørene gled i.

I et par sekunder stod Hoffmann som stivnet, usikker på hvad det var, der lige var sket. Han fortsatte tøvende hen ad gangen og trykkede på elevatorknappen. Dørene gled op, og han stirrede ind elevatorskaktens tomme glasrør. Han lænede sig forsigtigt ud over kanten og rettede blikket ned gennem den måske halvtreds meter dybe glassøjle, indtil den forsvandt i mørket og stilheden i det underjordiske parkeringsanlæg. »Gana!« råbte han fortvivlet. Der kom ikke noget svar. Han lyttede, men han kunne ikke høre nogen skrige. Rajamani måtte være styrtet så hurtigt i dybet, at ingen havde bemærket det.

Hoffmann piskede hen ad gangen til nødudgangen og halvt løb, halvt sprang ned ad betontrappen, etage efter etage, hele vejen ned i kælderen, ud i det underjordiske parkeringsanlæg og hen til elevatordørene. Han pressede fingrene ind i sprækken og prøvede at tvinge dem fra hinanden, men de blev ved med at glide i for ham. Han tog et skridt tilbage og kastede et blik rundt for at lede efter et eller andet, han kunne bruge. Han overvejede, om han skulle smadre en rude på en af de parkerede biler, så han kunne åbne bagagerummet og lede efter en donkraft. Men så fik han øje på en metaldør med et gult lyn og løb hen og åbnede den. På den anden side af døren lå et opmagasineringsrum, og han kunne se et udvalg af koste, skovle, spande og en hammer. Han fandt også et stort brækjern på næsten en meters længde og løb tilbage til elevatoren, hvor han pressede det ind i sprækken mellem dørene og rokkede det frem og tilbage. Dørene adskilte sig lige akkurat så meget, at han kunne presse først den ene fod ind i åbningen og derefter knæet. Han tvang resten af benet ind i mellemrummet. En eller anden automatisk mekanisme blev udløst, og dørene gled op.

I lyset, der trængte ned fra de højere etager, så han Rajamani ligge på maven i bunden af elevatorskakten med hovedet i en blodpøl på størrelse med en middagstallerken, der nærmest så ud til at vokse ud af hans kranieskal. Hans billeder lå spredt ud omkring ham. Hoffmann sprang ned ved siden af ham. Knust glas knasede under hans fødder. Han mærkede en malplaceret duft af te. Han satte sig på hug og tog fat om Rajamanis arm, som var overraskende varm, og for anden gang i dagens løb prøvede han at lede efter en anden mands puls, men igen kunne han ikke mærke nogen. Bag ham gled dørene skurrende i. Hoffmann så sig om i panik, mens elevatoren begyndte at nærme sig. Det lysende glasrør skrumpede hurtigt i størrelse, mens elevatoren kom susende ned mod ham – femte etage, fjerde. Han greb ud efter brækjernet og prøvede at presse det ind mellem dørene, men han mistede fodfæstet. Han væltede bagover, landede ved siden af liget af Rajamani og stirrede op i bunden af elevatoren, og mens den hvirvlede ned mod ham, holdt han brækjernet op over hovedet som et spyd for at beskytte sig mod det angribende uhyre. Han mærkede en olielugtende vind i ansigtet. Lyset aftog og forsvandt, noget tungt ramte ham på skulderen, og så gav det et ryk i brækjernet, der blev lige så stift som en støttebjælke i en minegang. I adskillige sekunder kunne han mærke, hvordan det sitrede under belastningen. Han skreg i blinde i det kulsorte mørke under elevatoren, der kun kunne have befundet sig ganske få centimeter fra hans ansigt, mens han prøvede at forberede sig på, at brækjernet enten knækkede eller blev presset ud til siden. Men så var det, som om elevatoren skiftede gear. Den brummende lyd fra motoren forvandlede sig til en hvinen, brækjernet blev løst i hans hænder, og elevatoren begyndte at stige og accelererede hurtigt op gennem den tårnagtige glassøjle, mens den på vejen afslørede etage efter etage af strålende klart og hvidt lys, som strømmede ned i bunden af skakten.

Hoffmann kæmpede sig op på benene, stak brækjernet ind mellem dørene, rokkede det frem og tilbage i sprækken og fik dørene til at åbne sig en anelse. Elevatoren var kørt helt op i toppen, før den standsede. Der lød et klonk, og så begyndte den at nærme sig igen. Han hævede sig op på tå og pressede fingrene ind i den smalle sprække. Han klamrede sig til åbningen, der nu var oppe på næsten tredive centimeter, og spændte i samtlige muskler i sin krop. Han kastede hovedet bagover og brølede af anstrengelse. Dørene gav sig en anelse, men så fløj de pludselig helt op. En skygge faldt over hans ryg, og med et vindstød i nakken og en brølende larm fra maskineriet i ørerne kastede han sig ud på betongulvet i parkeringskælderen.

Leclerc havde siddet på sit kontor i politiets hovedkvarter og været på vej hjem, da han modtog et opkald om, at der var blevet fundet et lig på et hotel i Rue de Berne. På baggrund af signalementet – hærget ansigt, hestehale, læderfrakke – gik han straks ud fra, at der var tale om den mand, der havde overfaldet Hoffmann. Dødsårsagen, fik han at vide, så ud til at være kvælning, selvom det ikke umiddelbart stod klart, om der var tale om et selvmord eller et drab. Offeret var tysker: Johannes Karp, 58 år. Leclerc ringede til sin kone for anden gang for at sige, at han blev forsinket på grund af overarbejde, hvorefter han satte sig ind på bagsædet i en patruljebil og lod sig fragte gennem myldretidstrafikken med kurs mod kvarteret på den nordlige side af floden.

Han havde været på arbejde i næsten tyve timer og var udmattet som en gammel hund, men udsigten til et mistænkeligt dødsfald, som der kun var omkring otte af om året i Genève, fik altid hans humør til at stige nogle grader. Med blinkende lygter, en skinger sirene og en stemning af betydningsfuldhed susede patruljevognen op ad Boulevard Carl-Vogt og over broen, hvorefter den pressede sig ind i venstresvingsbanen til Rue de Sous-Terre og tvang den modkørende trafik til at holde tilbage. Mens Leclerc blev kastet rundt på bagsædet, ringede han til sin chef og indtalte en besked om, at den mistænkte i Hoffmann-sagen tilsyneladende var blevet fundet død.

I Rue de Berne herskede der en nærmest karnevalsagtig stemning uden for Hotel Diodati. Fire politibiler med blå blink, der lyste usædvanligt skarpt i den tidlige aftens overskyede tusmørke; en anseelig forsamling af mennesker på den modsatte side af gaden, herunder adskillige oversminkede sorte ludere iført farvestrålende, mikroskopiske beklædningsgenstande, som stod og morede sig sammen med naboerne; flimrende baner af sort og gul-stribet afspærringsbånd, som holdt tilskuerne på afstand. Af og til lynede en blitz. De var som en flok fans, der ventede på at se deres store idol, tænkte Leclerc, da han steg ud af bilen. En gendarm løftede op i afspærringsbåndet, og Leclerc dukkede sig for at komme om på den anden side. Som ung havde han patruljeret i kvarteret og var kommet til at lære alle de prostituerede kvinder at kende ved navn. Han regnede med, at nogle af dem måtte være bedstemødre nu, men da han kom til at tænke nærmere over det, var der faktisk allerede et par stykker af dem, der havde været bedstemødre dengang.

Han fortsatte ind på Diodati. Hotellet havde haft et andet navn i firserne, men han kunne ikke huske, hvad det var. Gæsterne var blevet samlet i receptionen og havde fået forbud mod at forlade hotellet, før de hver især havde afgivet vidneforklaring. Der var adskillige indlysende ludere mellem gæsterne samt et par elegant klædte mænd, som burde have vidst bedre. De skilte sig ud fra alle de andre, forlegne og indesluttede. Leclerc brød sig ikke om den mikroskopiske elevator, så han tog trappen og måtte holde en pause på hver etage for at få vejret. Uden for værelset, hvor liget var blevet fundet, myldrede gangen med folk i uniformer, og han blev bedt om at iføre sig en hvid beskyttelsesdragt, hvide latexhandsker og gennemsigtige overtræksskko. Han satte grænsen ved også at trække hætten op. Jeg ligner en forbandet hvid kanin, tænkte han.

Han kendte ikke den ansvarshavende betjent på gerningsstedet – en ny mand ved navn Moynier, tilsyneladende i tyverne, selvom det var svært at vurdere, fordi han havde trukket hætten op over hovedet, og hans ansigt ikke fremstod som andet end en smal, lyserød oval. Også klædt i hvide beskyttelsesdragter var en retsmediciner og en fotograf, begge gamle veteraner, men ikke helt så gamle som Leclerc. Ingen var lige så gamle som Leclerc, der nærmest var på alder med Jura-bjergene. Han betragtede liget under håndtaget på badeværelsesdøren. Over det stramme snørebånd var huden på halsen helt sort. Manden havde en række skrammer og hudafskrabninger i ansigtet, og området omkring det ene øje var voldsomt hævet. På den måde, som den radmagre mand sad og hang op ad døren, lignede han en gammel, død krage, som en landmand havde efterladt på marken for at skræmme dens artsfæller væk. Der var ingen lyskontakt på badeværelset, men alligevel var det tydeligt at se blodet, der var tværet ud på toiletkummen. Stangen, som bruseforhænget havde været ophængt på, var revet ud af væggen, og det samme var tilfældet med håndvasken.

»En mand på værelset ved siden af,« sagde Moynier, »sværger, at han på et tidspunkt omkring klokken tre hørte larm fra et slagsmål herinde. Der er også blod ved sengen. Jeg har valgt indtil videre at betragte det som en drabssag.«

»Klog beslutning,« sagde Leclerc.

Retsmedicineren hostede for at skjule sin latter.

Moynier fattede ingenting. »Var det ikke også klogt af mig at tilkalde dig?« spurgte han. »Tror du, at der er tale om den mand, der overfaldt den amerikanske finansmand?«

»Det vil jeg mene, ja.«

»Godt. Jeg håber ikke, du har noget imod det, Leclerc, men jeg var her først, og derfor må jeg insistere på, at det er *min* sag nu.«

»Kære ven, du skal være hjertelig velkommen til at tage den.«

Leclerc spekulerede på, hvordan gæsten på det usle værelse overhovedet var kommet i kontakt med ejeren af et palæ til tres millioner dollars i Cologny. Den døde mands ejendele var blevet lagt i separate plasticposer og lå spredt ud over sengen. Tøj, et kamera, to knive og en regnfrakke med en flænge foran. Hoffmann havde haft en lignende regnfrakke på, da han blev kørt på hospitalet, tænkte Leclerc. Han tog et adapterstik op i hænderne.

»Er det her ikke til en computer?« spurgte han. »Hvor er den?«

Moynier trak på skuldrene. »Vi har ikke fundet nogen på værelset.«

Leclercs mobiltelefon ringede. Den lå i hans jakkelomme. Han kunne ikke få fat i den på grund af den forbandede kanindragt. Irritabelt lynede han dragten op og trak handskerne af. Moynier begyndte at protestere og sige, at han risikerede at ødelægge bevismaterialet på gerningsstedet, men Leclerc vendte bare ryggen til ham. Det var hans assistent, unge Lullin, der ringede. Han var stadig på kontoret og sagde, at han lige havde gennemgået eftermiddagens begivenheder i døgnrapporten. En psykiater ved navn dr. Polidori i Vernier havde ringet et par timer tidligere angående en af sine patienter, der udviste muligvis farlige skizofrene symptomer – han havde været involveret i et slagsmål, fortalte hun – men da en patruljevogn var ankommet til klinikken, var manden væk. Mandens navn var Alexander Hoffmann. Psykiateren kendte ikke hans nuværende adresse, men hun havde givet et signalement af ham.

»Nævnte hun noget om, hvorvidt han havde en computer på sig?« sagde Leclerc.

Der fulgte en pause, og Leclerc kunne høre nogle papirer rasle, før Lullin sagde: »Hvordan vidste du det?«

Stadig med brækjernet i hænderne skyndte Hoffmann sig op ad trappen til stueetagen for at ringe til alarmcentralen angående Rajamani. Ved døren til foyeren standsede han. Gennem det rektangulære vindue kunne han se en gruppe på seks sortklædte gendarmer komme løbende ind i bygningen med trukne våben og fortsætte hen over gulvet i foyeren. I hælene på dem kom en stønnende Leclerc. Da de var kommet forbi sikkerhedskontrollen, blev hovedudgangen lukket, og to bevæbnede politifolk tog opstilling på hver sin side af døren.

Hoffmann drejede om på hælen og løb klaprende ned ad trappen til kælderen igen. Han var kun omkring halvtreds meter fra rampen ud til gaden og satte kursen hen mod den. Bag sig hørte han en svag knirken af gummidæk på betonunderlaget, og en stor, sort BMW svingede ud af en parkeringsbås, rettede op og kom kørende direkte hen mod ham med blændende forlygter. Uden at tænke trådte han ind foran bilen og tvang den til at standse, hvorpå han sprang hen til førerens dør og flåede den op.

Hvilket syn må direktøren i Hoffmann Investment Technologies ikke have været? Blodig, støvet, indsmurt i olie og med et brækjern på en halv meter i hænderne. Der var ikke noget at sige til, at bilens fører ikke kunne komme hurtigt nok ud af bilen. Hoffmann kastede brækjernet over på passagersædet, satte bilen i gear og trykkede speederen i bund. Den store bil drønede op ad rampen. Længere oppe var stålgitteret kun lige begyndt at glide op. Han var nødt til at bremse og vente på, at det åbnede sig helt. I bakspejlet kunne han se bilens ejer – hvis sindstilstand havde forvandlet sig fra frygt til raseri på grund af adrenalinet, der strømmede gennem hans krop – komme marcherende oprevet op ad rampen. Hoffmann låste bildørene. Manden begyndte at råbe og hamre på sideruden med knyttede hænder, men gennem det kraftige, tonede glas lød han fjern, som om han befandt sig under vand. Stålgitteret gled helt op, og Hoffmann flyttede foden fra bremsen til speederen, men endnu en gang trådte han for hårdt på pedalen af ren og skær iver efter at komme væk, så BMW'en fløj ud over fortovet og fortsatte på to hjul hen ad den tomme, ensrettede gade.

På femte etage trådte Leclerc ud af elevatoren sammen med sine mænd. Han trykkede på knappen og så op i overvågningskameraet. Den sædvanlige receptionist havde fået fri og var gået hjem. Det var Marie-Claude, som lukkede dem ind. Hun holdt sig bestyrtet for munden, da de bevæbnede mænd løb forbi hende.

»Jeg leder efter dr. Hoffmann,« sagde Leclerc. »Er han her?«

»Ja, naturligvis.«

»Vil De være så venlig at føre os ind til ham?«

Hun viste dem ind i handelsafdelingen. Quarry hørte uroen og vendte sig om. Han havde undret sig over, hvad der var blevet af Hoffmann, men havde så tænkt, at han sikkert stadig var sammen med Rajamani og havde betragtet hans lange fravær som et godt tegn. Det ville nemlig være bedst, hvis deres forhenværende risikochef kunne overtales til ikke at prøve at få firmaet lukket på dette kritiske tidspunkt. Men da han så Leclerc og gendarmerne, vidste han, at skibet allerede var sunket. Ikke desto mindre var han – i sine forfædres ånd – fast besluttet på at gå ned med værdighed.

»Hvad kan jeg hjælpe Dem med, mine herrer?« spurgte han roligt.

»Vi er nødt til at tale med dr. Hoffmann,« sagde Leclerc. Han svajede fra side til side og løftede sig op på tå i et forsøg på at få øje på amerikaneren blandt de mange forbavsede medarbejdere, som så op bag computerskærmene. »Vil alle være så venlige at blive siddende, hvor de er?«

»De må være gået lige forbi ham,« sagde Quarry. »Han gik udenfor for et øjeblik siden for at tale med en af vores afdelingschefer.«

»Uden for bygningen? Hvor er han?«

»Jeg troede, han bare var gået ud på gangen.«

Leclerc bandede og vendte sig mod den nærmeste af gendarmerne. »Gennemgå hele bygningen,« sagde han, før han så på de andre og tilføjede: »I tre kommer med mig.« Til sidst henvendte han sig til de forsamlede medarbejdere generelt: »Ingen må forlade bygningen uden min tilladelse. Ingen må foretage nogen form for telefonopkald. Vi vil bestræbe os på at gøre vores arbejde så hurtigt som muligt og vil sætte pris på alles samarbejdsvilje.«

Han fortsatte i rask gang tilbage til receptionen. Quarry skyndte sig efter ham. »Jeg beklager, inspektør ... undskyld mig, men hvad er det nærmere bestemt, Alex har gjort?«

»Der er fundet et lig, som vi gerne vil tale med ham om. Tilgiv mig ...«

Han skyndte sig ud på gangen uden for lokalet. Der var ikke en sjæl at se. Han kunne ikke finde ud af, hvordan bygningen var indrettet, og hans blik ledte og søgte overalt. »Hvilke andre virksomheder ligger på samme etage?«

Quarry var stadig lige i hælene på ham. Han var helt grå i ansigtet. »Ingen andre end os. Vi lejer hele etagen. Hvilket lig?«

»Vi er nødt til at begynde nede i kælderen og arbejde os op gennem bygningen,« sagde Leclerc til sine mænd.

En af gendarmerne trykkede på knappen til elevatoren. Døren gik op, og det var Leclerc, der i kraft af sit flakkende blik så faren først og råbte til gendarmen, at han skulle blive stående præcis, hvor han var.

»For helvede,« sagde Quarry og stirrede ind i den tomme elevatorskakt. »Alex ...«

Dørene begyndte at glide i. Gendarmen trykkede knappen i

bund for at åbne dem igen. Leclerc skar en grimasse, da han støttede på knæene, lænede sig forsigtigt frem og kiggede ud over kanten. Det var umuligt at se helt ned i bunden af skakten. Han mærkede en dråbe af noget vådt i nakken, og da han førte en hånd op, rørte hans fingre ved noget fugtigt og klæbrigt. Han drejede hovedet, rettede blikket op og stirrede direkte op i bunden af elevatoren, der befandt sig blot en enkelt etage over ham. Et eller andet hang og dinglede under bunden af den. Han skyndte sig at trække hovedet tilbage.

Gabrielle var færdig med at pakke. Hendes bagage stod i hallen: en stor kuffert, en lidt mindre kuffert og en taske til at tage med i flyet. Hun var ikke ligefrem på vej til at emigrere, men hun havde pakket til mere end bare en enkelt overnatning. Det sidste fly til London gik efter planen klokken 21:25, og på British Airways' hjemmeside blev der bragt en advarsel om øget sikkerhedskontrol efter bomben i flyet fra Vista Airways. Hun måtte hellere tage af sted nu, hvis hun skulle være sikker på at nå det. Hun sad i sit atelier og skrev et kort brev til Alex – på den gammeldags måde med fyldepen, blåt blæk og hvidt papir.

Det første, hun ønskede at sige, var, at hun elskede ham, og at hun ikke forlod ham for evigt – hun trængte bare til en pause fra Genève. Hun havde været ude og tale med Bob Walton på CERN – »du må ikke blive vred, han er en god mand, og han er bekymret for dig« – og det havde været til stor hjælp for hende at tale med ham, fordi hun for første gang var begyndt at forstå det banebrydende arbejde, han var optaget af, og det kolossale pres, han måtte være underlagt.

Hun var ked af, at hun havde givet ham skylden for den fiasko, hendes udstilling var endt med. Hvis han stadig insisterede på, at det ikke var ham, der havde købt værkerne, troede hun selvfølgelig på ham. »Men skat, er du sikker på, at det er rigtigt, for hvem skulle ellers have gjort det?« Måske havde han fået et sammenbrud igen, og i så fald ville hun gerne hjælpe ham, men hun havde *ikke* lyst til at høre om hans tidligere problemer fra – af alle mennesker – en politimand. »Hvis vi skal blive sammen, er vi nødt til at være mere ærlige over for hinanden.« Da hun mange år tidligere var kommet til Schweiz, havde det været hendes plan blot at finde et midlertidigt job og blive der i nogle måneder, men på en eller anden måde var hun alligevel endt med at blive boende og havde indrettet hele sin tilværelse omkring hans liv. Hvis de havde fået børn, ville det måske have været anderledes, men om ikke andet havde det, der var sket i dagens løb, fået hende til at indse, at hendes arbejde – selv den mest kreative del af det – ikke var nogen erstatning for et meningsfyldt liv, mens hun på den anden side var sikker på, at det var præcis, hvad *hans* arbejde var for ham.

Hvilket i virkeligheden førte hende frem til selve pointen. Som hun havde forstået det, da hun talte med Walton, havde han viet sit liv til at prøve at skabe en maskine, der kunne tænke, lære og handle uafhængigt af menneskelige indgreb. I hendes øjne var der noget dybt skræmmende ved hele tanken, selvom Walton havde forsikret hende om, at Alex' intentioner havde været helt igennem ædle ('og med mit kendskab til dig, er jeg sikker på, at det også er tilfældet'). Men at udnytte en så vidtgående ambition til udelukkende at tjene penge ... var det ikke det samme som at forene det hellige og det profane? Der var ikke noget at sige til, at han var begyndt at opføre sig så underligt. Alene det at *drømme* om at have en milliard dollars, for slet ikke at tale om at *eje* en så stor sum, var det rene vanvid i hendes øjne, og der var engang, hvor Alex også selv ville have syntes det. Hvis nogen opfandt noget, som alle havde brug for – ja, okay, fair nok. Men ganske enkelt at stræbe efter rigdom ved at spille hasard (hun havde aldrig forstået helt præcist, hvad det var, de lavede i hans firma, men det lod til at være essensen af det) ... ja, en sådan griskhed var værre end vanvid, det var en direkte *skændsel* – *intet* godt ville nogensinde komme ud af det – og det var derfor, hun var nødt til at komme *væk* fra Genève, før både byen og dens værdier fortærede hende …

Hun skrev og skrev og glemte alt om tiden, mens pennen gled hen over det håndlavede papir og fulgte bevægelserne i hendes sirlige skråskrift. Lyset aftog i atelieret. På den anden side af søen begyndte byens lys at funkle. Tanken om, at Alex var et sted derude i sindsforvirret tilstand, gnavede i hende.

Jeg har det frygteligt med at rejse, mens du er syg, men hvis du ikke vil lade mig hjælpe dig, og du ikke vil lade lægerne undersøge dig ordentligt, tjener det ikke noget formål at blive, vel? Ring til mig, hvis du har brug for mig. Når som helst. Det er det eneste, jeg nogensinde har ønsket. Jeg elsker dig. G x

Hun kom brevet i en konvolut, skrev et stort A på forsiden og tog den med, da hun gik hen mod arbejdsværelset. På vejen standsede hun kort i hallen og bad sin chauffør og livvagt om at bære kufferterne ud i bilen og køre hende ud til lufthavnen.

Hun gik ind i arbejdsværelset og stillede konvolutten op af tastaturet ved Alex' computer, men på en eller anden måde må hun være kommet til at trykke på en tast, for i det samme blev skærmen tændt, og hun kiggede på et billede af en kvinde, der lænede sig ind over et skrivebord. Der gik et øjeblik, før hun blev klar over, at det var hende selv. Hun kastede et blik tilbage og op og stirrede på den røde lampe på røgalarmen. Kvinden på skærmen gjorde præcis det samme.

Hun trykkede på et par tilfældige taster, men ingenting skete. Hun trykkede på *Escape*-tasten, og omgående svandt billedet ind og lagde sig i det øverste venstre hjørne af skærmen som ét ud af 24 forskellige kameraoptagelser ordnet i et gittermønster, der bulede en anelse ud på midten og mindede om et insekts sammensatte øjne. På en af optagelserne var det, som om noget bevægede sig en anelse. Hun tog musen og klikkede på billedet. Skærmen udfyldtes af en natoptagelse, hvor hun lå i deres seng i en kort badekåbe med det ene ben over det andet og armene foldet i nakken. Et stearinlys strålede som en sol ved siden af hende. Der var ingen lyd på optagelsen. Hun løsnede bæltet, tog badekåben af og rakte nøgen armene op. En mands hoved – Alex' uskadte hoved – dukkede op i skærmens nederste højre fjerdedel. Også han begyndte at tage tøjet af.

Hun hørte en forsigtig rømmen. »Madame Hoffmann?« spurgte en stemme bag hende, og hun trak sit forfærdede blik væk fra skærmen og fandt chaufføren i døråbningen. Bag ham tårnede to sortklædte gendarmer sig op.

Klokken 13:30 begyndte man på børsen i New York at opleve en så voldsom volatilitet på markedet, at *liquidity replenishment points* steg i hyppighed til hele syv i minuttet og trak anslået tyve procent af likviditeten ud af markedet. Dow-indekset var faldet med mere end halvanden procent, S&P 500 med to. VIX var steget med ti.

17

De mest levedygtige eller dem, der har klaret sig bedst i kampen med deres livsbetingelser, vil få flest efterkommere. Men udfaldet afhænger ofte af specielle våben eller forsvarsmåder ...

CHARLES DARWIN, *Arternes oprindelse* (1859)

Zimeysa var et ingenmandsland – ingen historie, ingen geografi, ingen indbyggere. Selv stedets navn var et akronym for andre steder: *Zone Industrielle de Meyrin-Satigny*. Hoffmann kørte mellem de lave bygninger, der hverken lignede kontorbygninger eller fabrikker, men snarere fremstod som en blanding af begge dele. Hvad foregik der i dem? Hvad blev der fremstillet? Det var umuligt at se. Skeletagtige kranarme strakte sig ud over byggepladser og tomme parkeringspladser til lastbiler. Lufthavnen lå mindre end en kilometer mod øst, og lysene fra terminalen sendte et blegt skær op mod de lavthængende skyer på den tiltagende mørke himmel. Hver gang et passagerfly fløj lavt hen over området, lød det som en rullende bølge, der slog op over en strand. Et tordnende crescendo, der fik Hoffmanns nerver til at sitre, fulgt af en skinger og langsomt aftagende hvinen, mens landingslysene forsvandt som vraggods mellem kranarmene og de flade tage.

Han behandlede BMW'en ekstremt forsigtigt og kørte med ansigtet helt oppe i forruden. Der var masser af vejarbejde og kabler, som var ved at blive lagt. Først var den ene vejbane spærret og lidt efter den anden, så han måtte sno sig frem. Route de Clerval lå på hans højre side lige efter et distributionscenter for reservedele til biler – Volvo, Nissan, Honda. Han viste af for at dreje ind på vejen. Lidt længere fremme lå en benzinstation på hans venstre side. Han kørte ind foran pumperne og gik ind i forretningen. På optagelserne fra overvågningskameraerne kan man se ham tøve mellem gangene, hvorefter han målrettet træder hen mod hylderne med benzindunke. Røde metaldunke, god kvalitet, 35 franc stykket. Videooptagelsen er tidsforkortet og får hans bevægelser til at virke rykvise, som en marionetdukkes. Han køber fem dunke og betaler kontant. På optagelserne fra kameraet over kasseapparatet kan man tydeligt se flængen i hans baghoved. Efterfølgende fortalte salgsassistenten, at han virkede oprevet. Hans ansigt og tøj var plettet af fedt og olie, og han havde størknet blod i håret.

Med et elendigt forsøg på at smile spurgte Hoffmann: »Hvad skyldes al vejarbejdet?«

»Det har stået på i månedsvis, *monsieur*. Der er ved at blive nedlagt lyslederkabler.«

Hoffmann gik udenfor med et par af benzindunkene. Han var nødt til at gå to gange for at bære dem alle sammen ud til den nærmeste pumpe. Han begyndte at fylde dem efter tur. Der var ingen andre kunder. Han følte sig frygtelig udsat og sårbar, da han stod under det skarpe neonlys. Han kunne se, at salgsassistenten holdt øje med ham. Endnu et fly lagde an til landing direkte over hovedet på ham og fik luften til at skælve. Det var, som om larmen vendte vrangen ud på ham. Han blev færdig med at fylde den sidste dunk, åbnede bagdøren i BMW'en og skubbede dunken over i den modsatte side af sædet, hvorefter han stillede de andre ind på rad og række ved siden af den. Han vendte tilbage til forretningen, betalte 168 franc for benzinen og yderligere 25 franc for en lommelygte, to lightere og tre vinduesklude. Igen betalte han kontant. Han forlod forretningen uden at se sig tilbage.

* * *

Leclerc havde hurtigt undersøgt liget i bunden af elevatorskakten. Der var ikke meget at se. Det mindede ham om en sag om et selvmord, han engang havde måttet tage sig af på Cornavin-banegården. Han havde altid haft en høj tærskel for den slags. Det var de anonyme lig, der stirrede på ham, som om de stadig burde trække vejret, der gav ham gåsehud. Deres øjne virkede altid så fulde af bebrejdelser. *Hvor var du, da jeg havde brug for dig?*

I kælderen talte han kortvarigt med den østrigske forretningsmand, hvis bil Hoffmann havde stjålet. Han var rasende, og det var, som om han i højere grad holdt Leclerc ansvarlig for tyveriet end den mand, der havde begået forbrydelsen – »Jeg betaler skat her i landet og forventer, at politiet beskytter mig ...« og videre i samme dur – og Leclerc havde følt sig nødsaget til at høre høfligt på ham. Nummerpladen og et signalement af bilen var i al hast blevet udsendt til alle politibetjente i Genève, mærket »høj prioritet«. Hele bygningen var nu i færd med at blive gennemgået og tømt. De tekniske eksperter var på vej. Madame Hoffmann var blevet hentet i huset i Cologny og var på vej for at blive afhørt. Politichefens kontor var blevet orienteret. Politichefen selv var til en officiel middag i Zürich, hvilket dog kun var en lettelse. Leclerc var ikke sikker på, om der var noget, han kunne gøre.

For anden gang i løbet af den samme aften tog han sig selv i at kæmpe sig op ad en lang trappe. Anstrengelsen gjorde ham svimmel. Det prikkede og stak i hans venstre arm. Han var nødt til snart at bestille tid til et kontrolbesøg hos lægen. Hans kone var hele tiden på nakken af ham for at få ham til at gøre det. Han spekulerede på, om Hoffmann både havde slået sin kollega og tyskeren på hotelværelset ihjel. På overfladen virkede det umuligt, at han havde gjort det. Det måtte være sikkerhedsmekanismen i elevatoren, der havde svigtet. Men på samme tid var det unægteligt et bemærkelsesværdigt sammentræf, at Hoffmann i løbet af ganske få timer havde befundet sig i nærheden af hele to mænd, der havde mistet livet under uklare omstændigheder.

Da han nåede op på femte etage, standsede han for at få vejret igen. Indgangen til hedgefondens kontor stod åben, og en ung gendarm holdt vagt. Leclerc nikkede til ham, da han fortsatte forbi. I handelsafdelingen virkede stemningen ikke bare oprørt – hvilket kun var naturligt efter tabet af en kollega – men nærmest hysterisk. Medarbejderne, der tidligere havde været så tavse, stod nu samlet i mindre grupper og talte hektisk med hinanden. Englænderen, Quarry, kom nærmest løbende hen til ham. På skærmene fortsatte tallene med at skifte.

»Noget nyt om Alex?« spurgte Quarry.

»Det lader til, at han tvang en mand ud af en bil og stjal den. Vi leder efter ham nu.«

»Det er ufatteligt ...« sagde Quarry.

Leclerc afbrød ham. »Undskyld mig, *monsieur*. Må jeg få lov til at se dr. Hoffmanns kontor?«

Quarry så straks nervøs ud. »Det er jeg ikke helt sikker på. Jeg tror, jeg måske hellere må tilkalde vores advokat ...«

»Jeg er sikker på, at han vil råde Dem til at samarbejde med os,« sagde Leclerc stift og spekulerede på, hvad finansmanden prøvede at skjule.

Quarry ombestemte sig omgående. »Ja, naturligvis.«

På Hoffmanns kontor flød gulvet stadig med støv og småstumper fra det gabende hul i loftet over skrivebordet. Leclerc så forundret på det. »Hvornår er det her sket?«

Quarry skar en grimasse af forlegenhed, som om han var nødt til at indrømme, at han havde en sindssyg slægtning. »For omkring en time siden. Alex flåede røgalarmen ned.«

»Hvorfor?«

»Han mente, at der var skjult et kamera i den.«

»Og var der det?«

»Ja.«

»Hvem installerede det?«

»Vores sikkerhedskonsulent, Maurice Genoud.«

»På hvis ordre?«

»Tja ...« Quarry kunne ikke se nogen vej udenom. »Rent faktisk viste det sig, at den sikkert kom fra Alex selv.«

»Udspionerede Hoffmann sig selv?«

»Ja, tilsyneladende. Men han kunne ikke huske, at han havde bedt om det.«

»Og hvor er Genoud nu?«

»Jeg tror, han gik ned for at tale med Deres mænd, da liget af Gana blev fundet. Han er ansvarlig for sikkerheden i hele bygningen.«

Leclerc satte sig ved Hoffmanns skrivebord og begyndte at åbne skufferne.

»Skal De ikke have en ransagningskendelse for at gøre det?« spurgte Quarry.

»Nej.« Leclerc fandt Darwin-bogen og cd'en fra Radiologisk Afdeling på Universitetshospitalet. Han lagde mærke til, at nogen havde efterladt en bærbar computer i sofaen. Han gik hen og åbnede den, studerede billedet af Hoffmann og åbnede mappen med korrespondancen mellem Hoffmann og den døde tysker, Karp. Han var så optaget af læsningen, at han knap nok så op, da Ju-Long kom ind.

»Undskyld mig, Hugo,« sagde Ju-Long, »men jeg tror, du hellere må kaste et blik på, hvad der sker på markederne.«

Quarry rynkede panden, lænede sig frem mod skærmen og klikkede fra vindue til vindue. Nu var nedgangen for alvor sat ind. VIX var på vej op gennem taget, euroen faldt, investorer trak sig ud af aktiemarkedet og kæmpede for at bringe sig i sikkerhed ved at købe guld og tiårige statsobligationer, selvom udbyttet på dem faldt i et svimlende tempo. Overalt blev penge suget ud af markedet – alene i elektronisk handlede S&P futures var likviditeten på køberside faldet fra seks til to en halv milliard i løbet af kun godt halvfems minutter.

Okay, nu sker det, tænkte han.

»Inspektør,« sagde han, »hvis vi er færdige her, er jeg nødt til at vende tilbage til arbejdet. Der er et stort salg på vej i New York.«

»Hvad er formålet?« spurgte Ju-Ling. »Vi har alligevel mistet kontrollen.«

Den skarpe kant af fortvivlelse i hans stemme fik Leclerc til at se brat op.

»Vi har nogle få tekniske problemer,« forklarede Quarry. Han kunne se mistroen i Leclercs ansigt. Det ville blive et mareridt, hvis politiets efterforskning bevægede sig fra Hoffmanns mentale sammenbrud til hele firmaets sammenbrud. Finanstilsynets kontrollanter ville kaste sig over dem, når det blev morgen. »Det er ikke noget, der giver anledning til bekymring, men jeg bør alligevel lige tale med vores computerfolk ...«

Han begyndte at gå væk fra skrivebordet, men Leclerc sagde skarpt: »Vær så venlig at vente.« Han kiggede ud over handelsafdelingen. Indtil dette øjeblik havde han egentlig ikke overvejet muligheden for, at firmaet i sig selv kunne være i vanskeligheder. Men nu bemærkede han – ud over de nervøse grupper af ansatte – at adskillige andre medarbejdere piskede rundt mellem hinanden. Der var en tydelig panik at spore i deres kropssprog, og i begyndelsen havde han slået det hen med deres kollegas død og deres chefs forsvinden, men nu indså han, at det handlede om noget helt tredje og endnu større. »Hvilken form for tekniske problemer?« spurgte han.

Det bankede kort på døren, og en gendarm stak hovedet ind på kontoret.

»Den stjålne bil er blevet set.«

Leclerc hvirvlede rundt mod ham.

»Hvor?«

»En ansat på en benzinstation i Zimeysa har lige ringet. En mand, der passer til signalementet af Hoffmann og kører i en sort BMW, har lige købt hundrede liter benzin.«

»Hundrede liter? Tak skæbne, hvor langt regner han med at skulle køre?«

»Det var derfor, den ansatte ringede. Han fortalte, at han ikke fyldte benzinen på bilen.«

Ejendommen på adressen Route de Clerval 54 viste sig at ligge for enden af en lang vej, der husede en fragtcentral og en genbrugsstation, før vejen snævrede sig ind og endte blindt nær jernbaneskinnerne. Bygningen – en kasseformet stålkonstruktion på to eller tre etager – lå bag en række træer og virkede underligt bleg i tusmørket. Det var svært at vurdere bygningens højde, fordi der ikke var nogen vinduer i facaden. En række projektører var monteret langs kanten af taget, og overvågningskameraer stak ud fra hjørnerne og fulgte ham opmærksomt, da han nærmede sig. Et kort vejstykke førte hen til en stor metalport, og på den anden side lå en tom parkeringsplads. Hele bygningen var omkranset af et metalhegn, som øverst blev afsluttet af tre rækker NATO-pigtråd. Hoffmann gik ud fra, at bygningen oprindeligt var opført som pakhus eller distributionscenter. Den var under ingen omstændigheder tegnet af en arkitekt. Der havde ikke været tid nok til det. Hoffmann kørte hen foran portene. I vindueshøjde lige ud for ham var der et panel med nogle taster og et samtaleanlæg, og ved siden af så han et lille lyserødt øje på et infrarødt kamera.

Han lænede sig ud ad vinduet og trykkede på knappen til samtaleanlægget. Ingenting skete. Han rettede blikket op mod bygningen. Den virkede tom og forladt. Han overvejede, hvad der set fra systemets synsvinkel ville være det mest oplagte valg som sikkerhedskode, hvorefter han tog chancen og indtastede det mindste tal, der på to forskellige måder kunne udtrykkes som summen af to kubiktal. Et øjeblik efter begyndte porten at glide op.

Han kørte langsomt over parkeringspladsen og fortsatte hen langs siden af bygningen. I sidespejlet kunne han se, hvordan kameraet fulgte ham. Stanken af benzinen på bagsædet gav ham kvalme. Han drejede om hjørnet og kørte ind foran en stor stålport ved vareindleveringen. Et overvågningskamera på væggen over porten var rettet direkte mod ham. Han steg ud af bilen og nærmede sig porten. Ligesom på hedgefondens kontor blev adgangen til bygningen kontrolleret ved hjælp af ansigtsgenkendelse. Han stillede sig foran skanneren. Reaktionen var omgående, og porten rejste sig som et scenetæppe og afslørede et stort, tomt lagerrum. Han vendte sig for at gå tilbage til bilen, men i det samme så han i det fjerne på den anden side af jernbaneskinnerne en serie røde og blå blink, som nærmede sig i høj fart, og et øjeblik efter bragte vinden en svag antydning af en politisirene gennem luften.

Han skyndte sig at køre ind i lagerrummet, standsede bilen, slukkede motoren og lyttede. Han kunne ikke høre sirenen længere. Det havde sikkert ikke noget med ham at gøre. Han besluttede sig for, at han for en sikkerheds skyld hellere måtte lukke porten, men da han undersøgte væggen, kunne han ikke finde en lyskontakt. Med tænderne flåede han plasticindpakningen af lommelygten. Han tjekkede, at den virkede, hvorefter han trykkede på knappen for at lukke porten. Der lød en advarende brummen, og en orange lampe blinkede, men så sænkede mørket sig omkring ham i takt med, at porten gled ned. Efter ti sekunder ramte bunden af porten jorden med et højt klonk, og den sidste smalle stribe af dagslys forsvandt. Han følte sig alene i mørket, et offer for sine egne forestillinger. Stilheden var dog ikke helt total, for han kunne høre et eller andet i baggrunden. Han tog brækjernet på passagersædet i BMW'en. Med venstre hånd rettede han keglen fra lommelygten mod de nøgne vægge og videre op mod loftet, hvor han fandt endnu et overvågningskamera, som var placeret højt oppe i et hjørne og stirrede ondskabsfuldt ned på ham, eller sådan føltes det i det mindste. Under kameraet var der en metaldør, som også blev åbnet ved hjælp af ansigtsgenkendelse. Han stak brækjernet under armen, rettede lommelygten op mod ansigtet og pressede forsigtigt en hånd ind mod døråbneren. I adskillige sekunder skete der ingenting, men så – nærmest tøvende – gik døren op, og foran ham lå en kort trappe, der førte op til en gang.

Han rettede lommelygten mod endnu en dør i den modsatte ende af gangen. Nu kunne han tydeligt høre den svage summen fra computerne. Gangen var lavloftet, og luften var kold som i et kølehus. Han regnede med, at ventilationsanlægget var placeret i gulvet, ligesom det var tilfældet i computerrummene på CERN. Han fortsatte forsigtigt hen til enden af gangen, pressede håndfladen ind mod føleren på væggen og så døren glide op til larmen og lysene fra en computerfarm. I den smalle lyskegle fra lommelygten stod et hav af computere opstillet på stålhylder, der strakte sig lige frem for ham og ud til begge sider og udsendte den velkendte og underligt sødlige elektriske lugt af brændt støv. Et computerfirma havde anbragt sit klistermærke på alle reolerne: I tilfælde af problemer, ring til dette nummer. Han fortsatte langsomt frem og rettede lommelygten til højre og venstre langs reolerne og så lyset forsvinde i mørket. Han spekulerede på, hvem der ellers havde adgang til bygningen. Sikkerhedsfirmaet, sandsynligvis – Genouds folk, rengørings- og vedligeholdelsesfirmaerne, computerteknikerne. Hvis de alle modtog instrukser via mails og blev betalt elektronisk, kunne stedet sandsynligvis passe sig selv ved hjælp af udefrakommende arbejdskraft alene, så der ikke var brug for nogen af hans egne medarbejdere. Den ultimative gatesianske udgave af det digitale nervesystem. Han kunne huske, at Amazon i begyndelsen havde omtalt sig selv som »en virkelig virksomhed i en virtuel verden«. Måske stod han her i det næste logiske trin i den udviklingsmæssige kæde: en virtuel virksomhed i den virkelige verden.

Han nåede hen til endnu en dør og gentog processen med lommelygten og ansigtsgenkendelsen. Da boltene i døren gled tilbage, brugte han et øjeblik på at undersøge dørrammen. Væggene var ikke bærende, så han, men blot tynde, præfabrikerede skillevægge. Da han havde set bygningen udefra, havde han forestillet sig, at den blot bestod af ét stort rum, men nu var han klar over, at den var opbygget som en bikube og havde den samme cellestruktur som en insektkoloni. Han trådte over dørtrinnet og hørte i det samme noget bevæge sig ude på den ene side. Han hvirvlede rundt på hælen, netop som en IBM TS3500 båndrobot kom hvirvlende hen mod ham på sin skinne, standsede, tog en datadisk og susede væk igen. Han blev stående et øjeblik og holdt øje med robotten, mens han ventede på, at hans hjerte faldt lidt til ro. Han fornemmede en hektisk aktivitet i rummet, og da han fortsatte frem, så han, at fire andre robotter susede frem og tilbage for at udføre en række opgaver. I det fjerneste hjørne fik han i skæret fra lommelygten øje på en åben metaltrappe, der førte op til etagen ovenover.

Det næste rum var mindre og så ud til at være det sted, hvor kommunikationskablerne kom ind i bygningen. Han rettede lommelygten mod to store, sorte kabler, hver på tykkelse med hans håndled. De stak ud af en lukket metalkasse og søgte som kraftige rødder ned i en rende, der fortsatte ind under hans ben og videre hen til en form for samleboks. På begge sider af gangen var væggene beklædt med kraftige metalgitre. Han vidste allerede, at de fiberoptiske kabler GVA-1 og GVA-2 passerede Genèves lufthavn på deres vej til Tyskland fra Marseille, hvor kablerne kom op af havet. Data blev sendt til og fra New York i samme hastighed som partiklerne, der blev skudt rundt i CERN's partikelaccelerator – kun en anelse langsommere end lysets hastighed. VIXAL var koblet på den hurtigste kommunikationsforbindelse, der fandtes i Europa.

Med lyskeglen fra lommelygten fulgte han en række andre kabler, der fra en lille dør fortsatte hen over væggen i skulderhøjde, delvist beskyttet af et galvaniseret metalrør. Døren var låst med en hængelås. Han pressede brækjernet ind i den U-formede lukning og brugte det til at vride hængslet fri af væggen. Det løsnede sig med en skurrende lyd, og døren svingede op. Han rettede lommelygten ind i en form for elskab, der indeholdt en række målere, et sikringspanel, der fyldte det meste af den ene væg, og et par afbrydere. Endnu et videokamera holdt øje med ham. Han skyndte sig at slå afbryderne op, så de stod på OFF. Et øjeblik skete der ingenting, men så hørte han en dieselgenerator et eller andet sted i bygningen blive vakt rystende til live, og et øjeblik efter blev alt lyset i bygningen bizart nok tændt. I et anfald af frustration svingede han enden af brækjernet op mod kameralinsen og prikkede øjet ud på sin evindelige plageånd og smadrede kameraet i tilfredsstillende mange smådele, hvorefter han gik til angreb på sikringstavlen og smadrede plasticbeklædningen, men efter et lille stykke tid sænkede han brækjernet igen, da det var tydeligt, at hans angreb ikke havde den ønskede effekt.

Han slukkede lommelygten og vendte tilbage til computerrummet. I den modsatte ende pressede han ansigtet ind mod føleren og bestræbte sig på at bevare et neutralt ansigtsudtryk, og døren til det næste rum gled op. Det viste sig, at der ikke var tale om endnu et lille rum, men om et stort, åbent og højloftet lokale med en række digitalure, der markerede tiden i forskellige tidszoner, samt nogle store tv-skærme. Det var tydeligt, at lokalet var indrettet med handelsrummet i hovedkontoret i Les Eaux-Vives som forbillede. Ved en central kontrolenhed var der en opstilling af de obligatoriske seks skærme plus en række separate skærme, som i et gittermønster viste optagelserne fra overvågningskameraerne. Foran skærmene var der – i stedet for mennesker – på alle de pladser, hvor der ellers ville have siddet en *quant*, blot række efter række af computere, som at dømme efter de hurtigt blinkende LED-lamper alle arbejdede på noget nær grænsen for deres ydeevne.

Det måtte være selve nervecenteret, tænkte Hoffmann. Han stod i et stykke tid og stirrede forundret på opstillingen. Der var noget ved den koncentrerede og uafhængige målrettethed ved hele scenariet, som han fandt overraskende rørende, akkurat som han regnede med, at det måtte føles for forældre, når de første gang så deres børn begive sig ud i den store verden. At VIXAL var helt igennem mekanisk og ikke besad hverken følelser eller bevidsthed, at den ikke tjente andre formål end at sikre sin egen egoistiske overlevelse i kraft af en konstant akkumulering af penge, og at den, hvis den blev overladt til sig selv – helt i tråd med Darwins logik – ville bestræbe sig på fortsat at vokse, indtil den dominerede hele verden, ja selv det formåede ikke at ødelægge hans benovelse over, at algoritmen i det hele taget eksisterede. Han tilgav den oven i købet for alle de prøvelser, den havde udsat ham for – trods alt var det hele udelukkende sket for forskningens skyld. Man kunne i lige så ringe grad afsige en moralsk dom over algoritmen, som man kunne gøre det over en haj. Den opførte sig jo ganske enkelt bare som en hedgefond.

Et kort øjeblik glemte Hoffmann, at han var kommet for at tilintetgøre algoritmen, men så lænede han sig ind over skærmene for at se nærmere på de handler, den var i færd med at bygge op til, og som blev gennemført i et vanvittigt tempo og i svimlende mængder – millioner af aktier, som kun blev holdt i brøkdele af sekunder – en strategi, der var kendt som '*sniping*' eller '*sniffing*'. Ordrer, som blev afgivet og umiddelbart efter trukket tilbage igen i et forsøg på at afdække markedet for skjulte lommer af likviditet. Men han havde aldrig før set det ske i så stor målestok. Der ville ikke være megen fortjeneste i aktiviteten – om nogen overhovedet – og et kort øjeblik undrede han sig over, hvad VIXAL prøvede at opnå. Men så blinkede en advarsel på skærmen.

*   *   *

I samme øjeblik dukkede en meddelelse op i børslokaler overalt i verden – klokken 20:30 i Genève, 14:30 i New York og 13:30 i Chicago:

Klokken 1.30, Central Time, har CBOE erklæret SelfHelp mod NYSE/ARCA. NYSE/ARCA er ude af NBBO og det elektroniske samarbejde. Alle CBOE's systemer fungerer normalt.

Den indforståede jargon skjulte problemets reelle omfang – tog brodden af det, som det ofte er tilfældet med indforstået jargon – men Hoffmann vidste præcis, hvad det betød. CBOE var forkortelsen for Chicago Board Options Exchange, hvor der handledes omkring en milliard kontrakter om året i optioner i selskaber, indeks og handlebare fonde – og VIX var blot et af dem. *SelfHelp* var en foranstaltning, som de amerikansk børser var i deres fulde ret til at anvende mod hinanden, hvis en anden børs brugte mere end ét sekund på at reagere på en ordre, eftersom alle amerikanske børser havde pligt til ikke at 'handle igennem' – eller, med andre ord, ikke at tilbyde en dårligere pris til en investor, end der kunne opnås i præcis det samme øjeblik på en børs et andet sted i landet. Systemet var helt igennem automatiseret og fungerede så hurtigt, at man opererede med tusindedele af et sekund. For en professionel som Hoffmann betød CBOE's *SelfHelp*, at der blev udsendt en advarsel om, at New Yorks elektroniske børs ARCA var blevet ramt af en eller anden form for systemnedbrud – et nedbrud, der blev anset for at være så alvorligt, at børsen i Chicago i henhold til regulativerne i NBBO, The National Best Bid and Offer, ikke længere måtte ekspedere ordrer videre til børsen i New York, selvom den tilbød bedre priser for investorerne end børsen i Chicago.

Meddelelsen havde to umiddelbare konsekvenser. Den betød, at

Chicago var nødt til at træde til og tilbyde den likviditet, som tidligere var blevet tilbudt af NYSE/ARCA – på et tidspunkt, hvor likviditet på alle måder var en mangelvare – og at den også, hvilket måske var endnu mere afgørende, skabte yderligere frygt på et allerede uroligt og nervøst marked.

Da Hoffmann så advarslen, forbandt han den ikke umiddelbart med VIX. Man da han så forundret op fra skærmen og lod blikket glide hen over de blinkende lamper på computerne – da han, nærmest fysisk, fornemmede det vanvittige omfang og den fænomenale hastighed, som kendetegnede de ordrer, de gennemførte, og da han kom til at tænke på den kolossale uafdækkede ensidige investering, VIXAL var i færd med at gennemføre, mens markedet kollapsede – ja, i det øjeblik forstod han, hvad det var, algoritmen foretog sig.

Han ledte på bordet for at finde fjernbetjeningen til tv-skærmene. Business-kanalerne tonede omgående frem og sendte direkte billeder af oprørere, som i halvmørke kæmpede mod politiet på en central plads i en storby. Store bunker af affald brændte, og med jævne mellemrum blev kommentatorernes konstant kværnende stemmer afbrudt af lyden af eksplosioner uden for kameraernes rækkevidde. På CNBC lød overskriften: SENESTE NYT: OPRØR I ATHENS GADER EFTER VEDTAGELSE AF SPAREPAKKE.

En kvindelige studievært sagde: »På billederne kan man se, hvordan politiet rent faktisk *slår* demonstranterne ...«

Tekststrimlen i bunden af skærmen fortalte, at Dow-indekset var faldet med 260 point.

Computerne fortsatte uforsonligt med at summe. Hoffmann begav sig tilbage mod lagerrummet.

I det samme kom en larmende kortege bestående af otte patruljevogne susende hen ad den øde Route de Clerval og standsede med hvinende bremser uden for hegnet om erhvervsejendommen, og omgående blev en række døre slået op i begge sider af bilerne. Leclerc sad i den forreste bil sammen med Quarry. Genoud sad i den anden, mens Gabrielle befandt sig i en af de sidste.

Da Leclerc sprang ud fra bagsædet, var det hans umiddelbare indtryk, at ejendommen lignede et uindtageligt fort. Han betragtede det høje og kraftige metalhegn, NATO-pigtråden, overvågningskameraerne, ingenmandslandet i form af parkeringspladsen og til sidst bygningens lodrette stålvægge, der fik den til at rejse sig som et sølvslot i det aftagende lys. Bag ham sprang bevæbnede betjente ud af bilerne, og nogle af dem var iført kevlarveste eller beskyttede sig bag skærme af skudsikkert glas – bevæbnet til tænderne og klar til at gå i aktion. Leclerc kunne se, at hvis han ikke passede på, kunne det kun ende på én måde.

»Han er ikke bevæbnet,« sagde han, mens han med en walkie-talkie i hænderne gik forbi mændene. »Husk det ... han har ikke noget våben.«

»Hundrede liter benzin,« sagde en af gendarmerne. »Det er også et våben.«

»Nej, det er ikke. I fire tager opstilling på den anden side af bygningen. Ingen prøver at trænge ind uden udtrykkelig ordre fra mig, og ingen – jeg gentager: *ingen* – affyrer skud. Er det forståét?«

Leclerc nåede hen til bilen med Gabrielle. Døren stod åben. Hun sad stadig på bagsædet, tydeligvis i chok, og det hele kunne ikke undgå at blive endnu værre, tænkte han. Mens bilen susede gennem Genève, havde han læst resten af mailudvekslingen på den døde tyskers bærbare computer. Han spekulerede på, hvordan Gabrielle ville reagere, når hun fandt ud af, at hendes mand selv havde inviteret manden indenfor i deres hus, så han kunne overfalde ham. »Madame Hoffmann,« sagde han. »Jeg ved godt, at det er en vanskelig situation for Dem, men vil De være så venlig ...?« Han tilbød hende sin hånd. Hun så tomt på ham et øjeblik, før hun tog imod den. Hendes greb var fast, som om han ikke så meget hjalp hende ud af en bil, men snarere reddede hende op af et oprørt hav, som truede med at rive hende væk.

Da hun trådte ud i den kølige nat, var det, som om hun blev vækket af sin trance, og hun blinkede forbavset, da hun så størrelsen af den politistyrke, der var mødt op. »Skyldes alt det her bare Alex?« spurgte hun.

»Jeg beklager. Der er en helt fast procedure, vi skal følge i sager som denne. Lad os bare sørge for, at det hele ender fredeligt. Vil De hjælpe mig?«

»Ja, selvfølgelig.«

Han førte hende hen foran bilerne, hvor Quarry stod sammen med Genoud. Firmaets sikkerhedschef skyndte sig nærmest at slå hælene sammen og stå ret, da politiinspektøren nærmede sig. Hvor var han dog en slesk rotte, tænkte Leclerc. Ikke desto mindre anstrengte han sig for at være høflig over for ham. Sådan var han bare.

»Maurice,« sagde han. »Jeg forstår, at du kender ejendommen. Hvad er det præcis, vi har med at gøre?«

»Tre etager, og rummene er adskilt af tynde skillevægge.« Genouds iver efter at hjælpe var nærmest latterlig. Når solen stod op, ville han benægte, at han nogensinde havde kendt Hoffmann. »Dobbeltgulve, forsænkede lofter. Bygningen er opdelt i moduler, og med undtagelse af et centralt placeret kontrolrum, er rummene proppet med computerudstyr. Da jeg sidst var indenfor, var det kun halvdelen af bygningen, der blev benyttet.«

»Ovenpå?«

»Ingenting.«

»Adgangsveje?«

»Tre indgange. Den ene via en stor rulleport til lastbiler. Der er også en brandtrappe, der fører ned fra taget inde i bygningen.«

»Hvordan bliver dørene åbnet?«

»Der benyttes en firecifret kode her ved porten, og inde i bygningen sker det ved hjælp af ansigtsgenkendelse.«

»Er der andre porte i indhegningen end denne?«

»Nej.«

»Hvad med strømforsyningen? Kan vi slå den fra?«

Genoud rystede på hovedet. »Der er placeret en række dieselgeneratorer i stueetagen i den modsatte side af bygningen, og de indeholder brændstof nok til 48 timer.«

»Sikkerhedsmæssige foranstaltninger?«

»Et alarmsystem. Det hele er automatiseret. Der er ingen medarbejdere i bygningen.«

»Hvordan får vi åbnet porten?«

»Samme kode som dørene.«

»Udmærket. Vær så venlig at lukke den op.«

Han fulgte opmærksomt med, da Genoud indtastede cifrene. Porten reagerede ikke. Med et dystert udtryk i ansigtet prøvede Genoud endnu et par gange med det samme resultat. Han lød forundret. »Jeg sværger, det er den rigtige kode.«

Leclerc tog fat om et par af gitterstængerne. Porten var ufatteligt solid og rokkede sig ikke en millimeter. Man kunne køre ind i den med en lastbil, og den ville sikkert stadig ikke røre sig ud af stedet.

»Måske kunne Alex heller ikke komme ind,« sagde Quarry, »og i så fald er han slet ikke derinde.«

»Muligvis, men det er mere sandsynligt, at han har ændret koden.« En mand med dødsfantasier, som var låst inde i en bygning med hundrede liter benzin! Leclerc råbte til sin chauffør: »Sørg for, at brandvæsnet tager skæreudstyr med. Og vi må også hellere få en ambulance sendt herud, bare for en sikkerheds skyld. Madame Hoffmann, vil De prøve at se, om De kan tale med Deres mand og bede ham om ikke at gøre noget tåbeligt?«

»Jeg er parat til at prøve.«

Hun trykkede på knappen på samtaleanlægget. »Alex?« sagde hun blidt. »Alex?« Hun lod fingeren hvile på knappen og håbede inderligt, at han ville svare, mens hun igen og igen trykkede knappen i bund.

* * *

Hoffmann var lige blevet færdig med at hælde benzin ud over reolerne i computerrummet, skabene med båndrobotterne og renden med de fiberoptiske kabler, da han hørte en brummen fra samtaleanlægget på bordet i kontrolrummet. Han stod med en benzindunk i hver hånd og havde ondt i armene af at slæbe på den tunge vægt. Han havde spildt benzin ud over både støvlerne og bukserne. Temperaturen i bygningen var begyndt at stige markant – på en eller anden måde måtte han have haft held med at afbryde strømmen til airconditionanlægget. Han svedte. På CNBC lød overskriften nu: DOW-INDEKS FALDET MED MERE END 300 POINT. Han stillede dunkene ved siden af bordet og kastede et blik på overvågningsskærmen. Ved at flytte rundt med musen og klikke på de enkelte optagelser kunne han se hele optrinnet ude foran lågen – gendarmerne, Quarry, Leclerc, Genoud og Gabrielle, og da han forstørrede billedet, fyldte hendes ansigt hele skærmen. Hun så både knust og fortvivlet ud, og han tænkte, at hun måtte have fået alle de værste ting at vide nu. Hans finger svævede over knappen i et par sekunder.

»Gabby ...«

Det var underligt at se hendes reaktion på skærmen, da hun hørte hans stemme. Nærmest lettelse.

»Gud være lovet, Alex. Vi er alle sammen så bekymrede for dig. Hvordan går det derinde?«

Han kastede et blik rundt. Han ville ønske, at han havde ordene til at beskrive det. »Det er ... ufatteligt.«

»Er det, Alex? Ja, det kan jeg forestille mig.« Hun tav og kiggede ud til siden et øjeblik, før hun førte ansigtet tættere ind mod kameraet, og hendes stemme blev roligere og mere fortrolig, som om der ikke var andre end ham, der kunne høre hende. »Hør, jeg vil gerne ind og tale med dig. Jeg kunne godt tænke mig at se det hele, hvis jeg må.«

»Det kunne jeg også godt tænke mig. Men jeg tror helt ærligt ikke, at det kan lade sig gøre.«

»Det er kun mig, der kommer ind. Det lover jeg. Alle de andre bliver herude.«

»Ja, det siger du, Gabby, men det tror jeg ikke på. Jeg er bange for, at der har været en frygtelig masse misforståelser.«

»Vent lige et øjeblik, Alex,« sagde hun. Hendes ansigt forsvandt fra skærmen, og han kunne ikke se andet end siden af en politibil. Han hørte begyndelsen af en diskussion, men Gabrielle lagde en hånd over mikrofonen på anlægget, og ordene blev for uldne til, at han kunne forstå sammenhængen. Han så på tv-skærmene. Nu lød overskriften på CNBC: DOW-INDEKS FALDET MED MERE END 400 POINT.

»Jeg beklager, Gabby,« sagde han. »Jeg er nødt til at smutte.«

»Vent!« råbte hun.

Pludselig dukkede Leclercs ansigt op på skærmen. »Dr. Hoffmann, det er mig ... Leclerc. Luk porten op og lad Deres kone komme ind. De er nødt til at tale med hende. Mine mænd bliver herude. Det giver jeg Dem mit ord på.«

Hoffmann tøvede. Det slog ham på en underlig måde, at politimanden havde ret. Han *havde* brug for at tale med Gabrielle. Eller i det mindste at vise hende det hele ... lade hende se det hele, før det blev tilintetgjort. Det ville forklare det hele langt bedre for hende, end han nogensinde selv ville kunne.

På handelsskærmen var der kommet en ny advarsel: »Klokken 14:36:57, Eastern Time, har NASDAQ erklæret *SelfHelp* mod NYSE/ARCA.«

Han trykkede på knappen for at lukke hende ind.

18

Flugtmassen opstår som følge af en trussel. Det er kendetegnende for den, at alle flygter; alle trækkes med. Den fare, der truer, er den samme for alle. Den koncentrerer sig på et bestemt sted. Den gør ingen forskel ... Man flygter sammen, fordi det er bedre at flygte sådan. Ophidselsen er den samme: den enes energi øger den andens, folk skubber hinanden af sted i samme retning. Så længe man er sammen, opfatter man faren som fordelt.

ELIAS CANETTI, *Masse og magt* (1960)

Frygten på de amerikanske markeder bredte sig som en virus, og algoritmerne opretholdt ubønhørligt deres gensidige *sniffing* og *sniping* i de fiberoptiske tunneler, mens de kæmpede for at finde likviditet. Som en konsekvens af den øgede aktivitet nærmede børsernes omsætningsvolumen sig ti gange det normale niveau. Hundrede millioner aktier blev købt og solgt i minuttet. Men tallene var vildledende. Positioner blev kun holdt i brøkdele af sekunder, før de blev afviklet igen – det, som i den efterfølgende rapport blev omtalt som en '*hot potato*'-effekt. Det abnorme aktivitetsniveau blev i sig selv en kritisk faktor i den accelererende panik.

Klokken 20:32 lokal tid i Genève sendte en algoritme en salgsordre på markedet på 75.000 '*E-minis*' – elektronisk handlede S&P 500 futures-kontrakter – med en nominel værdi på 4,1 milliarder dollars på vegne af Ivy Asset Strategy Fund. For at begrænse den prismæssige effekt ved et salg i den størrelsesorden blev algoritmen programmeret til at begrænse handlerne, så den gennemsnitlige salgsvolumen ikke på noget tidspunkt nåede op på mere end ni procent af det totale marked, og i det tempo forventedes det, at afhændelsen ville strække sig over tre til fire timer. Men eftersom markedet var ti gange større end normalt, blev algoritmen tilsvarende tilpasset og afsluttede opgaven på blot nitten minutter.

Så snart porten havde åbnet sig tilstrækkeligt, maste Gabrielle sig gennem åbningen og begyndte at løbe hen over parkeringspladsen. Hun var ikke kommet ret langt, før hun hørte skridt bag sig, og da hun vendte sig om, så hun Quarry bryde fri af gruppen og komme løbende. Leclerc råbte til ham, at han skulle komme tilbage, men Quarrys eneste svar bestod i at slå afvisende ud med armene og fortsætte efter Gabrielle.

»Jeg lader dig ikke gøre det her alene, Gabs,« sagde han, da han nåede op på siden af hende. »Det her er *min* fejl, ikke din. Det var mig, der fik ham til det.«

»For helvede, det er ikke nogens fejl, Hugo,« sagde hun uden at se på ham. »Han er syg.«

»Alligevel ... jeg håber ikke, at du har noget imod, at jeg hægter mig på dig?«

Hun skar tænder. *Hægter mig på dig* ... som om de var ude på en hyggelig slentretur. »Det er op til dig.«

Men da de rundede hjørnet, og hun så sin mand stå i den åbne port til lagerrummet, var hun glad for, at hun havde en anden ved sin side – selv Quarry – for Alex stod med en lang jernstang i den ene hånd og en stor, rød benzindunk i den anden, og alt ved hans udstråling var skræmmende og psykotisk. Han stod fuldkommen stille med blod og olie i både håret og ansigtet og tværet ud over tøjet og stirrede på dem med et forskræmt blik i øjnene. Han stank langt væk af benzin.

»Skynd jer, kom med. Det er nu, det sker,« sagde han, og før de var nået helt hen til ham, havde han allerede vendt sig om og var forsvundet indenfor. De skyndte sig efter ham, forbi BMW'en, gennem lagerrummet, forbi de mange computere og båndrobotter. Der var bagende varmt inde i bygningen. Benzinen var begyndt at fordampe og gjorde det svært at trække vejret. Gabrielle var nødt til at presse jakkeærmet ind mod næsen. Længere inde i bygningen lød det, som om helvede var brudt løs.

Alex, tænkte hun. Alex, Alex ...

»For helvede, Alex,« råbte Quarry skingert efter ham, »det hele risikerer at eksplodere ...«

De kom ind i et meget større rum, hvor luften rungede af panikslagne stemmer. Hoffmann havde skruet helt op for lyden på de store tv-skærme. Ud over larmen fra dem lirede en mand et eller andet af sig i et vanvittigt tempo og lød som en kommentator under et spændende hestevæddeløb. Gabrielle genkendte ikke stemmen, men for Quarry var den velkendt og stammede fra den direkte transmission fra børsen i Chicago.

»Og nu sælges der igen! Der handles til 79,5; der handles til 79,2; der handles til 79 rent; og nu handles der til 78,5. Og igen, venner – der kommer bud på 78. Der er bud på 77 ...«

I baggrunden råbte og skreg folk, som om de var vidner til en katastrofe. På en af tv-skærmene fangede Gabrielle en overskrift: DOW, S&P 500, NASDAQ RAMT AF STØRSTE FALD PÅ ÉN DAG I OVER ET ÅR.

En anden mand tonede frem foran nogle optagelser af en natlig demonstration. *»Hedgefonde er på vej til at ødelægge Italiens økonomi og vil med al sandsynlighed gøre det samme i Spanien. Der er ingen umiddelbar løsning i sigte ...«*

Overskriften skiftede: VIX STEGET MED YDERLIGERE 30%. Hun anede ikke, hvad det betød. Selv mens hun stirrede på skærmen, skiftede overskriften igen: DOW JONES FALDET MED MERE END 500 POINT.

Quarry stod som lammet. »Sig ikke, at det er *os*, der gør det.«

Hoffmann havde vendt bunden i vejret på den store benzindunk og var travlt optaget af at hælde indholdet ud over computerne. »Det var os, der startede det. Vi gik til angreb på New York og startede en lavine.«

»Venner, vi ligger langt, langt under niveauet fra i går ...«

Nitten komma fire milliarder aktier blev handlet på børsen i New York i dagens løb, hvilket var mere, end der blev handlet i hele årtiet fra 1960 til 1970. Begivenhederne skete i løbet af millisekunder og i et tempo, der rakte langt ud over enhver menneskelige fatteevne, og de kunne først rekonstrueres senere, da computerne afslørede deres hemmeligheder.

Ifølge en rapport, som klokken 20:42:43:675 lokal tid Genève blev udsendt af datadistributionsfirmaet NANEX, »steg omsætningshastigheden for alle aktier handlet på NYSE, NYSE-ARCA og NASDAQ til maksimal kapacitet inden for 75 millisekunder«. Fire hundrede millisekunder senere solgte Ivy Asset Strategy Funds algoritme yderligere en portion *E-minis* til en værdi af 125 millioner dollars på trods af, at prisen styrtdykkede. Femogtyve millisekunder senere solgte en anden algoritme for yderligere hundrede millioner dollars elektronisk handlede futures. Dow Jones-indekset var allerede faldet med 630 point, og et sekund senere var tallet 720. Quarry så det hele ske, hypnotiseret af de konstant foranderlige tal. Bagefter sagde han, at det »var som at se en af de tegnefilm, hvor en mand løber ud over kanten af en afgrund og bliver hængende frit svævende i luften, mens hans ben stadig pisker som trommestikker, indtil han retter blikket ned – og *så* forsvinder han«.

Udenfor var tre slukningskøretøjer fra Genèves Brandvæsen kørt op på siden af patruljevognene. Det myldrede med mænd, og der var blinkende lygter overalt. Leclerc gav dem besked på at gå i gang. Da kæberne på de hydrauliske tænger lukkede sig om metalstængerne i porten, mindede de ham om kæmpe insekter, der én efter én gnavede sig gennem de kraftige jernstolper, som om de var græsstrå.

Gabrielle tryglede sin mand: »Kom med, Alex, vil du ikke nok? Lad det hele være og kom med.«

Hoffmann tømte den sidste dunk og smed den fra sig. Med tænderne begyndte han at åbne pakken med vinduesklude. »Jeg er lige nødt til at gøre det her færdigt.« Han spyttede et stykke plastic ud af munden. »I kan bare gå i forvejen. Jeg kommer om et øjeblik.« Han så på sin kone, og et øjeblik var han den gamle Alex. »Jeg elsker dig. Godt, vær venlig at gå.« Han dyppede en klud i benzinen, som han havde hældt ud over kabinettet på en computer, og gennemvædede den. I den anden hånd holdt han en engangslighter. »Gå!« gentog han, og der var så meget desperation i hans stemme, at Gabrielle begyndte at trække sig baglæns væk fra ham.

På CNBC sagde kommentatoren: »*Der er i virkeligheden tale om kapitulation, klassisk kapitulation; markedet er gennemsyret af frygt – se på VIX, der fuldstændig er eksploderet i dag ...*«

Quarry stod ved skærmen og kunne næsten ikke fatte det, han så. I løbet af få sekunder faldt Dow-indekset fra minus 800 til minus 900. VIX var steget med fyrre procent – du gode Gud i himlen, det var tæt ved en fortjeneste på en halv milliard dollars, han stirrede på – alt sammen på baggrund af en enkelt position. VIXAL var allerede i færd med at gøre brug af sine optioner på de shortede aktier og opkøbte dem til vanvittigt lave priser – P&G, Accenture, Wynn Ressorts, Exelon, 3-m ...

Den hysteriske stemme fra børsen i Chicago fortsatte med at rable løs, nu med en klump i halsen: »*... 75 ligger vi på nu, venner, 70 rent er budt, og her kommer Morgan Stanley for at sælge ...*«

Quarry hørte et højt *woosh*! og så i det samme en serie store flammer stråle ud fra enden af Hoffmanns fingre. Ikke nu, tænkte han, lad være med at gøre det endnu ... vent, til VIXAL har gennemført handlerne. Ved siden af ham skreg Gabrielle: »Alex!« Quarry kastede sig tilbage mod døren. Flammerne forlod Hoffmanns hånd og så ud til at danse i luften et øjeblik, før de forvandlede sig til en blændende stjerneeksplosion.

Den anden og afgørende likviditetskrise i løbet af det syv minutter lange 'flash crash' var netop begyndt, da Hoffmann slap den tomme benzindunk, klokken 20:45 lokal tid Genève. Overalt i verden stirrede investorer på deres skærme og valgte enten at holde inde med at sælge eller sælge alt på én gang. I den officielle rapport står det beskrevet som følger: »Eftersom priserne på en række værdipapirer faldt på samme tid, frygtede mæglerne, at der var sket en naturkatastrofe, som de ikke var blevet orienteret om, og som deres systemer ikke var konstrueret til at tackle ... Et betydeligt antal trak sig helt ud af markederne.«

I løbet af femten sekunder, der begyndte klokken 20:45:13, handlede algoritmiske højhastigheds-programmer 27.000 *E-mini*-kontrakter – 49 % af den totale volumen – men kun to hundrede af disse blev rent faktisk solgt. Det hele var i realiteten bare varm luft, for der var ingen rigtige købere. Likviditeten faldt til én procent af sit tidligere niveau. Klokken 20:45:27 – i løbet af de 500 millisekunder, der gik, mens Hoffmann tændte sin lighter – strømmede sælgerne ind på markedet, og prisen på *E-minis* faldt fra 1070 til 1062, derefter til 1059 og til sidst landede den på 1056, på hvilket tidspunkt den voldsomme volatilitet automatisk udløste en såkaldt *CME Globex Stop Price Logic event* – en form for 'kursvagt', hvor enhver handelsaktivitet på børsen i Chicago blev indstillet i fem sekunder, så der kunne komme mere likviditet i markedet.

Dow Jones-indekset var faldet med lige under tusind point.

Tidskodede optagelser fra politiets åbne radiokanaler bekræfter, at i præcis det øjeblik, hvor aktiviteterne på børsen i Chicago gik i stå – klokken 20:45:28 – hørtes en eksplosion i lagerbygningen. Leclerc var på vej hen mod bygningen i løb og kæmpede for at følge med gendarmerne, da braget fik ham til at standse brat, sætte sig på hug og beskytte hovedet med armene – en uværdig stilling for en ældre politiinspektør, reflekterede han bagefter, men sådan var det. Nogle af de yngre mænd, som på grund af deres manglende erfaring havde en helt anderledes frygtløs tilgang, standsede aldrig op, og da Leclerc atter var kommet på benene, kom de allerede løbende rundt om hjørnet af bygningen med Gabrielle og Quarry mellem sig.

»Hvor er Hoffmann?« råbte Leclerc.

Fra bygningen lød et brøl af flammer.

Frygt for ubudne gæster om natten. Frygt for vold og overgreb. Frygt for sygdom. Frygt for sindssyge. Frygt for ensomhed. Frygt for at blive spærret inde i en brændende bygning ...

Kameraerne optog det hele lidenskabsløst og videnskabeligt. Hoffmann, da han genvandt bevidstheden i det store kontrolrum. Skærmene, der eksploderede. Computerne, der smeltede, og VIXAL, der blev udslettet. Der er ikke andet at høre end larmen fra flammerne, der springer fra rum til rum, efterhånden som de breder sig til skillevæggene, dobbeltgulvene, de forsænkede lofter, de mange kilometer af plastickabler og alle plasticdelene på computerne.

Hoffmann rejser sig på alle fire, kæmper sig op på knæ og kommer til sidst vaklende på benene. Han svajer frem og tilbage. Han flår jakken af og holder den beskyttende op foran ansigtet, før han løber hovedkulds ind i infernoet på gangen med lyslederkablerne, styrter forbi de ulmende og stillestående robotter, videre gennem den mørklagte computerfarm og ind i lagerrummet. Han ser, at stålporten er lukket. Hvordan er det sket? Han trykker på knappen med flad hånd for at åbne den. Ingenting sker. Han gentager desperat bevægelsen, som om han prøver at hamre knappen ind i væggen. Ingenting. Alt lys er slukket; ilden må have fået kredsløbene til at kortslutte. Da han vender sig, søger hans blik op mod den årvågne kameralinse, og hans blik afspejler et virvar af følelser. Raseri, en vanvittig form for triumf og – naturligvis – frygt.

Når frygten stiger til pinefuld rædsel, ser vi, som i forbindelse med alle andre voldsomme følelser, forskelligartede resultater.

Hoffmann har et valg nu. Han kan enten blive, hvor han er, og risikere at blive spærret inde og dø i flammerne. Eller han kan prøve at trænge ind i infernoet og finde brandtrappen i hjørnet af lokalet med båndrobotterne. Overvejelserne lyser ud af hans øjne ...

Han vælger den sidste mulighed. Varmen er blevet endnu mere intens i løbet af de seneste få sekunder. Flammerne udsender et skarpt og blussende skær, og boksene af plexiglas smelter. Der er gået ild i en af robotterne, og den midterste sektion på den er begyndt at smelte, og idet han styrter forbi den, knækker den sammen på midten i et dybt buk og styrter til gulvet bag ham.

Jernet på trappen er alt for varmt til, at han kan røre ved det. Han kan mærke varmen fra trinnene gennem sålerne på sine sko. Trappen fører ikke hele vejen op til taget, men kun til etagen ovenover, som henligger i mørke. I det dybrøde skær fra branden bag sig kan han se et stort rum med tre døre. Det lyder, som om det blæser kraftigt på etagen. Han kan ikke helt finde ud af, om lyden kommer fra højre eller venstre. Et sted i det fjerne hører han et brag, da et stykke af gulvet braser sammen. Han holder ansigtet hen foran sensoren for at åbne den første dør. Da den ikke reagerer, tørrer han sig i hovedet med ærmet. Han har så meget sved og olie i ansigtet, at sensorerne muligvis ikke kan genkende ham. Men selv da han har fjernet sveden, reagerer døren ikke. Også den næste dør nægter at åbne sig. Den tredje dør går imidlertid op, og han stirrer ind i et buldrende mørke. På optagelserne fra de infrarøde kameraer kan man se ham famle sig hen langs væggene for at finde den næste dør, og sådan fortsætter han fra rum til rum, indtil han omsider for enden af en gang åbner en dør, der viser sig at føre ind til en brølende højovn af flammer. En stikflamme skyder frem mod den friske ilt som et sultent rovdyr. Han vender om og løber. Det er, som om flammerne forfølger ham, og skæret fra ilden får metallet på en trappe foran ham til at funkle. Han forsvinder ud af billedfeltet. Et øjeblik efter lukker ildkuglen sig om kameralinsen, og optagelsen slutter.

For de mennesker, der følger med i begivenhederne udefra, ligner bygningen en trykkoger. Ingen flammer er synlige – kun røgen, der ledsaget af et vedvarende brøl trænger ud gennem alle ventilationsåbninger og samlinger i facaden. Brandvæsnet sprøjter vand på siderne af bygningen fra tre retninger i et forsøg på at afkøle dem. Som brandchefen forklarer Leclerc, er det hans største bekymring, at hvis de slår dørene ind for at få adgang til bygningen, vil de kun give flammerne ekstra ilt. Alligevel finder det infrarøde udstyr bevægelige sorte lommer i bygningen, hvor varmen er mindre intens, og hvor en eller anden måske stadig er i live. En gruppe brandmænd i solide beskyttelsesdragter er ved at forberede sig på at trænge ind.

Gabrielle og Quarry er blevet ført væk fra bygningen og står lige inden for indhegningen. En eller anden har lagt et tæppe om hendes skuldre. De stirrer begge lamslåede på bygningen. Pludselig skyder en tunge af orange flammer op mod nattehimlen fra det flade tag på bygningen. Af form – om ikke af farve – minder stikflammen om den brændende røg fra en skorsten på et raffinaderi, hvor et gasholdigt affaldsprodukt bliver afbrændt. I det samme er det, som om noget løsriver sig fra bunden af flammen, og der går et øjeblik, før de bliver klar over, at der er tale om det brændende omrids af en mand. Han løber hen til kanten af taget, holder armene ud til siden, sætter af og styrter til jorden som Ikaros.

19

Ser vi ud i fremtiden ... [kan ingen forudsige] hvilken gruppe, der til sidst vil få overtaget ... vi ved, at mange grupper, der i fortiden var store, nu er uddøde.

CHARLES DARWIN, *Arternes oprindelse* (1859)

Det var næsten midnat, og på vejen tilbage til Les Eaux-Vives var gaderne omkring dem stille. Butikkerne og restauranterne var lukkede. Quarry og Leclerc sad i tavshed på bagsædet af en patruljevogn.

Langt om længe sagde Leclerc: »Er De helt sikker på, at De ikke hellere vil køres hjem?«

»Ja, men tak for tilbuddet. Jeg er nødt til at sætte mig i forbindelse med vores investorer i aften, før de hører om begivenhederne i nyhederne.«

»Det bliver uden tvivl en stor historie.«

»Ja, uden tvivl.«

»Men alligevel, hvis De ikke har noget imod, at jeg siger det, er De nødt til at passe på Dem selv oven på de voldsomme begivenheder.«

»Bare rolig, det skal jeg nok.«

»I det mindste befinder madame Hoffmann sig på et hospital, hvor hun kan komme under kyndig behandling, hvis hun bliver ramt af et forsinket chok ...«

»Inspektør, jeg skal nok klare mig. Okay?«

Quarry støttede en hånd under kinden og så ud ad vinduet for at signalere, at han ikke var interesseret i yderligere samtale. Leclerc stirrede ud på gaden på den anden side af bilen. Tænk sig, blot 24 timer tidligere havde han taget hul på en helt rutinemæssig nattevagt! Godt nok vidste man aldrig, hvad livet ville byde på af overraskelser. Hans chef havde ringet fra middagsselskabet i Zürich for at lykønske ham med en »hurtig afværgelse af en potentielt kompromitterende situation«, finansministeren var glad, og Genèves gode omdømme som investeringscentrum ville ikke blive ødelagt af de usædvanlige begivenheder. Alligevel havde han det, som om han på en måde havde svigtet, fordi han konstant havde været en afgørende time eller to bagud i forhold til begivenhederne. Hvis jeg bare var taget med Hoffmann på hospitalet i morges, tænkte han, og havde insisteret på, at han lod sig indlægge for at få den rette behandling, ville intet af det efterfølgende være sket. »Jeg burde have håndteret det bedre,« sagde han, næsten kun henvendt til sig selv.

Quarry så på ham ud af øjenkrogen. »Hvabehar?«

»Jeg sad blot og tænkte, *monsieur*, at jeg kunne have håndteret tingene bedre, og så kunne hele denne tragedie måske have været undgået. Hvis jeg for eksempel på et tidligere tidspunkt – helt fra begyndelsen, faktisk – havde set, at Hoffmann var i en psykisk ustabil tilstand.« Han tænkte på Darwin-bogen og Hoffmanns rablende påstand om, at manden på billedet på en eller anden måde rummede et fingerpeg om, hvorfor han var blevet overfaldet.

»Måske,« svarede Quarry uden at lyde overbevist.

»Og igen senere, på madame Hoffmanns udstilling ...«

»Hør her,« sagde Quarry utålmodigt, »skal jeg fortælle Dem sandheden? Alex var en sær snegl. Lige fra begyndelsen. Allerede den første aften, jeg mødte ham, burde jeg have vidst, hvad jeg gik ind til. Det har ingenting at gøre med Dem, hvis De vil tilgive mig for at sige det.«

»Alligevel ...«

»Misforstå mig ikke. Jeg er frygtelig ked af, at det endte på den måde for ham. Men forestil Dem, hvordan han i alle disse mange år mere eller mindre har drevet et skyggefirma lige for næsen af mig … at han har udspioneret mig, udspioneret sin kone, udspioneret sig *selv* …«

Leclerc tænkte på, hvor ofte han hørte den slags vantro udbrud fra hustruer og ægtemænd, elskere og venner, om, hvor lidt man rent faktisk vidste om, hvad der foregik i hovederne på de mennesker, man troede, man kendte bedst. »Hvad vil der ske med firmaet uden ham?« spurgte han stille.

»Firmaet? Hvilket firma? Firmaet er afgået ved døden.«

»Ja, jeg kan godt se, at al den megen omtale vil være skadelig.«

»Åh, tror De virkelig det? *'Skizofrent bankgeni går amok, myrder to og sætter ild til erhvervsejendom'* – den slags?«

Bilen trak ind til kantstenen uden for kontorbygningen. Quarry lagde hovedet tilbage, stirrede op i loftet og sukkede dybt. »Sikke noget forbandet lort, det hele er.«

»Ja, mon ikke.«

»Udmærket.« Quarry åbnede døren. »Jeg går ud fra, at vi tales ved igen i morgen tidlig.«

»Nej, *monsieur,*« sagde Leclerc, »eller i det mindste kommer De ikke til at tale med mig. Sagen er overgået til en dygtig ung betjent ved navn Moynier. De vil opleve, at han er en meget effektiv mand.«

»Åh, okay.« Quarry virkede nærmest skuffet. Han gav politimanden hånden. »Så vil jeg vente på at høre fra Deres kollega. Godnat.«

Han svingede ubesværet benene ud på fortovet og steg ud af bilen.

»Godnat. Og for resten …« skyndte Leclerc sig at tilføje, før Quarry lukkede døren. Han lænede sig hen over sædet. »De tekniske problemer, De havde … jeg ville have spurgt Dem om det tidligere … hvor alvorlige var de?«

Det faldt stadig Quarry helt naturligt at give et undvigende svar. »Åh, det var ingenting ... slet ikke noget alvorligt.«

»Men Deres kollega sagde, at De havde mistet kontrollen med systemet ...«

»Han mente det ikke bogstaveligt. De ved, hvordan det er med computere.«

»Åh ja, uden tvivl ... computere!«

Quarry lukkede døren. Patruljevognen satte sig i bevægelse. Leclerc kiggede tilbage på finansmanden, da han forsvandt ind i bygningen. En skygge passerede i hans tanker, men han var for træt til at forfølge den.

»Hvorhen, boss?« spurgte chaufføren.

»Mod syd, vejen til Annecy-le-Vieux,« svarede Leclerc.

»Bor du i Frankrig?«

»Bare lige på den anden side af grænsen. Jeg ved ikke, hvordan det er med dig, men jeg har ikke råd til at bo i Genève længere.«

»Jeg ved præcis, hvad du mener. Hele byen er blevet overtaget af udlændinge.«

Chaufføren begyndte at tale om huspriser. Leclerc lænede sig tilbage i sædet og lukkede øjnene. Han sov, før de nåede grænsen til Frankrig.

Gendarmerne havde forladt kontorbygningen. Adgangen til en af elevatorerne var afspærret med et stykke gul og sort-stribet tape, som nogen havde hængt et skilt op på. ADVARSEL: UDE AF DRIFT – men den anden elevator fungerede, og efter et øjebliks tøven trådte Quarry ind i den.

Van der Zyl og Ju-Long ventede på ham i receptionen og rejste sig, da han kom ind. De så begge ud til at være dybt rystede.

»De har lige fortalt det i nyhederne,« sagde van der Zyl. »De viste billeder af branden, kontoret ... det hele.«

Quarry bandede og så på sit ur. »Jeg må hellere begynde at

skrive til vores største kunder med det samme. Det er bedst, at de hører det fra os først.« Han lagde mærke til, at van der Zyl og Ju-Long kiggede på hinanden. »Hvad er der?«

»Før du gør det,« sagde Ju-Long, »er der noget, du lige bør se.«

Han fulgte efter dem ind i handelsafdelingen. Til hans store overraskelse var ingen af *quanterne* gået hjem. De rejste sig, da han kom ind, men ingen af dem sagde en lyd. Han spekulerede på, om tavsheden skulle tolkes som en form for respekt. Han håbede ikke, at de forventede, at han holdt en tale. Af gammel vane kiggede han op på tv-skærmene. Dow Jones-indekset havde genvundet næsten to tredjedele af det tidligere tab og var lukket i 387. VIX var steget med tres procent. Det forventede resultat af valget i Storbritannien blev præsenteret på baggrund af en landsdækkende exit poll: INTET ENTYDIGT UDFALD. Det opsummerede mere eller mindre det hele, tænkte han. Han tjekkede den nærmeste skærm for at se tallet for dagens gevinst/tab, blinkede et par gange og læste cifrene igen, hvorefter han vendte sig og så forundret på de andre.

»Det er rigtigt nok,« sagde Ju-Long. »Vi sikrede os et udbytte på 4,1 milliarder dollars på baggrund af sammenbruddet.«

»Og det smukkeste af det hele er,« tilføjede van der Zyl, »at det blot repræsenterer 0,4 procent af markedets totale volatilitet. Ingen andre end os vil nogensinde bemærke noget.«

»De gode græd ...« I hovedet gennemførte Quarry et hurtigt regnestykke for at finde ud af, hvad hans egen nettoformue dermed var kommet op på. »Det må betyde, at det lykkedes VIXAL at afslutte alle handlerne, før Alex satte den ud af spillet.«

Der fulgte en pause, før Ju-Long stille sagde: »Han satte den ikke ud af spillet, Hugo. Den handler stadig.«

»Hvad?«

»VIXAL handler stadig.«

»Det kan ikke passe! Jeg har lige set al vores hardware gå op i flammer.«

»Så må den benytte sig af en anden hardware, som vi ikke ved noget om. Det lader til, at der er sket noget nærmest mirakuløst. Har du set vores intranet? Firmaets slogan er blevet ændret.«

Quarry så på *quanternes* ansigter, der på samme tid virkede både tomme og strålende. De lignede en flok medlemmer af en hemmelig sekt. Det var uhyggeligt. Adskillige af dem nikkede opmuntrende til ham. Han lænede sig frem for at undersøge skærmbilledet.

FREMTIDENS VIRKSOMHED HAR INGEN MEDARBEJDERE
FREMTIDENS VIRKSOMHED HAR INGEN CHEFER
FREMTIDENS VIRKSOMHED ER EN DIGITAL ENHED
FREMTIDENS FIRMA ER LEVENDE

På sit kontor sendte Quarry en mail til investorerne.

Til: Etienne & Clarisse Mussard; Elmira Gulzhan & François de Gombart-Tonnelle; Ezra Klein; Bill Easterbrook; Amschel Herxheimer; Iain Mould; Mieczyslaw Łukasiński; Liwei Xu; Qi Zhang

Fra: Hugo Quarry

Emne: Alex

Kære venner, når I læser dette, har I sikkert allerede hørt den tragiske nyhed om, hvad der skete med Alex Hoffmann i går. Jeg vil indkalde jer alle enkeltvis senere i dag for at diskutere situationen. Lige her og nu vil jeg bare gerne fortælle, at Alex modtager den bedst tænkelige lægebehandling, og at vores bønner er rettet mod både ham og Gabrielle i denne vanskelige situation. Naturligvis er det for tidligt at tale om fremtiden for det firma, som han grundlagde, men jeg vil gerne forsikre jer alle om, at han har sørget for at efterlade et intakt system, hvilket betyder, at jeres investeringer ikke blot fortsat vil være i gode hænder, men at de – og det er jeg helt igennem overbevist om – kun vil vokse sig stærkere og stærkere. Jeg vil forklare det hele meget mere udførligt, når vi mødes.

Quanterne havde afholdt en afstemning i handelsafdelingen og var blevet enige om at lægge låg på det, der var sket. Til gengæld ville de hver især modtage en bonus på fem millioner dollars og kunne se frem til yderligere udbetalinger i fremtiden – efter en udregningsmodel, som stadig manglede at blive forhandlet på plads – alt afhængigt af, hvordan VIXAL klarede sig. Ingen havde protesteret, og Quarry gik ud fra, at de jo alle havde set, hvad der var sket med Rajamani.

Det bankede på døren. »Kom ind!« råbte Quarry. Det var Genoud.

»Hej, Maurice, hvad kan jeg hjælpe med?«

»Jeg er kommet for at afmontere kameraerne, hvis det er i orden.«

Quarry tænkte på VIXAL. Han forestillede sig algoritmen som en form for ulmende, digital sky, der af og til søgte ned mod Jorden. I realiteten kunne den befinde sig hvor som helst – i et bagende varmt og usselt industrikvarter i nærheden af en international lufthavn i Sydøstasien eller Latinamerika, hvor luften stank af flybrændstof og sitrede af cikaders pulserende sang, eller den kunne befinde sig i en kølig og grøn erhvervspark i den blide, klare regn i New England eller Rhinlandet, eller den kunne have hjemme på en sjældent besøgt og mørklagt etage i en funklende ny kontorbygning i Londons finansdistrikt eller Mumbai eller São Paulo, eller den kunne oven i købet have slået sig uopdaget ned på hundredtusindvis af hjemmecomputere. Den er overalt omkring os, tænkte han, i selve den luft, vi indånder. Han så op på det skjulte kamera og nikkede ganske stille og ærbødigt.

»Lad dem bare være,« sagde han.

Gabrielle var vendt tilbage til det sted, hvor dagen var begyndt. Hun befandt sig endnu en gang på Universitetshospitalet, men denne gang sad hun ved siden af sin mands seng. Han havde fået sin egen stue for enden af en mørk gang på tredje etage. Der var tremmer for vinduerne, og to gendarmer – en mand og en kvinde – holdt vagt uden for døren. Alex havde været bevidstløs, siden han ramte jorden. Personalet havde fortalt hende, at han havde fået adskillige knoglebrud og andengradsforbrændinger. Han var lige kommet tilbage fra operationsstuen og var forbundet til et dropstativ og en skærm og havde en iltslange i halsen. Kirurgen havde nægtet at udtale sig om prognosen og havde kun villet sige, at de næste 24 timer blev kritiske. Fire rækker af lysende, smaragdgrønne kurver gled med hypnotisk effekt hen over skærmen i bløde bakker og dale. De mindede hende om deres bryllupsrejse, hvor de havde set, hvordan Stillehavets bølger opstod langt ude på havet, hvorefter de havde fulgt dem hele vejen ind til stranden.

Alex råbte forvirret i sin bedøvede søvn. Det virkede, som om han var frygtelig oprevet over et eller andet. Hun rørte ved forbindingen på hans hånd og spekulerede på, hvad det var, der passerede gennem hans veludviklede hjerne. »Alt er i orden, skat. Det hele skal nok blive godt nu.« Hun lagde hovedet på puden ved siden af hans. På trods af alt følte hun en underlig glæde ved omsider at have ham ved sin side igen. Uden for tremmevinduet slog en kirkeklokke tolv slag, og hun begyndte at synge en stille vuggevise for ham.

Der er i bogen anvendt citater på dansk fra følgende udgivelser:

DANTE ALIGHIERI, *Dantes guddommelige komedie*, Forlaget Multivers, København 2009. På dansk ved Ole Meyer.

ELIAS CANETTI, *Masse og magt*, Rævens Sorte Bibliotek, Forlaget Politisk Revy, København 1996. På dansk ved Karsten Sand Iversen.

CHARLES DARWIN, *Arternes oprindelse*, Statens Naturhistoriske Museum, Københavns Universitet, København 2009. På dansk ved Jørn Madsen.

CHARLES DARWIN, *Menneskets afstamning*, Husets Forlag og Publizon A/S, 2009. På dansk ved J.P. Jacobsen, bearbejdet af Lotte Langer.

RICHARD DAWKINS, *Det selviske gen*, Fremad, København 1977. På dansk ved Hanne Willert.

EPIKTET, *Epiktets håndbog*, Hans Reitzel, København 1999. På dansk ved J.A. Bundgaard.

BILL GATES, *Ledelse med tankens hast*, Høst & Søn, København 2000. På dansk ved Henrik Palle.

MARY SHELLEY, *Frankenstein*, Vintens Forlag, København 1994. På dansk ved Jannick Storm.